Das Buch

Annie ist eine attraktive Frau um die vierzig. Sie und ihr Mann Blake, ein erfolgreicher Anwalt, leben in Kalifornien. Als ihre 17-jährige Tochter Natalie erstmals für längere Zeit das Elternhaus verlässt, muss Annie lernen, ihre Tochter loszulassen. Doch das ist nicht alles. Kaum sitzt Natalie im Flugzeug, teilt Blake seiner Frau mit, dass er sich scheiden lassen will. Annie verliert den Boden unter den Füßen: Wer ist sie, wen sie nicht die perfekte Ehefrau und Mutter sein kann? Sie flieht zu ihrem bärbeißigen Vater Hank nach Mystic, Washington – an den Ort ihrer Kindheit. Und trifft dort unvermutet auf Nick, ihre erste große Liebe …

Die Autorin

Kristin Hannah gehört zu den Top-Bestseller-Autorinnen der USA und hat mit ihren Romanen auch in Deutschland die Herzen der Leser erobert. Kristin Hannah wurde 1960 in Südkalifornien geboren und arbeitete als Anwältin, bevor sie sich ganz dem Schreiben widmete. Mit ihrem Mann und ihrem Sohn lebt sie auf einer kleinen Insel im Pazifik.

Von Kristin Hannah sind in unserem Hause bereits erschienen:

Wenn das Herz ruft
Wenn Engel schweigen

Kristin Hannah

Der See der Träume

Roman

Aus dem Englischen
von Hedda Pänke

Ullstein

Besuchen Sie uns im Internet:
www.ullstein-taschenbuch.de

Ullstein Verlag
Ullstein ist ein Verlag der Ullstein Buchverlage GmbH.
April 2004
© 2004 für die deutsche Ausgabe by Ullstein Buchverlage GmbH,
München
© 2003 für die deutsche Ausgabe by Ullstein Heyne List GmbH & Co.
KG
© 2002 für die deutsche Ausgabe by Econ Ullstein List Verlag GmbH
& Co. KG, München
© 1999 by Kristin Hannah
Titel der amerikanischen Originalausgabe: *On Mystic Lake*
(Crown Publishers, Inc., New York)
Übersetzung: Hedda Pänke
Umschlaggestaltung: Cordula Schmidt, Hamburg
Titelabbildung: Superbild
Druck und Bindearbeiten: Ebner & Spiegel, Ulm
Printed in Germany
ISBN 3-548-25830-1

Für Barbara Kurek. Meine Mutter hätte mir keine
bessere Patin aussuchen können.

Für Benjamin und Tucker, die Männer
in meinem Leben …

Und im Gedenken an meine Mutter Sharon Goodno John.
Ich hoffe, es gibt im Himmel Buchhandlungen, Mom.

TEIL EINS

Zur wahren Selbsterforschung braucht man keine neuen Horizonte zu entdecken. Man bedarf neuer Augen.

Marcel Proust

1. Kapitel

Regentropfen fielen wie silbrige Tränen vom mattgrauen Himmel. Irgendwo hinter Wolkenbänken verbarg sich die Sonne; zu schwach, um Schatten auf die Erde zu werfen.

Es war März, eine winterstarre, stille Zeit, aber der laue Wind wärmte bereits und brachte eine Verheißung von Frühling. Bäume, die noch eine Woche zuvor wie nackt und tot aussahen, schienen in einer einzigen mondlosen Nacht zehn Zentimeter gewachsen zu sein, und manchmal, wenn die Sonne einen Ast oder Zweig traf, konnte man sehen, wie sich unter der braunen Rinde mit prallen Knospen neues Leben regte. Jeden Tag würden die Hügel hinter Malibu erblühen, und für ein paar kurze Wochen wäre es der schönste Fleck auf der Welt.

Wie Pflanzen und Tiere spürten auch die Menschen im südlichen Kalifornien das Nahen der Sonne. Sie begannen von Eiscreme, Strandpartys und kurzen Hosen zu träumen. Selbst überzeugte Cityfans, die in Hochhaussiedlungen aus Glas und Beton lebten, mit hochgestochenen Namen wie Century City, fanden sich vor den Gartenbedarf-Regalen ihrer Supermärkte wieder. Neben sonnengetrockneten Tomaten und Flaschen mit Evian-Wasser wurden nun auch Pelargonientöpfe zur Kasse geschoben.

Seit zwanzig Jahren wartete Annie Colwater auf den Frühling wie ein junges Mädchen auf den ersten Ball: voller Vorfreude und Erregung. Sie bestellte Zwiebeln und Knollen aus fremden Ländern und kaufte handbemalte Keramiktöpfe für ihre Lieblingsblumen.

In diesem Jahr jedoch verspürte sie eine vage Panik, fast so etwas wie Furcht. Von morgen an würde in ihrem wohl geordneten Leben nichts mehr so sein wie bisher, und für einschneidende Veränderungen war sie nun einmal nicht geschaffen. Sie hatte es gern, wenn die Dinge in klar umrissenen Bahnen verliefen, berechenbar waren. Eine unauffällige, durchschnittliche Existenz gab ihr Sicherheit, das und die Nähe ihrer Familie.

Ehefrau.

Mutter.

Das waren die Rollen, mit denen sie sich identifizierte, die ihrem Leben Sinn gaben. So war es immer gewesen, und jetzt, da sie sich ihrem vierzigsten Geburtstag näherte, konnte sie sich nicht erinnern, jemals etwas anderes gewünscht zu haben. Gleich nach dem College hatte sie geheiratet und war noch im selben Jahr schwanger geworden. Ihr Mann und ihre Tochter waren ihre Anker. Ohne Blake und Natalie käme sie sich vor wie ein Schiff, das ohne Kapitän und ohne Ziel aufs Meer hinaustrieb.

Doch was blieb einer Mutter, wenn ihr einziges Kind das Haus verließ?

Unbehaglich rutschte sie auf dem Beifahrersitz des Cadillac hin und her. Die marineblaue Wollhose und die blassrosa Seidenbluse, die sie am Morgen mit Bedacht ausgewählt hatte, erschienen ihr nun völlig unpassend. Normalerweise diente ihr ein modisches Outfit als Tarnung, um eine Frau vorzuspielen, die sie nicht war. In Designerkleidung und mit sorgfältigem Make-up sah sie zumindest aus wie die Gattin eines Staranwalts. Doch heute nicht. Heute bereitete es ihr Kopfschmerzen, dass sie ihre langen braunen Haare streng aus dem Gesicht gekämmt und im Nacken zu einem Knoten zusammengefasst hatte, weil es ihrem Mann so gefiel, weil sie ihr Haar schon immer so trug.

Mit ihren manikürten Fingernägeln trommelte sie auf die Armlehne und sah zu Blake hinüber. Er wirkte absolut entspannt, wie er da hinter dem Steuer saß. Als wäre es ein ganz normaler Nachmittag und nicht der Tag, an dem ihre siebzehnjährige Tochter nach London flog.

Selbstverständlich war es kindisch, sich Sorgen zu machen, aber dieses Wissen machte den Trennungsschmerz nicht kleiner. Als Natalie erstmals ihren Wunsch geäußert hatte, ihr Studium schnell abzuschließen und ihr letztes Quartal in London zu verbringen, war Annie stolz auf ihre unabhängige Tochter gewesen. Viele Absolventen der teuren Privatschule taten dies, und es war genau das intellektuelle Abenteuer, das sie sich für ihre Tochter wünschte.

Annie hätte für einen derart verwegenen Schritt nie den nötigen Mut aufgebracht – mit siebzehn ebenso wenig wie heute mit neununddreißig. Reisen hatte ihr schon immer irgendwie Angst eingeflößt. Obwohl sie gern andere Orte sah und neue Menschen kennen lernte, empfand sie doch Unbehagen, sobald sie ihre gewohnte Umgebung verließ.

Sie wusste, dass diese Angst ein Überbleibsel aus ihrer Jugend war, eine Folge der Tragödie, die ihre Kindheit geprägt hatte, aber die Tatsache, dass sie eine Erklärung dafür hatte, machte die Qual nicht weniger schlimm. Auf allen Urlaubsreisen litt Annie unter Alpträumen, düsteren Visionen der Hilflosigkeit, in denen sie ohne Geld und Ziel allein auf sich gestellt war. Verzweifelt irrte sie durch unbekannte Straßen und suchte vergebens nach ihrer Familie, bis sie schließlich schluchzend aufwachte. Dann schmiegte sie sich an ihren schlafenden Mann und fand endlich Ruhe.

Ja, sie war stolz gewesen auf die Unabhängigkeit und den Mut ihrer Tochter, allein nach England zu fliegen, doch sie hatte nicht gewusst, wie schwer es sein würde, sie wirklich gehen zu lassen. Seit Natalie die Aufmüpfigkeit ihrer frühen Teenagerjahre abgestreift hatte, waren Annie und ihre Tochter so etwas wie gute, wie beste Freundinnen gewesen. Natürlich gab es auch schwere Zeiten, Auseinandersetzungen und Worte, die besser ungesagt geblieben wären, aber das alles hatte sie nur noch enger zusammengeschmiedet. Sie waren eine Einheit, die »Mädchen« in einer Familie, in welcher der Mann im Haus achtzig Stunden wöchentlich arbeitete und mitunter tagelang nicht einmal lächelte.

Annie blickte aus dem Autofenster. Die Straßenschluchten von Los Angeles waren ein verschwommenes Gemisch aus Wolkenkratzern, Graffiti und Neonlichtern, die trübe durch den regnerischen Dunst schimmerten. Unausweichlich kamen sie dem Flughafen immer näher.

Sie streckte den Arm aus und legte eine Hand auf seinen hellblauen Kaschmirärmel. »Lass uns mit Nana nach London fliegen und uns davon überzeugen, dass sie bei ihrer Gastfamilie gut untergebracht ist. Ich weiß …«

»Also wirklich, Mom!«, protestierte Natalie hinter ihr. »Es wäre voll peinlich, wenn ich da mit *euch* im Schlepptau auftauche.«

Annie zupfte einen winzigen Fussel von ihrer Wollhose. »Es war nur so eine Idee«, sagte sie leise. »Dein Dad versucht schon seit Jahren, mich zu einer Englandreise zu überreden. Ich dachte, dass … jetzt vielleicht eine gute Gelegenheit wäre.«

Blake musterte sie mit einem schnellen Blick, den sie nicht recht deuten konnte. »Ich habe England seit Ewigkeiten nicht mehr erwähnt.« Dann murmelte er etwas Unverständliches über den Verkehr und drückte ungeduldig auf die Hupe.

»Nun, die kalifornischen Verkehrsverhältnisse würden dir bestimmt nicht fehlen«, unterbrach Annie das unbehagliche Schweigen.

Natalie lachte. »Mit Sicherheit nicht. Sally Pritchart … Du erinnerst dich doch an sie, Mom? Sie ging letztes Jahr nach London und fand es ganz toll. Nicht wie in Kalifornien, wo man überallhin mit dem Auto fährt. In London nimmt man die Untergrundbahn.« Sie schob ihren blonden Kopf zwischen die beiden Vordersitze. »Bist du mit der Underground gefahren, als du letztes Jahr in London warst, Dad?«

Wieder schlug Blake mit dem Handballen auf die Hupe. Gereizt schaltete er das Blinklicht ein und wechselte auf die Überholspur. »Wie? Was hast du gesagt?«

»Ach, nichts«, seufzte Natalie.

Annie stieß Blake leicht mit der Schulter an. Es waren kostbare Minuten, die letzten mit ihrer Tochter für Monate, und wie üblich nutzte er sie nicht. Sie wollte etwas sagen, um das Schweigen zu beenden, etwas, um nicht an das nun leere Haus denken zu müssen, aber dann sah sie das »LAX«-Schild und brachte kein Wort über die Lippen.

Blake bog auf die Ausfahrt ein, fuhr in die unterirdische Parketage hinab und schaltete den Motor aus. Eine ganze Weile blieben sie stumm sitzen. Annie wartete darauf, dass er etwas sagte, väterliche Ratschläge gab oder Bedauern darüber äußerte, lange Zeit auf seine Tochter verzichten zu müssen. Aber er stieß nur seine Tür auf.

Wie immer folgte Annie genau seinem Beispiel. Sie stieg aus, blieb neben der Tür stehen und drehte ihre Sonnenbrille in eiskalten Fingern. Sie musterte Natalies Gepäck: eine große, graue Reisetasche und einen grünen Eddie-Bauer-Rucksack. Sie überlegte, ob das nicht zu wenig war, zu unhandlich, zu schwer … Plötzlich fand sie ihre Tochter unglaublich jung. Ihr hoch aufgeschossener, schmaler Körper versank nahezu in dem sackartigen Kleid, das knapp drei Zentimeter über den schwarzen, abgestoßenen Stiefeln endete. Zwei Metallspangen hielten ihre hellblonden Haare aus dem Gesicht. Drei silberne Ohrringe steckten in ihrer linken Ohrmuschel.

Annie wollte ein Gespräch beginnen, zum sorgsamen Umgang mit Geld und Pässen ermahnen, die Notwendigkeit betonen, nie allein, sondern immer mit anderen unterwegs zu sein, brachte aber keinen Ton heraus.

Blake lief mit den beiden Gepäckstücken voraus, stumm bildeten Annie und Natalie die Nachhut. Sie wünschte sich, er würde auf sie warten, zusammen mit ihnen eine Reihe bilden – für den Fall, dass Natalie noch nicht aufgefallen war, wie eilig es ihr Dad hatte. Am Abfertigungsschalter zeigte er alles Nötige vor, und dann begaben sie sich in die Abflughalle.

Im Wartebereich klammerte sich Annie an ihre marineblaue Handtasche, als wäre sie ein Schutzschild. Allein lief sie zu den riesigen, schmutzigen Fenstern und betrachtete sich einen Moment lang in der Scheibe: eine schlanke, makellos gekleidete Hausfrau.

»Sei doch nicht so still, Mom. Das ertrage ich nicht.« In den beiden Sätzen klang ein Hauch von Unsicherheit mit, den nur eine Mutter wahrnehmen konnte.

Annie zwang sich zu einem Lachen. »Sonst fleht ihr mich doch immer an, endlich den Mund zu halten. Und es ist keineswegs so, dass ich nicht tausend Dinge wüsste, die ich unbedingt loswerden möchte. Gerade erst gestern sah ich mir deine Babyfotos an und dachte …«

»Ich habe dich auch sehr lieb, Mom«, flüsterte Natalie.

Annie ergriff die Hand ihrer Tochter und hielt sie fest. Aus Furcht, ihre Miene könnte sie verraten, wagte sie nicht, sich zu Natalie umzudrehen. Schließlich wollte sie nicht, dass ihr Kind das Bild einer verzweifelten Mutter mit an Bord schleppte wie ein zu schweres Gepäckstück.

Blake trat neben sie. »Ich wünschte wirklich, du hättest uns Erste-Klasse-Tickets kaufen lassen. Es ist ein sehr langer Flug und das Essen in der Touristenklasse ist grauenhaft. Himmel, vermutlich servieren sie euch irgendeinen ungenießbaren Pamps.«

»Woher kennst du dich denn mit der Verpflegung in der Economy aus, Dad?«, lachte Natalie.

Blake schmunzelte. »Nun, in der Ersten ist es auf alle Fälle behaglicher.«

»Aber mir geht es nicht um Behaglichkeit«, entgegnete Natalie, »sondern um *Abenteuer*.«

»Ah, Abenteuer.« Endlich hatte Annie ihre Stimme wiedergefunden. Sie fragte sich, wie man sich fühlte, wenn man so hochfliegende Träume hatte, und beneidete ihre Tochter wieder einmal um ihre Unabhängigkeit. Natalie war sich immer ganz sicher, was sie wollte.

»Flug drei fünf sieben nach London ist jetzt zum Einsteigen bereit«, erscholl es über Lautsprecher.

»Ich werde euch vermissen«, sagte Natalie leise. Sie blickte zum Flugzeug hinaus und knabberte nervös an ihrem Daumennagel.

Annie legte eine Hand an Natalies Wange und versuchte sich alles ganz genau einzuprägen: den kleinen Leberfleck neben dem linken Ohrläppchen ihrer Tochter, den exakten Farbton ihrer blonden Haare und blauen Augen, die zimtfarbenen Sommersprossen auf ihrer Nase.

In den nächsten drei Monaten würde sie Natalies Anblick aus der Erinnerung hervorholen wie ein geliebtes Foto. »Und vergiss nicht, jeden Montag rufen wir dich an, um sieben Uhr britischer Zeit. Du wirst bestimmt eine tolle Zeit haben, Nana.«

Blake breitete die Arme aus. »Komm, gib deinem alten Dad einen Kuss.«

Natalie stürzte sich in die Arme ihres Vaters.

Viel zu schnell wurde Natalies Sitzreihe aufgerufen.

Ein letztes Mal nahm Annie ihre Tochter in die Arme – lange, aber längst nicht lange genug – und trat dann langsam zurück. Mit den Tränen kämpfend, sah sie, wie Natalie der Frau am Schalter ihr Ticket gab, um dann nach einem allerletzten Winken im Korridor zu verschwinden.

»Es wird ihr schon nichts zustoßen, Annie.«

Sie starrte in den leeren Gang. »Ich weiß.«

Es dauerte so lange wie eine Träne. Eine Träne lief über Annies Wange, dann war ihre Tochter fort.

Annie sah der Maschine lange nach – bis die weißen Abgase aus den Düsen mit den grauen Wolken verschmolzen waren. Sie spürte Blake neben sich. Sie wünschte sich, er hätte nach ihrer Hand gegriffen, ihre Schulter gedrückt, sie in die Arme genommen, irgendeine Zärtlichkeit, wie er sie fünf Jahre zuvor gezeigt hatte.

Sie wandte sich zu ihm um. In seinen Augen sah sie sich reflektiert und das Spiegelbild ihres gemeinsamen Lebens. Mit achtzehn, kaum älter als Natalie, hatte sie ihn zum ersten Mal geküsst, und seither war er der einzige Mann in ihrem Leben geblieben.

Sein gut aussehendes Gesicht wirkte ernster, als sie es jemals gesehen hatte. »Ah, Annie …«, seufzte er leise. »Was wirst du jetzt nur tun?«

Es war ihr, als müsste sie auf der Stelle zusammenbrechen, mitten auf dem gesichtslosen, belebten Flughafen. »Bring mich nach Hause, Blake«, flüsterte sie mit unsicherer Stimme. Sie wollte in ihre vertraute Umgebung zurück, Dinge um sich haben, die sie daran erinnerten, wer sie war.

»Selbstverständlich.« Er nahm ihre Hand, führte sie durch die Halle und zu dem unterirdischen Parkdeck. Wortlos stiegen sie in den Cadillac und zogen die Türen hinter sich zu. Leise schnurrend setzte die Klimaanlage ein.

Während der Wagen einen Freeway nach dem anderen hinunterfuhr, fühlte sich Annie leer und erschöpft. Sie lehnte sich in die Polster zurück und sah durch das Fenster auf die Stadt, in der sie nie ganz heimisch geworden war, obwohl Blake und sie gleich nach dem College hierher gezogen waren. Los Angeles war ein ausuferndes Labyrinth, in dem täglich großartige und durch ihre Architektur beeindruckende Gebäude durch ein paar gut platzierte Sprengladungen zerstört wurden, weil Menschen ohne jeden Sinn für Schönheit und Tradition Lunten zündeten, die Tonnen von Marmor und Glas in rauchende Schutthaufen verwandelten. In der »Stadt der Engel« fiel kaum jemandem auf, dass wieder ein Wahrzeichen verschwunden war. Noch bevor sich der Staub über den Trümmern verzogen hatte, stürmten Unternehmer rastlos wie Ameisen die City Hall, um Baugenehmigungen und Privilegien zu verlangen. Und innerhalb weniger Monate ragte ein schicker, moderner Neubau hoch und höher in den Himmel, so hoch, dass sich Annie oft fragte, ob die Bauherrn glaubten, mit ihren investierten Kreditmillionen Zugang zum Himmel zu gewinnen.

Annie wurde unerwartet von heftigem Heimweh ergriffen. Nicht nach der gut situierten Schönheit von Malibu, sondern nach der üppigen, grünen Landschaft ihrer Kindheit im Westen des Staates Washington, in der tellergroße Pilze wuchsen und silbrige Bäche sprudelten, in der in mondhellen Nächten mollige Waschbären aus den Wäldern kamen, um aus Regenpfützen mitten auf den Straßen zu trinken. Nach Mystic, wo die einzigen Wolkenkratzer Douglasfichten waren, die aus der Zeit der amerikanischen Revolution stammten. Seit fast zehn Jahren war sie nicht mehr dort gewesen. Vielleicht könnte sie Blake jetzt, wo sie nicht mehr durch Natalies Schule an Kalifornien gebunden waren, zu einem Ausflug nach Mystic überreden.

»Was hältst du von einer kurzen Reise nach Mystic?«, fragte sie ihren Mann.

Er würdigte sie weder einer Antwort noch eines Blickes. Prompt kam sie sich sehr töricht vor. Sie zupfte an ihrem Diamant-Ohrsticker und blickte wieder zum Fenster hinaus. »Ich habe mich schon gefragt, ob ich nicht dem Club beitreten soll. Schließlich habe ich jetzt mehr als genug Zeit. Und du hast immer gesagt, ich käme zu wenig aus dem Haus. Aerobic müsste doch eigentlich Spaß machen, findest du nicht auch?«

»Das habe ich schon seit Jahren nicht mehr gesagt.«

»Oh. Nun … vielleicht beginne ich auch wieder mit Tennis. Früher habe ich Tennis geliebt. Weißt du noch, wie wir immer Doppel spielten?«

Er bog vom Freeway ab und fädelte sich auf den verstopften Pacific Coast Highway ein. Am Zugang zu ihrer Privatstraße winkte er dem Wachtposten zu und fuhr weiter zur Colony, dem architektonischen Schmuckstück am Strand von Malibu. Regen peitschte gegen die Windschutzscheibe und ließ die Welt vor ihnen verschwimmen, bevor die Scheibenwischer ihre Arbeit aufnahmen.

Vor ihrem Haus wurde er langsamer, fuhr im Schritttempo über die backsteingepflasterte Auffahrt und hielt vor der Garage.

Annie warf ihm einen Seitenblick zu. Sonderbar, dass er nicht direkt in die Garage fuhr. Sonderbar, dass er die Fernbedienung der Garagentür nicht einmal angerührt hatte. Noch sonderbarer, dass er den Motor laufen ließ. Er verabscheute es, den Cadillac dem Regen auszusetzen …

Er ist nicht er selbst.

Diese Erkenntnis nahm ihrer Verzweiflung einiges von ihrer Heftigkeit und machte ihr bewusst, dass sie nicht allein litt. Ihr dynamischer, supercooler Mann war ebenso durcheinander wie sie.

Sie würden es gemeinsam durchstehen, sie und Blake, den heutigen Tag ebenso wie die kommenden Tage und Nächte in ihrem leeren Nest. Sie waren vor Natalie eine verschworene Gemeinschaft gewesen und würden das nun wieder sein, nur sie beide. Vielleicht könnte es sogar sehr schön werden, wie früher, als sie tanzen gingen und erst im Morgengrauen nach Hause kamen.

Sie drehte sich zu ihm und strich ihm eine Haarsträhne aus der Stirn. »Ich liebe dich. Wir werden einander über Natalies Abwesenheit hinwegtrösten.«

Er schwieg.

Sie hatte nicht mit einer Antwort gerechnet, dennoch empfand sie sein Schweigen als bedrückend. Entschlossen verdrängte sie ihre Enttäuschung und stieß die Autotür auf. Regen durchnässte ihren Ärmel. »Es wird ein einsamer Frühling werden. Vielleicht sollten wir zusammen mit Lupita ein Barbecue planen. Wir haben schon lange keine Strandparty mehr gegeben. Eine kleine Abwechslung würde uns gut tun. Ich vermag mir kaum vorzustellen, wie es ohne sie …«

»Annie.« Er sprach ihren Namen so scharf aus, dass sie mitten im Satz verstummte.

Er wandte sich ihr zu, und sie sah, dass Tränen in seinen Augen standen.

Zärtlich strich sie ihm über die Wange. »Auch mir wird sie schrecklich fehlen.«

Seufzend senkte er den Kopf. »Du hast mich missverstanden. Ich möchte mich scheiden lassen.«

2. Kapitel

»Eigentlich wollte ich es dir jetzt noch nicht sagen ... Erst in der nächsten Woche. Aber die Vorstellung, heute Abend nach Hause zu kommen ...« Blake schüttelte den Kopf und verstummte.

Langsam, sehr langsam schloss Annie die Wagentür. Regen klatschte gegen die Windschutzscheibe, lief das Fenster hinab und tauchte die Außenwelt ins Ungewisse.

Sie musste sich verhört haben. Stirnrunzelnd streckte sie die Hand nach ihm aus. »Was hast du gerade gesagt? Über ...«

Er zuckte zurück, als wäre ihm ihre Berührung unangenehm, widerwärtig.

Und jetzt, nach der Ablehnung ihrer Geste, begriff Annie: Ihr Mann wollte tatsächlich die Scheidung. Sie ließ die Hand sinken und sah, dass ihre Finger zitterten.

»Ich hätte es längst tun sollen, Annie. Ich bin nicht glücklich mit dir. Schon seit Jahren nicht mehr.«

Der Schock war überwältigend. Woge um Woge breitete er sich in ihr aus und ließ sie wie gelähmt zurück. Ihre Stimme schien sich irgendwo in ihrem tiefsten Innern verfangen zu haben, und sie glaubte, nie wieder sprechen zu können.

»Nie hätte ich geglaubt, dass es jemals dazu kommen würde«, fuhr er leise fort, und sie hörte, dass ihm das Atmen schwer fiel. »Ich habe jemanden kennen gelernt ... eine andere Frau.«

Mit offenem Mund starrte sie ihn an. Er hatte eine *Affäre*. Die Bedeutung des Wortes erschütterte sie bis ins Mark. Und plötzlich fielen ihr tausend kleine Details ein: die Dinners, zu denen er nicht erschienen war, die Reisen zu ihr unbekannten Zielen, die seidenen Boxershorts, die er neuerdings trug, die Tatsache, dass er sein Polo-Rasierwasser gegen eins von Calvin Klein eingetauscht hatte, dass sie sich nur noch sehr selten liebten ...

War sie blind gewesen? Sie *musste* es doch gewusst haben. Irgendwo in ihrem Inneren musste sie etwas geahnt, aber beschlossen haben, es einfach zu ignorieren.

Sie wandte sich ihm zu, und ihre Sehnsucht, ihn zu berühren, war wie ein körperlicher Schmerz. Nahezu zwanzig Jahre lang hatte sie ihn berührt, wann immer sie wollte, doch nun verwehrte er ihr dieses Recht. »Eine Affäre ist nicht das Ende der Welt ...« Ihre Stimme klang selbst in ihren Ohren fremd. »Das kommt doch in vielen Ehen vor. Ich meine ... Ich werde zwar einige Zeit brauchen, dir zu verzeihen, dir wieder vertrauen zu können, aber ...«

»Ich möchte nicht, dass du mir verzeihst.«

Das konnte doch nicht wirklich geschehen. Nicht ihr. Nicht *ihnen*. Sie hörte die Worte, verspürte bohrenden Schmerz, dennoch kam ihr alles seltsam irreal vor. »Aber uns verbindet doch so viel. Wir haben Natalie. Wir können diese Sache durchstehen, vielleicht mit Hilfe einer Eheberatung. Ich weiß, dass wir ein Problem haben, aber wir können es bewältigen.«

»Ich will keine Eheberatung, Annie. Ich möchte die Trennung.«

»Aber *ich* nicht.« Ihre Stimme steigerte sich zu einem hohen, schrillen Jammern. »Wir sind eine *Familie*. Wie kannst du zwanzig Jahre Ehe ...« Annie fand die richtigen Worte nicht, und das versetzte sie nahezu in Panik. Sie glaubte, es gäbe Worte, die sie, die ihre Ehe retten könnten, aber sie konnte sie einfach nicht finden. »Bitte, *bitte,* tu es nicht ...«

Blake schwieg. Lange genug, um in ihr Hoffnung aufkeimen zu lassen. Er wird es sich überlegen. Er wird begreifen, dass wir eine Familie sind, und sich sagen, dass es nur eine Midlife-Crisis ist. Er wird ...

»Ich liebe sie.«

Annie zuckte zusammen.

Er *liebte* sie? Wie konnte er das? Liebe verlangte Zeit und Mühe. Sie war eine Million winziger Momente, die erst zusammengenommen etwas Greifbares, Fühlbares ergaben. Seine Liebeserklärung für eine andere Frau würdigte sie herab. Sie kam sich verschwindend klein vor und Welten entfernt von dem Mann, den sie schon immer geliebt hatte. »Seit wann?«

»Seit fast einem Jahr.«

Zum ersten Mal spürte Annie Tränen aufsteigen. Ein ganzes Jahr lang war alles zwischen ihnen eine Lüge gewesen. Alles! »Wer ist es?«

»Suzannah James, die neue Juniorpartnerin der Sozietät.«

Suzannah James. Sie war unter den rund zwanzig Gästen auf Blakes Geburtstagsparty am letzten Wochenende gewesen. Die schlanke junge Frau in einem türkisfarbenen Kleid, die förmlich an Blakes Lippen gehangen hatte, mit der er zu »A Kiss to Build a Dream On« getanzt hatte.

Tränen brannten in Annies Augen. »Aber nach der Party haben wir uns geliebt …«

Hatte er in der Dunkelheit Suzannahs Gesicht vor sich gesehen? Hatte er deshalb das Licht ausgeschaltet, bevor er sie in die Arme nahm? Sie schluchzte leise auf. »Blake, bitte …«

Er sah hilflos aus, ein wenig verloren, und in diesem Moment war er wieder Blake, war er wieder ihr Ehemann. Nicht dieser eiskalte Typ, der ihr nicht in die Augen sehen konnte. »Ich liebe sie, Annie. Bring mich nicht dazu, es ständig zu wiederholen.«

Die Bitterkeit seines Geständnisses nahm ihr den Atem. *Ich liebe sie, Annie …*

Sie stieß die Tür auf, sprang aus dem Auto und stolperte blindlings auf das Haus zu. Regen benetzte ihr Gesicht, mischte sich mit ihren Tränen.

Vor der Tür zog sie den Schlüssel aus ihrer Handtasche, aber ihre Finger zitterten so heftig, dass sie beim ersten Mal das Loch nicht traf. Dann glitt der Schlüssel ins Schloss, und sie drehte ihn um.

Sie schwankte ins Haus und schlug die Tür hinter sich zu.

Annie leerte ihr zweites Glas Wein und goss sich ein drittes ein. Normalerweise war sie nach zwei Gläsern Chardonnay beschwingt, fast übermütig, und versuchte, sich an Songtexte aus ihrer Jugend zu erinnern, doch heute nicht.

Wie benommen lief sie durchs Haus und fragte sich, was sie falsch gemacht, warum sie versagt hatte. Denn wenn sie das herausfand, könnte sie vielleicht alles wieder gutmachen. In den vergangenen zwanzig Jahren waren ihr die Bedürfnisse ihrer Familie über alles andere gegangen, und doch hatte sie irgendwie versagt. Deshalb war sie nun allein und irrte durch dieses zu große Haus, sehnte sich nach einer Tochter, die nicht mehr da war, und einem Mann, der eine andere liebte.

Irgendwann war ihr eine Lektion abhanden gekommen, die sie nie hätte vergessen dürfen. Eine Lektion, die sie schon früh im Leben gelernt hatte. Man durfte nicht darauf vertrauen, dass Menschen immer bei einem blieben, und wenn man zu innig liebte, zu heftig, brach einem ihre plötzliche Abwesenheit das Herz.

Sie ging zu Bett und vergrub sich in den Kissen, aber als sie erkannte, dass sie auf »ihrer« Seite des Bettes lag, empfand sie das wie einen Schlag. Der Wein stieß ihr so sauer auf, dass sie glaubte, sich übergeben zu müssen. Sie starrte zur Decke empor und kämpfte mit den Tränen. Mit jedem keuchenden Atemzug fühlte sie sich kleiner, minderwertiger.

Was sollte sie jetzt nur tun? Zwei Jahrzehnte lang hatte für sie nichts anderes eine Bedeutung gehabt als das *Wir*. Sie wusste nicht, ob es in ihr überhaupt noch ein *Ich* gab. Der Wecker auf dem Nachttisch neben ihr tickte und tickte … Sie begann zu schluchzen.

Das Telefon klingelte.

Mit klopfendem Herzen fuhr Annie aus dem Schlaf. Bestimmt war das Blake. Er wollte ihr sagen, dass alles ein schrecklicher Irrtum war, dass er es bedauerte, dass er nur sie liebte. Aber als sie den Hörer abnahm, hörte sie Natalie lachen. »Hey, Mom, ich bin sicher gelandet.«

Als sie die Stimme ihrer Tochter hörte, wurde Annie wieder von Verzweiflung überwältigt.

Sie setzte sich auf und fuhr sich mit bebenden Fingern durchs Haar. »Hallo, mein Schatz. Bist du wirklich schon in London?« Ihre Stimme klang dünn und zittrig. Sie holte tief Luft, um sich zu beruhigen. »Wie war der Flug?«

Natalie begann zu erzählen. Lange und ausführlich. Annie erfuhr alles über den Flug, den Flughafen, die Merkwürdigkeit der Londoner Untergrundbahn und dass die Häuser dicht aneinander gebaut waren – wie in San Francisco, Mom…

»Mom?«

Erschrocken machte sich Annie bewusst, dass sie seit Minuten keinen Laut mehr von sich gegeben hatte. Sie hatte Natalie zugehört, wirklich zugehört, aber irgendeine belanglose Gesprächswendung brachte sie auf Blake und erinnerte sie daran, dass sein Auto nicht in der Garage stand, er nicht neben ihr im Bett lag.

O Gott, wird das von nun an immer so sein?

»Mom?«

Annie kniff die Augen ganz fest zu. In ihren Ohren rauschte es. »Ich … ich bin noch da, Natalie. Entschuldige. Du hast mir gerade von deiner Gastfamilie erzählt.«

»Alles in Ordnung mit dir, Mom?«

Tränen liefen über Annies Wangen. Sie wischte sie nicht fort. »Mir geht es gut. Und dir?«

Natalie machte eine winzige Pause. »Ihr fehlt mir«, sagte sie dann.

Annie entging die Einsamkeit in Natalies Stimme nicht. Sie musste ihre ganze Selbstbeherrschung aufwenden, um nicht ins Telefon zu flüstern: Komm nach Hause, Nana. Dann können wir zusammen einsam sein…

»Glaub mir, Nana, du wirst Freunde finden. So schnell, dass du bald keine Zeit mehr hast, neben dem Telefon zu sitzen und darauf zu warten, dass deine alte Mom anruft. Die Monate vergehen wie im Flug.«

»Du hörst dich ziemlich verdattert an, Mom. Wirst du bis zum fünfzehnten Juni wirklich ohne mich klarkommen?«

Annie zwang sich zu einem Lachen. »Aber natürlich. Mach dir um mich nur keine Sorgen.«

»Okay.« Das kam so leise, dass Annie es kaum verstehen konnte. »Und bevor ich jetzt noch zu heulen anfange, sollte ich lieber mit Daddy sprechen.«

Annie zuckte zusammen. »Daddy ist gerade nicht da.«

»Oh.«

»Aber ich soll dir sagen, dass er dich sehr lieb hat.«

»Yeah, das weiß ich doch. Und ihr ruft mich am Montag an?«

»Pünktlich wie ein Uhrwerk.«

»Ich hab dich lieb, Mom.«

Wieder spürte Annie Tränen in sich aufsteigen, so heftig, dass sie kaum noch sprechen konnte. Sie unterdrückte den brennenden Wunsch, Natalie zu warnen, ihr zu sagen, dass sich Gewissheiten, dass sich Leben an einem regnerischen Frühlingstag ohne jede Ankündigung in nichts auflösen konnten. »Pass auf dich auf, Natalie. Ich liebe dich.«

»Ich dich auch.«

Die Verbindung brach ab.

Annie legte den Hörer auf, stand auf und taumelte ins Bad. Entsetzt starrte sie ihr Spiegelbild an. Sie trug noch immer die Sachen, in denen sie zum Flughafen gefahren war; zerknittert hingen sie ihr am Körper. Die Haare klebten ihr am Kopf, als hätte sie Leim als Haarspray verwendet.

Hastig knipste sie das Licht wieder aus. Dankbar für die Dunkelheit zog sie sich bis auf BH und Höschen aus und ließ ihre Sachen auf dem Boden liegen. Sich unendlich erschöpft, alt und verbraucht fühlend, verließ sie das Bad und kroch wieder ins Bett.

Die Bettwäsche roch nach ihm. Oder nein, doch nicht. Blake, ihr Blake, hatte stets Polo benutzt. Jedes Jahr hatte sie ihm das Eau de Cologne zu Weihnachten geschenkt, in einer grünen Geschenkverpackung von Nordstrom. Sie hatte es ihm geschenkt, und er hatte es täglich benutzt – bis Calvin Klein und Suzannah das änderten.

Schon früh am nächsten Morgen hämmerte Annies beste Freundin mit beiden Fäusten energisch an die Haustür und rief: »Mach endlich auf, verdammt noch mal, oder ich alarmiere die Feuerwehr!«

Annie schlüpfte in Blakes schwarzen Seidenmorgenrock und stolperte verschlafen zur Tür. Sie fühlte sich wie zerschlagen, und es kostete sie einige Mühe, überhaupt zu öffnen. Die Steinfliesen unter ihren nackten Füßen fühlten sich eiskalt an.

In einem ausgeblichenen Designeroverall stand Terri Spencer vor der Schwelle. Ein feuerrotes Tuch verbarg ihre dichte, schwarze Lockenmähne. Große, goldene Ringe hingen von ihren Ohren. Sie sah genau aus wie die Zigeunerin, die sie in einer Daily Soap spielte. Terri verschränkte die Arme, knickte leicht in der Hüfte ein und musterte Annie. »Du siehst ja grauenhaft aus.«

Annie seufzte. Natürlich wusste Terri Bescheid. Ihr augenblicklicher Mann war ein in der Wolle gefärbter Anwalt. Und Anwälte klatschten nun mal gern. »Du weißt es schon.«

»Ich musste es von Frank erfahren. Du hättest mich auch selbst anrufen können.«

Mit unsicherer Hand fuhr sich Annie durch die Haare. Sie waren seit Ewigkeiten befreundet, waren praktisch wie Schwestern. Doch trotz allem, was sie miteinander erlebt und durchgemacht hatten, wusste Annie jetzt nicht recht, wo sie beginnen sollte. Sie war es gewöhnt, sich um Terri mit ihrem exzentrischen Lebensstil zu kümmern, ihrem ständigen Strom von Scheidungen und Heiraten. Annie war es gewöhnt, sich um alle zu kümmern. Nur nicht um sich selbst. »Ich wollte dich auch anrufen, aber dann habe ich es ... doch nicht über mich gebracht.«

Terri legte den Arm um Annies Schultern, führte sie ins Wohnzimmer und drückte sie auf ein Sofa. Dann lief sie von Fenster zu Fenster und riss die weißen Seidenvorhänge auf. Das Meer und der Himmel hinter den riesigen Panoramafenstern waren von einem so strahlenden Blau, dass einem die Augen schmerzten und Annie nirgendwo eine Möglichkeit sah, sich zu verstecken.

Als Terri fertig war, setzte sie sich neben Annie auf das Sofa. »Erzähl«, sagte sie leise. »Wie zum Scheiß konnte das passieren?«

Annie wünschte, sie könnte lächeln, denn das erwartete Terri, deshalb hatte sie sich so vulgär ausgedrückt, aber es gelang ihr nicht. Es laut auszusprechen, wäre zu schmerzlich gewesen, zu real. Sie sackte in sich zusammen und verbarg ihr geschwollenes Gesicht in den Händen. »O Gott …«

Terri nahm sie in die Arme, hielt sie ganz fest und schaukelte sie sanft hin und her, strich ihr das vom Schlaf feuchte Haar aus der Stirn. Es tat Annie gut, umarmt und getröstet zu werden, zu wissen, dass sie nicht so allein und verlassen war, wie sie sich fühlte.

»Du wirst darüber hinwegkommen«, sagte Terri schließlich. »Im Moment kannst du dir das vielleicht nicht vorstellen, aber ich versichere dir, du kommst darüber hinweg. Blake ist ohnehin ein Mistkerl. Ohne ihn bist du sehr viel besser dran.«

Annie entzog sich Terris Umarmung und blickte die Freundin mit Tränen in den Augen an. »Aber das will ich nicht … Ich will nicht ohne ihn sein.«

»Natürlich nicht. Ich meinte nur …«

»Ich weiß, was du gemeint hast. Du meintest, dass es mit der Zeit leichter wird. Als könntest du mir in dieser Hinsicht einen Rat geben. Du wechselst deine Ehemänner doch häufiger als ich meine Unterwäsche.«

Terris schwarze Augenbrauen schossen in die Höhe. »Eins zu null für die brave Hausfrau. Hör zu, Annie, ich weiß, dass ich schroff und mitunter zynisch bin. Dass das der Grund ist, warum meine Ehen immer wieder scheitern. Aber erinnerst du dich, wie ich früher war? Auf dem College?«

Annie erinnerte sich, aber nur ungern. Terri war unbeschwert, offen und voller naiver Lebensfreude. Das hatte sie zu Freundinnen gemacht. Terri war bis zu dem Tag die naive Unschuld geblieben, an dem ihr erster Mann Ron nach Hause kam und ihr erzählte, er hätte ein Verhältnis mit der Tochter ihres Steuerberaters. Innerhalb von vierundzwanzig Stunden waren das Girokonto leer, die Ersparnisse mysteriöserweise »ausgegeben« und die Arztpraxis, die sie gemeinsam aufgebaut hatten, für einen Dollar an einen Freund verkauft.

Damals war sie Tag für Tag bei Terri gewesen, hatte am helllichten Tag Wein getrunken und sogar gelegentlich Pot geraucht. Blake war alles andere als begeistert gewesen. Was findest du nur an dieser billigen Möchtegernschauspielerin?, hatte er gefragt. Du hast ein Dutzend viel netterer Freundinnen. Doch in diesem Fall hatte Annie ausnahmsweise einmal nicht auf Blake gehört.

»Du hast mir damals sehr geholfen«, sagte Terri leise, griff nach Annies Hand und drückte sie. »Du hast mich wieder aufgebaut, und jetzt bin ich für dich da. Wann immer du mich brauchst. Rund um die Uhr.«

»Ich hatte keine Ahnung, wie weh es tut … Es ist, als ob …« Die demütigenden Tränen ließen Annie verstummen. Sie wünschte, sie könnte sie zurückdrängen, doch das war unmöglich.

»Als ob du innerlich verblutest? Als ob du nie wieder glücklich sein kannst? Ich weiß.«

Annie schloss die Augen. Terris Verständnis war fast mehr, als sie ertragen konnte. Sie wollte nicht, dass ihre Freundin *wusste,* was sie empfand. Nicht Terri, die es höchstens für ein paar Jahre in einer Ehe aushielt, die sich nicht einmal dazu durchringen konnte, die Verantwortung für ein Haustier zu übernehmen. Es war eine bestürzende Vorstellung, dass es so … gewöhnlich sein sollte. Als wäre das Ende einer zwanzigjährigen Ehe nur eine weitere Scheidung in einem

Land, in dem in einem Jahr eine Million Ehen geschieden wurden.

»Hör mal, Schätzchen, es fällt mir nicht leicht, das anzuschneiden, aber ich muss es tun. Blake ist ein ausgebuffter Anwalt. Du musst dich absichern.«

Das war ein schmerzlicher Rat, einer, der eine Frau dazu bringen konnte, sich vor Verzweiflung in ein Schneckenhaus zurückzuziehen. Annie bemühte sich um ein Lächeln. »So ist Blake nicht.«

»Ach nein? Du solltest dich fragen, ob du ihn wirklich kennst.«

Damit wollte sich Annie jetzt nicht auseinander setzen. Es reichte, dass das vergangene Jahr eine einzige Lüge gewesen war, sie konnte nicht auch noch die Möglichkeit ertragen, dass Blake sich in einen total Fremden verwandelt hatte. Sie sah Terri an und hoffte, ihre Freundin würde sie verstehen. »Du verlangst etwas von mir, das ich nicht über mich bringe, Terri. Ich meine, zur Bank zu gehen und die Konten abzuräumen, *unsere* Konten. Das wäre so … endgültig. Und es würde alles so materiell machen, so banal. Das kann ich Blake nicht antun. Das kann ich *mir* nicht antun. Ich weiß, es ist naiv, vielleicht sogar dumm, ihm zu vertrauen, aber er ist für die Hälfte meines Lebens mein bester Freund gewesen.«

»Ein schöner Freund.«

Annie ergriff die Hand ihrer Freundin. »Ich bin dir sehr dankbar, dass du dir Sorgen um mich machst, Terri. Wirklich, aber ich kann deinem Rat nicht folgen. Ich hoffe …« Sie kam sich hoffnungslos naiv vor, als sie in Terris traurige Augen blickte. »Vermutlich hoffe ich noch immer, ihn nicht zu brauchen.«

Terri zwang sich zu einem Lächeln. »Vielleicht hast du Recht. Vielleicht ist es nur eine Midlife-Crisis, und er kommt zur Besinnung.«

In den nächsten Stunden kramte Annie immer wieder kleine Begebenheiten und Anekdoten aus ihrer Ehe hervor, als könnte das Sprechen über ihr Leben, die Erinnerung an die gemeinsame Zeit ihn nach Hause zurückbringen.

Terri hörte ihr zu, lächelte und drückte ihre Hand, hielt sich aber mit weiteren Ratschlägen zurück. Und dafür war Annie ihr dankbar. Gegen Mittag bestellten sie bei Granita's eine Salamipizza, setzten sich auf die Terrasse und verputzten das ganze riesige Ding. Als die Sonne langsam am Horizont verschwand, wusste Annie, dass Terri bald würde aufbrechen müssen.

Endlich stellte sie die Frage, die ihr den ganzen Nachmittag im Kopf herumgegangen war. »Und wenn er nun nicht zurückkommt, Terri?« Sie fragte es so leise, dass sie einen Moment lang glaubte, die Worte wären im Rauschen der Brandung untergegangen.

»Was soll dann sein?«

Annie wandte den Blick ab. »Ein Leben ohne ihn kann ich mir nicht vorstellen. Was soll ich tun? Wohin soll ich gehen?«

»Du solltest nach Hause fahren«, antwortete Terri. »Wenn ich einen so tollen Vater wie Hank hätte, würde ich auf der Stelle nach Hause fahren.«

Nach Hause. Zum ersten Mal fiel ihr auf, dass die beiden Worte einen zerbrechlichen Klang hatten. »Mein Zuhause ist bei Blake.«

»O Annie«, seufzte Terri und drückte ihre Hand. »Jetzt nicht mehr.«

Zwei Tage später rief er an.

Seine Stimme ließ ihr Herz heftig klopfen. »Blake …«

»Wir müssen uns sehen.«

Sie schluckte ihre Tränen hinunter. Danke, lieber Gott! Ich wusste, dass er zurückkommen würde. »Gleich?«

»Nein. Heute Vormittag bin ich ziemlich eingespannt. Sobald ich ein paar freie Minuten habe.«

Zum ersten Mal seit Tagen konnte Annie wieder frei atmen.

Als Blake an der weißen Fassade emporblickte, empfand er unerwartet Bedauern. Wie schön ihr Haus doch war, wie hinreißend modern. Ein echtes Schmuckstück in einer Straße, in der schon Abrissgrundstücke gewöhnlich fünf Millionen Dollar kosteten und nichts zu teuer sein konnte.

Es war Annies Haus. Sie hatte Meer, Strand und Himmel in ein Heim verwandelt, das buchstäblich aus dem Hang herauszuwachsen schien. Sie hatte jede Fliese selbst ausgesucht, jedes einzelne Stück der Einrichtung. Überall im Haus stieß man auf überraschende, launige Details: eine Putte hier, einen Wasserspeier dort, einen schäbigen Macramé-Pflanzenübertopf in der Ecke eines Raumes, dessen Holztäfelung dreitausend Dollar je Quadratmeter gekostet hatte, ein Familienfoto in einem selbst gebastelten Muschelrahmen. Es gab keinen Raum im ganzen Haus, der nicht ihr übersprudelndes, leicht exzentrisches Wesen widerspiegelte.

Er versuchte sich an seine Liebe zu ihr zu erinnern, es gelang ihm nicht.

Seit zehn Jahren hatte er mit anderen Frauen geschlafen, sie verführt und vergessen. Er war mit ihnen verreist, hatte die Nächte mit ihnen verbracht, und während der ganzen Zeit war Annie zu Hause gewesen, hatte Rezepte aus *Gourmet* nachgekocht, Farbmuster und Fliesen ausgesucht, Natalie zur Schule gefahren und wieder abgeholt. Er war sich sicher gewesen, sie würde irgendwann von selbst merken, dass er sie nicht mehr liebte, aber sie war so verdammt naiv und vertrauensvoll. Sie nahm von jedem nur das Beste an, und wenn sie liebte, dann mit Haut und Haaren und für immer.

Er seufzte, kam sich plötzlich müde und erschöpft vor. Das Herannahen seines vierzigsten Geburtstags hatte seine Perspektive verändert, ihn erkennen lassen, dass er nicht für immer an eine ungeliebte Frau gebunden sein wollte.

Bevor er die erste graue Strähne in seinen Haaren bemerkte, die feinen Falten unter den blauen Augen, hatte er geglaubt, alles zu haben: eine glanzvolle Karriere, eine schöne Frau, eine zärtliche Tochter und alle Freiheiten, die er sich wünschen konnte.

Er war mit seinen Studienfreunden zweimal im Jahr verreist, hatte Angelausflüge auf abgelegene Inseln mit schönen Stränden und noch schöneren Frauen unternommen. Er hatte zweimal in der Woche Basketball gespielt und freitags in seiner Stammbar gehockt, bis sie zumachte. Im Gegensatz zu seinen Freunden hatte er eine verständnisvolle Frau, die zu Hause blieb. Die perfekte Frau und Mutter – konnte man sich mehr wünschen?

Dann hatte er Suzannah kennen gelernt. Und aus dem, was als sexuelles Abenteuer begann, war überraschend Liebe geworden.

Zum ersten Mal seit Jahren fühlte er sich wieder lebendig, jung. Sie liebten sich zu jeder Tages- und Nachtzeit, überall. Suzannah war es egal, was die Nachbarn dachten oder ob im Nebenzimmer ein Kind schlief. Sie war leidenschaftlich und unberechenbar, und sie war klug – anders als Annie, die Elternversammlungen so unverzichtbar für die Welt fand wie die Europäische Gemeinschaft.

Langsam ging er auf das Haus zu. Bevor er die Hand nach der Klingel ausstrecken konnte, ging die Rosenholztür auf.

Mit nervös verschränkten Händen stand sie vor ihm. Sie trug ein cremefarbenes Seidenkleid, und er kam nicht umhin zu bemerken, dass sie in den vergangenen Tagen an Gewicht verloren hatte.

Ihr kleines, herzförmiges Gesicht war erschreckend blass, und ihre sonst strahlend grünen Augen sahen trübe und gerötet aus. Sie hatte ihre Haare zu einem strengen Pferdeschwanz zusammengebunden, was ihre kantigen Wangenknochen zusätzlich betonte und ihre Lippen geschwollen wirken ließ. Sie trug zwei unterschiedliche Ohrringe, einen Diamant- und einen Perlensticker, und irgendwie versetzte ihm diese kleine Nachlässigkeit einen scharfen Stich, machte ihm seinen Verrat deutlich.

»Blake …« Die Hoffnung in ihrer Stimme verriet ihm, was sie bei seinem Anruf am Morgen gedacht haben musste.

Mist. Wie hatte er nur so töricht sein können?

Sie trat einen Schritt zurück und wischte sich einen unsichtbaren Fussel vom Kleid. »Komm doch herein. Du …« Schnell wandte sie den Kopf ab, aber er sah noch, wie sie sich auf die Unterlippe biss, eine nervöse Angewohnheit, die sie seit ihrer Jugend hatte. Er glaubte, sie wollte noch etwas hinzufügen, aber sie setzte sich wortlos in Bewegung und lief ihm voran auf das Sonnendeck hinaus, mit seiner faszinierenden Aussicht auf den ruhigeren Abschnitt des Strandes von Malibu.

Himmel, wäre er doch bloß nicht gekommen. Hätte er sich doch bloß den Anblick ihrer Verzweiflung erspart, die sich darin äußerte, dass sie unablässig ihr Kleid glättete und sich mit der Hand über die Haare fuhr.

Sie trat an den Tisch, auf dem ein Krug Limonade – seine Lieblingssorte – und zwei Kristallgläser auf einem Silbertablett standen. »Natalie scheint sich gut einzuleben. Ich habe nur einmal mit ihr gesprochen und wollte sie eigentlich zurückrufen, aber … Nun ja, ich befürchtete, sie könnte mir etwas anmerken. Und natürlich wird sie nach dir fragen. Vielleicht können wir sie etwas später gemeinsam anrufen.«

»Ich hätte nicht kommen sollen.« Es klang schärfer als beabsichtigt, aber er konnte das Zittern in ihrer Stimme einfach nicht mehr ertragen.

Ihre Hand zuckte. Limonade schwappte aus dem Glas und bildete eine Lache auf dem grauen Steintisch. Sie drehte sich nicht zu ihm um, und dafür war er dankbar. Er wollte ihr Gesicht nicht sehen.

»Warum hast du es dann getan?«

Etwas in ihrer Stimme – Resignation vielleicht, oder Schmerz – ergriff ihn. Tränen begannen hinter seinen Augen zu brennen. Er steckte die Hand in die Tasche und zog die Papiere über eine Übergangsregelung heraus. Wortlos beugte er sich über ihre Schulter und ließ sie auf den Tisch fallen. Eine Ecke des Umschlags landete in der Limonadenpfütze. Langsam breitete sich ein dunkler, feuchter Fleck aus.

Er konnte seine Augen nicht von dem Klecks losreißen. »Ich habe ein paar Interimsregelungen aufsetzen lassen, Annie …«

Aber sie sagte kein Wort, drehte sich nicht zu ihm um, stand nur stumm da und wandte ihm den Rücken zu.

Mit ihren eingefallenen Schultern, den um die Tischkante gekrallten Fingern war sie ein Bild des Jammers. Er brauchte ihr Gesicht nicht zu sehen, um zu wissen, was sie empfand. Er sah die Tränen, die langsam, aber stetig auf den grauen Stein fielen.

3. Kapitel

»Ich kann nicht glauben, dass du zu so etwas fähig bist.«
Eigentlich hatte Annie schweigen wollen, aber die Worte kamen ihr wie von selbst über die Lippen. Als er nicht antwortete, drehte sie sich zu ihm um, ertrug es jedoch nicht, ihm in die Augen zu sehen. »Warum?«

Das war es, was sie begreifen wollte. Stets hatte sie die Interessen ihrer Familie über die eigenen gestellt, immer darauf bedacht, dass die, die sie liebte, glücklich und zufrieden waren. Das hatte bereits in ihrer Kindheit begonnen, lange bevor sie Blake getroffen hatte. Nach dem frühen Tod ihrer Mutter hatte sie schon als Kind gelernt, ihren eigenen Schmerz über den Verlust zu verdrängen und sich stattdessen um ihren trauernden Vater zu kümmern. Im Laufe der Zeit war ihr diese Haltung in Fleisch und Blut übergegangen. Annie, die Fürsorgliche, der Quell nie versagender Liebe. Doch nun wollte ihr Mann ihre Liebe nicht mehr, wollte nicht mehr zu der Familie gehören, die sie zusammenhielt und umsorgte.

Blake seufzte. »Lass uns das nicht wiederkäuen.«

Die Worte trafen sie wie eine Ohrfeige. Sie riss den Kopf hoch und blickte ihn an. »*Wiederkäuen?* Machst du Witze?«

Er sah traurig und erschöpft aus. »Nichts könnte mir ferner liegen.« Er strich sich mit der Hand durch das perfekt geschnittene Haar. »Ich weiß nicht, was du aus meinem Anruf heute früh … gefolgert hast. Tut mir Leid.«

Gefolgert. Ein kaltes, juristisches Wort, das sie nur noch weiter voneinander zu trennen schien.

Er trat auf sie zu, achtete aber darauf, ihr nicht zu nahe zu kommen. »Ich werde für dich sorgen. Um dir das zu sagen, bin ich hier. Um Geld oder andere Dinge brauchst du dir keine Gedanken zu machen. Ich werde gut für dich und Natalie sorgen. Das verspreche ich dir.«

Ungläubig starrte sie ihn an. »Hast du den neunzehnten Februar vergessen, Blake?«

Die Sonnenbankbräune auf seinem Gesicht wich einer kalkigen Blässe. »Nun, Annalise …«

»Am neunzehnten Februar haben wir geheiratet. Erinnerst du dich an diesen Tag, Blake? Du hast versprochen, *geschworen*, mich zu lieben, bis der Tod uns scheidet.«

»Das ist lange her.«

»Glaubst du, ein solches Versprechen hätte ein Verfallsdatum wie eine Tüte Milch? O Gott …«

»Ich habe mich verändert, Annie. Himmel, wir waren mehr als zwanzig Jahre zusammen. Wir haben uns beide verändert. Ich bin überzeugt, dass du ohne mich sogar besser dran bist. Du hast Zeit für all die Hobbys, zu denen du bisher nicht gekommen bist. Zum Beispiel …« Er schien angestrengt nachzudenken. »Du kannst dich endlich mit diesem kalligraphischen Zeug befassen. Geschichten schreiben. Malen.«

Annie wollte ihm sagen, er könne sich zum Teufel scheren, aber die Worte vermengten sich mit den Erinnerungen in ihrem Kopf. Und alles tat so weh.

Mit harten, entschlossenen Schritten trat er neben sie. »Ich habe eine Übergangsregelung vorbereitet. Sie ist mehr als großzügig.«

»So einfach werde ich es dir nicht machen.«

»Wie bitte?«

Sie hörte seiner Stimme an, dass sie ihn überrascht hatte. Es wunderte sie nicht. In ihren gemeinsamen Jahren hatte er sich daran gewöhnt, von Annie keinen Widerspruch zu hören. Sie blickte zu ihm auf. »Ich werde es dir nicht leicht machen, habe ich gesagt, Blake. Dieses Mal nicht.«

»Du kannst in Kalifornien keine Scheidung verhindern«, sagte er ruhig, mit seiner Anwaltsstimme.

»Ich kenne die Gesetze, Blake. Hast du vergessen, dass ich jahrelang mit dir zusammengearbeitet, die Kanzlei gemeinsam mit dir aufgebaut habe? Oder zählen für dich nur die Stunden, die *du* in die Praxis gesteckt hast?« Sie trat einen Schritt näher, bemühte sich aber, ihn nicht zu berühren. »Welche Empfehlung würdest du mir geben, wenn ich deine Klientin wäre?«

Er zupfte an seinem Hemdkragen. »Das ist ohne Belang.«

»Du würdest zum Abwarten raten, empfehlen, eine gewisse Zeit vergehen zu lassen, bis sich ›die Dinge ein wenig beruhigt haben‹. Eine Trennung auf Probe vorschlagen. Das habe ich aus deinem eigenen Mund gehört.« Sie atmete heftig. »Himmel, Blake, willst du uns nicht einmal diese kleine Chance einräumen?«

»Annalise …«

Zitternd holte sie Luft, kämpfte gegen die Tränen an. Alles hing von den nächsten Sekunden ab. »Versprich mir, dass wir bis Juni warten, bis Natalie nach Hause kommt. Dann reden wir noch einmal miteinander – werden uns klar, wo wir nach ein paar Monaten Trennung stehen. Ich habe dir zwanzig Jahre gegeben, Blake. Was können dir drei Monate ausmachen?«

Annie spürte die Sekunden verrinnen. Sie hörte ihn atmen, dieses regelmäßige Luftholen, das sie zwanzig Jahre lang in den Schlaf gewiegt hatte.

»Einverstanden.«

Die Erleichterung war überwältigend. »Was werden wir Natalie sagen?«

»Großer Gott, Annie, es wird sie nicht umbringen. Die Eltern ihrer meisten Freunde sind geschieden. Ein nicht unbeträchtlicher Teil unserer Probleme ist, dass du immer nur an Natalie denkst. Sag ihr die Wahrheit.«

Zum ersten Mal spürte Annie Zorn in sich aufsteigen. »Wag es ja nicht, dich herauszureden, Blake. Du verlässt mich, weil du ein egoistischer Mistkerl bist.«

»Der eine andere Frau liebt.«

Er hatte sie treffen wollen, und es war ihm gelungen. Tränen füllten ihre Augen. Sie hätte keinen Streit mit ihm anfangen sollen. Darin besaß sie keine Übung, während Zurechtweisungen und kränkende Bemerkungen zu seinem Beruf gehörten. »Das glaubst du.«

»So ist es.« Sein knapper, kühler Tonfall bedeutete ihr, dass das Gespräch beendet war. »Was wirst du Natalie sagen? Und wann?«

In diesem einen Punkt zumindest war sie sich sicher. Sie mochte als Frau und Geliebte vielleicht versagt haben, aber was gut für ihre Tochter war, das wusste sie genau. »Erst einmal sage ich ihr nichts. Ich möchte ihren England-Aufenthalt nicht belasten. Wir werden ihr sagen ... was nötig ist, wenn sie wieder zu Hause ist.«

»Gut.«

»Fein.«

»Ich werde morgen ein paar Sachen abholen lassen. Den Cadillac erhältst du am Montag zurück.«

Sachen. Darauf lief es nach all diesen Jahren hinaus. Die tausend Dinge ihres gemeinsamen Lebens – sein Rasierapparat, ihre Zahnbürste, seine CD-Sammlung, ihr Schmuck – wurden aufgeteilt und in verschiedene Koffer gepackt.

Er nahm den Umschlag vom Tisch und streckte ihn ihr entgegen. »Lies.«

»Warum? Damit ich sehen kann, wie großzügig du mit *unserem* Geld verfährst?«

»Annie ...«

Sie machte eine wegwerfende Handbewegung. »Es interessiert mich nicht, wer was bekommt.«

Er runzelte die Stirn. »Sei vernünftig, Annie.«

Sie musterte ihn scharf. »Genau das sagte mein Dad auch, als ich ihm gestand, dass ich einen zwanzigjährigen armen Schlucker heiraten wollte. ›Sei vernünftig, Annie. Überstürze nichts. Du bist noch so jung.‹ Aber jetzt bin ich nicht mehr jung, Blake, oder?«

»Bitte, Annie ...«

»Was ›bitte‹? Bittest du mich darum, es dir nicht so schwer zu machen?«

»Sieh dir die Papiere an, Annie.«

Sie blickte ihn durch ihre Tränen an. »Es gibt nur eins, was ich gern hätte, Blake.« Die Kehle wurde ihr eng, sie konnte kaum sprechen. »Mein Herz. Ich hätte es gern unversehrt zurück. Hast du das in deinen Papieren vorgesehen?«

Er verdrehte die Augen. »Ich hätte wissen müssen, dass ich von dir nichts anderes erwarten kann. Nun gut. Ich wohne bei Suzannah. Notfalls kannst du mich dort erreichen.« Er zog einen Stift hervor und kritzelte etwas auf einen Zettel. »Hier ist die Telefonnummer.«

Sie wollte den Zettel nicht von ihm annehmen. Er ließ ihn los, und er flatterte zu Boden.

Absolut reglos lag Annie in ihrem breiten Ehebett und lauschte ihren Atemzügen, dem stetigen Klopfen ihres Herzens. Am liebsten hätte sie zum Telefon gegriffen und Terri angerufen, aber sie verließ sich bereits zu sehr auf ihre Freundin. Sie redeten täglich stundenlang miteinander, als könnte das Annies Verzweiflung lindern, aber nach dem Gespräch fühlte sie sich noch verlassener als zuvor.

Sie wusste kaum noch, wie sie die letzte Woche überstanden hatte, die sieben endlosen Tage seit ihr Mann ihr mitgeteilt hatte, dass er eine andere Frau liebte. Jede einsame Nacht, jeder leere Tag schien weiter an ihr zu zehren. Irgendwann würde sie so klein und unscheinbar sein, dass niemand sie mehr bemerkte.

Manchmal wachte sie nachts schreiend auf, und der Alptraum war immer der gleiche. Sie stand in einem düsteren Raum, starrte in einen goldgerahmten Spiegel und sah – absolut nichts.

Annie schlug die Bettdecke zurück und lief zu ihrem Schrank. Sie riss die Wäscheschublade auf und zog einen grauen Karton heraus. Mit ihm unter dem Arm kroch sie wieder ins Bett. Sie öffnete den Karton und sah die Fotos und Erinnerungsstücke, die sie im Lauf der Jahre gesammelt hatte. Sie stöberte in ihnen, betrachtete versonnen jedes einzelne Stück. Ganz unten in dem Karton fand sie einen kleinen Kompass aus Bronze, ein Geschenk ihres Vaters. Er trug keine Gravur, aber sie erinnerte sich genau an den Tag, an dem ihr Vater ihn ihr geschenkt hatte, und an seine Worte: »Ich weiß, wie verloren du dich jetzt fühlst, aber das wird vergehen. Und mit diesem Kompass kannst du immer nach Hause finden, wo ich auf dich warte.«

Sie schloss ihre Finger um das kleine Metallgerät an seinem Lederband und fragte sich, wann und warum sie es überhaupt abgenommen hatte. Langsam legte sie es sich wieder um den Hals und wandte sich den Fotos zu, zunächst den Schwarz-weißbildern, aufgenommen mit der alten Kodak ihrer Kindertage. Es waren kleinformatige Fotos mit Eselsohren und schwarzem Datumsaufdruck am Rand. Allein von ihr gab es Dutzende von Bildern, ein paar mit ihrem Vater. Und eins mit ihrer Mutter.

Ein einziges.

Sie erinnerte sich an den Tag, an dem es entstanden war. Zusammen mit ihrer Mutter hatte sie Weihnachtsplätzchen gebacken, und überall war Mehl: auf dem Tisch, auf Annies Gesicht, auf dem Boden. Als ihr Vater von der Arbeit kam, hatte er über sie gelacht. »Mein Gott, Sarah, das reicht ja für eine ganze Armee. Wir sind nur zu dritt …«

Wenige Monate später waren sie nur noch zu zweit. Ein verschlossener, trauernder Mann und seine noch stillere, kleine Tochter.

Nachdenklich strich Annie mit der Fingerspitze über das Foto. Im Lauf der Jahre hatte sie ihre Mutter oft vermisst – bei ihrem Schulabschluss, ihrer Hochzeit, Natalies Geburt –, doch nie so sehr wie gerade jetzt. Ich brauche dich, Mom, dachte sie zum hundertsten Mal. Damit du mich tröstest und mir sagst, dass alles wieder gut wird.

Sie legte das Bild in den Karton zurück und griff nach einem Farbfoto, das sie mit einem neugeborenen, in eine pinkfarbene Decke gehüllten Baby im Arm zeigte. Und neben ihr ein junger, gut aussehender, stolzer Blake, der seinen Arm schützend um seine kleine Tochter legte. Annie betrachtete zahllose weitere Fotos, die Natalies Entwicklung vom Baby bis zur Oberschülerin dokumentierten.

Natalies ganzes Leben lag in dem Karton. Es gab Dutzende von Fotos von einem blonden, blauäugigen, lächelnden Mädchen neben Stofftieren, Rollern, Fahrrädern und Haustieren. Blake tauchte schon seit langer Zeit nicht mehr auf den Familienfotos auf. Warum war das Annie zuvor nie aufgefallen?

Aber nach Blake suchte sie auch gar nicht.

Sie suchte nach Annie. Vergeblich, wie ihr schien, aber sie konnte nicht aufgeben. Irgendwo in diesem Karton mit greifbaren Erinnerungen an ihr Leben musste doch auch sie zu finden sein. Foto um Foto nahm sie in die Hand und warf sie wieder in den Karton.

Es gab nahezu kein Foto von ihr. Wie die meisten Mütter war sie hinter der Kamera gewesen, und wenn sie sich auf einer Aufnahme erschöpft aussehend, zu dick, zu dünn oder hässlich fand – nun, dann riss sie sie entzwei und warf sie fort.

Doch jetzt sah es aus, als wäre sie nie da gewesen. Als hätte sie überhaupt nicht existiert.

Dieser Gedanke erschreckte sie derart, dass sie die Bilder mit einer Handbewegung zur Seite wischte und aufstand. Als sie an den Terrassentüren vorbeikam, sah sie in der Scheibe eine zerzauste, verzweifelt aussehende Frau in mittleren Jahren und im Morgenrock ihres Mannes. Sie fand erbärmlich, was aus ihr zu werden drohte. Sogar noch erbärmlicher als das, was sie gewesen war.

Wie konnte er es wagen, ihr das anzutun? Ihr zwanzig Jahre ihres Lebens zu nehmen und sie dann wegzuwerfen wie einen Pullover, der nicht mehr passte.

Sie lief zu seinem Schrank, riss seine Anzüge von den Bügeln und warf sie in den Müll. Dann ging sie ins Arbeitszimmer, sein heiliges Arbeitszimmer. Sie zog die Schreibtischschublade auf und zerrte den Inhalt heraus.

Ganz hinten in der Schublade fand sie Dutzende Kreditkartenbelege für Blumen, Hotelübernachtungen und Dessous.

Ihr Zorn verwandelte sich in weiß glühende Wut. Sie raffte Kreditkartenbelege, Rechnungen, Terminkalender, Kontoauszüge und Scheckbuch zusammen und warf alles in einen Karton. Mit großen Druckbuchstaben schrieb sie seinen Namen und die Adresse seiner Kanzlei darauf, und in kleinerer Schrift: »Zwanzig Jahre lang war das meine Aufgabe. Jetzt bist du dran.«

Ihr Atem ging in heftigen Stößen, aber sie fühlte sich besser als in den letzten Tagen. Sie blickte sich in ihrem perfekten, leeren Haus um.

Was sollte sie nun tun? Wohin gehen? Sie berührte den Kompass an ihrem Hals, und plötzlich wusste sie es.

Vielleicht hatte sie es immer gewusst.

Sie würde in die Welt des kleinen Mädchens zurückkehren, das sie auf den alten Schwarzweißfotos gesehen hatte. In der sie noch etwas anderes war als Blakes Frau und Natalies Mutter.

TEIL ZWEI

Mitten im Winter erkannte ich,
dass der Sommer in mir unbezwingbar ist.

Albert Camus

4. Kapitel

Nach stundenlangem Flug und schier endloser Autofahrt
lenkte Annie ihren Mietwagen endlich über die lange Floß-
brücke, die die Halbinsel Olympic mit dem Rest des Staates
Washington verband. Auf einer Seite der Brücke brandeten
schaumgekrönte Wellen heran, auf der anderen war das Wasser glatt wie ein Spiegel. Sie kurbelte das Fenster herunter und
schaltete die Klimaanlage aus. Aromatische, meerfeuchte Luft
kam herein, wehte ihr Haarsträhnen ins Gesicht.

Meile um Meile zog die Landschaft ihrer Kindheit mit ihren
lebhaften Grün- und Blautönen an ihr vorbei. Annie verließ den Freeway und bog auf eine zweispurige Straße ein.
Die Halbinsel versteckte sich unter einer purpurfarbenen
Dunstschicht, ein kotelettähnliches Stück Land, umgeben von
schneebedeckten Bergen auf der einen Seite und wilden,
windzerzausten Stränden auf der anderen. Eine archaische
Landschaft, unberührt von der Hektik der modernen Zeit.
Uralte Baumriesen waren von silbrigem Moos überzogen, und
die zerklüftete Küste wurde von aufragenden Felswänden vor
der Brandung geschützt. Im Herzen der Halbinsel lag der
Olympic National Park, rund 3600 Quadratkilometer Nie-
mandsland, beherrscht von Mutter Natur und den Mythen
der Ureinwohner, die hier lange vor den weißen Pionieren lebten.

Als Annie sich ihrer Heimatstadt näherte, wurde der Wald
dichter und dunkler, und über ihm lag ein schimmernder
Dunst, der die Wipfel der Bäume verbarg. In dieser Jahreszeit

hielten die Wälder noch Winterschlaf, und es wurde Nacht, bevor die Schulglocken das Ende der letzten Stunde eingeläutet hatten. Kein vernünftiger Mensch wagte es vor dem Beginn des Sommers, sich abseits der Hauptstraßen zu bewegen, und es gab zahllose Geschichten von Kindern, die es getan hatten, und nie wieder gesehen wurden, von Sasquatches, die nachts durch das Walddickicht streiften und sich ahnungslose Touristen schnappten. Denn hier in den Tiefen des Regenwaldes ist das Wetter launischer als ein halbwüchsiges Mädchen. Innerhalb weniger Minuten kann sich Sonnenschein in Schneegestöber verwandeln, um danach in einem blutroten Regenbogen zu enden, der an den Rändern ebenholzschwarz ausläuft.

Es ist ein uraltes Land, in dem mächtige Rotzedern hundert Meter hoch in den Himmel ragen, um irgendwann zu Boden zu stürzen und zu sterben, nachdem sie durch ihre Samen für Nachwuchs gesorgt haben. Ein Land, in dem die Zeit an Gezeiten, Baumringen und Lachswanderungen gemessen wird.

Als Annie schließlich Mystic erreichte, fuhr sie langsamer und nahm die vertrauten Bilder in sich auf. Es war ein kleiner Holzfällerort, von frühen, idealistischen Pionieren dem Quinault-Regenwald abgetrotzt. Die Main Street hatte lediglich sechs Querstraßen, und Annie brauchte nicht bis ans Ende zu fahren, um zu wissen, dass der Asphaltbelag in Höhe der Elm Street in Schotter überging.

Die Ortsmitte machte den elenden, vernachlässigten Eindruck eines alten Mannes, den man draußen im Regen vergessen hatte. Eine einzige Ampel regelte den nicht vorhandenen Verkehr vor der Ansammlung kleiner, aneinander gedrängter Geschäfte. Vor fünfzehn Jahren war Mystic eine blühende Gemeinde gewesen, die von Fischfang und Holzeinschlag lebte, aber offenbar hatten wirtschaftliche Probleme viele Geschäftsleute inzwischen in lukrativere Orte vertrieben.

Verrostete Pick-ups standen hinter jahrzehntealten Parkuhren, und nur wenige Menschen in ausgeblichenen Overalls und schweren Wintermänteln waren auf den Bürgersteigen zu sehen.

Die wenigen verbliebenen Geschäfte trugen vertraute Namen. Da waren *Holey Moses Doughnut*, der *Needle Fabric Shop, Dwayne's Lanes Bowling Alley, Kiddie Corner, Eve's Leaves Dress Emporium, Vittorio's Italian Ristorante*. In jedem Schaufenster stand ein Schild mit der Aufschrift: »Dieses Geschäft wird von der Holzwirtschaft unterstützt.« Ein zarter Hinweis für Politiker, die in fernen Städten schicke Villen bewohnten, dass das Überleben in dieser Region vom Holzeinschlag abhing.

Es war eine verarmte, kleine Holzfällersiedlung, aber in Annies an Stahl, Beton und Glas gewöhnten Augen einfach wunderschön. Der Himmel war jetzt grau, doch sie konnte sich gut erinnern, wie er ohne Wolken aussah. Hier in Mystic erstreckte er sich, so weit das Auge reichte. Es war ein Land von erhabener Schönheit, mit einer Luft, die nach Tannennadeln, Nebel und Regen roch.

Ganz anders als der Süden Kaliforniens.

Der Vergleich kam ungerufen und erinnerte sie daran, dass sie eine Frau von neununddreißig war, die kurz vor einer ungewollten Scheidung stand. Dass sie nach Hause zurückkehrte, weil es für sie keinen anderen Zufluchtsort gab.

Sie versuchte, nicht an Blake, Natalie oder das große leere Haus über dem Strand von Malibu zu denken. Stattdessen erinnerte sie sich an Dinge, die sie nicht ungern zurückließ: die Hitze, die ihr Kopfschmerzen verursachte, die Krebsgefahr in den unsichtbaren Strahlen der Sonne, den Smog, der in den Augen brannte und im Hals kratzte, die Tage mit »schlechter Luft«, an denen einem geraten wurde, das Haus nicht zu verlassen, die Erdrutsche und Brände, die an einem einzigen Nachmittag ganze Straßenzüge vernichteten.

Annies Wurzeln in diesem Land reichten tief und weit. Vor fast siebzig Jahren war ihr Großvater hierher gekommen, ein kantiger Deutscher mit einem großen Drang nach Freiheit, der sich nicht zu schade war, eine Säge in die Hand zu nehmen. Er hatte sich mit der Forstwirtschaft ein gutes Auskommen gesichert und seinen einzigen Sohn Hank dazu angehalten, seinem Beispiel zu folgen. Seine Enkeltochter Annie war die erste Bourne, die ein College besucht hatte.

Sie bog in die Elm Street ein und verließ den Ort. Zu beiden Seiten der Straße war das Land in winzige Parzellen aufgeteilt. Fertighäuser duckten sich auf Grasflächen, hinter Autowracks und verrosteten Waschmaschinen. Überall sah Annie Hinweise auf Holzindustrie: Langholztransporter, Kettensägen und Hinweise auf Nistplätze der Sperbereule.

Die Straße begann sich hügelan zu winden, tiefer und tiefer in dicht bewaldetes Gelände hinein. Allmählich hörten die Häuser auf. Hinter einem Schild mit der Aufschrift »Kahlschlag 1992, Wiederaufforstung 1993« standen junge Baumschößlinge in Reih und Glied. Alle paar hundert Meter traf sie auf ein solches Schild, nur die Daten wechselten.

Schließlich erreichte sie die Kiesstraße, die sich durch fünfzehn Morgen alten Nutzholzbestand schlängelte.

Auf der Suche nach verborgenen Schätzen war sie in diesem Waldgelände stundenlang durch Schonungen und Unterholz gestromert: Sie fand einen Mairitterling, einen weißen Pilz, der nur unter dem Lenzmond aus dem Boden schoss, ein Rehkitz, das auf die Rückkehr der Mutter wartete, einen in einer Sumpflache versteckten Klumpen Froschlaich.

Endlich kam sie zu dem schindelbedeckten Farmhaus, in dem sie aufgewachsen war. Es sah genauso aus, wie sie es in Erinnerung hatte: ein gegiebeltes Gebäude, ein halbes Jahrhundert alt, perlgrau gestrichen, mit weißen Zierleisten. Eine weiß getünchte Veranda umlief das ganze Haus, und winterdürre Pelargonien hingen an jedem Pfosten. Aus dem Backsteinschornstein stieg Rauch spiralförmig in die Luft und verlor sich im grauen Nebel.

Hinter dem Haus bewachte ein Bataillon Baumriesen einen verschwiegenen, farngesäumten Teich. Moos überzog die Stämme wie mit einem Pelz und schwang sich in duftigen Schals von einem Ast zum andern. Die Grasfläche, mehr Wiese als Rasen, neigte sich zu einem klaren Bach hinab. Wenn Annie über die Wiese liefe, würde es zwischen ihren Zehen quietschen und glucksen, und der Bach würde klingen wie das Schnarchen eines alten Mannes.

Annie lenkte den gemieteten Mustang auf die Parkfläche hinter dem Holzschuppen und schaltete den Motor aus. Sie griff nach ihrer Handtasche und lief zur Haustür.

Kaum hatte sie auf die Klingel gedrückt, da öffnete ihr Vater auch schon die Tür.

Der Hüne Hank Bourne – eins achtundneunzig groß und hundertzehn Kilo schwer – stand eine Sekunde lang wie erstarrt da und blickte seine Tochter ungläubig an. Dann begannen seine Augen zu strahlen.

»Annie«, flüsterte er mit seiner rauen, tiefen Stimme.

Er breitete die Arme aus, und sie klammerte sich an ihn, verbarg ihr Gesicht in den weichen Falten seines Halses. Er roch nach Holzrauch, Irish-Spring-Seife und den Sahnebonbons, die er immer in der Brusttasche seines Arbeitshemdes versteckte. Nach ihrer Kindheit.

Annie gab sich der Umarmung ihres Vaters ganz hin. Schließlich hob sie den Kopf, wagte es jedoch nicht, ihm in die Augen zu sehen. »Hi, Dad.«

»Annie«, sagte er noch einmal, und diesmal hörte sie seine unausgesprochene Frage.

Sie zwang sich, seinen prüfenden Blicken zu begegnen. Er sah gut aus für seine siebenundsechzig Jahre. Obwohl von Runzeln und Falten gesäumt, waren seine Augen klar und neugierig wie die eines jungen Mannes. Nur gelegentlich ließ er Anzeichen der Tragödien seines Lebens erkennen, wenn auch nur in Form eines flüchtigen Schattens, der sein Gesicht überzog, wenn eine Ampel an einem verregneten Tag auf Rot sprang oder das Sirenengeheul eines Krankenwagens den nebligen Dunst durchschnitt.

Er verbarg seine entstellte Hand – die Folge eines Unfalls vor langer Zeit in der Sägemühle – hinter dem Latz seines ausgeblichenen Overalls. »Bist du allein, Annie?«

Sie zögerte. Die Frage war vieldeutig. Und konnte auf vielfältige Art beantwortet werden.

Ihr Vater sah sie so intensiv an, dass ihr unbehaglich wurde. Es war, als könnte er ihr in die Seele blicken, als hätte er vernommen, wie ihr Mann in dem Haus am Pazifischen Ozean zu ihr gesagt hatte: *Ich liebe dich nicht mehr, Annie.*

»Natalie ist nach London geflogen«, sagte sie leise.

»Ja, ich weiß. Ich hatte gehofft, du würdest anrufen und mir ihre Adresse geben. Ich würde ihr gern schreiben.«

»Sie wohnt bei einer Familie Roberson. Es regnet jeden Tag in Strömen, wie ich und ...«

»Was ist los, Annie Virginia?«

Sie holte tief Luft. Jetzt gab es kein Zurück mehr. »Er ... Er hat mich verlassen, Dad.«

Bestürzt sah er sie an. »Was?«

Annie wollte lachen und ihm versichern, dass es ihr nichts ausmachte, dass sie stark genug war, darüber hinwegzukommen, aber sie kam sich wieder vor wie ein Kind, verwirrt und sprachlos.

»Was ist passiert?«, fragte er leise.

Sie zuckte mit den Schultern. »Die alte Geschichte, Dad. Er ist vierzig ... und sie achtundzwanzig.«

Hanks hageres, faltiges Gesicht verfiel. »Oh, Honey ...« Sie sah ihn nach Worten suchen, sah die Traurigkeit in seinen Augen, als er merkte, er würde sie nicht finden. Hilflos strich er ihr über die Wange. Sie wusste, dass sie sich beide an einen anderen Tag vor langer Zeit erinnerten, als Hank seiner siebenjährigen Tochter hatte sagen müssen, dass es einen Unfall gegeben hatte ... dass Mommy nun im Himmel war ...

Sie ist fort, Honey. Sie wird nicht wiederkommen.

Hank zog seine Tochter in die Arme, und sie schmiegte ihre Wange an den weichen Flanell seines karierten Hemdes. Gern hätte sie ihn um Rat gebeten, um ein paar aufbauende Worte, aus denen sie Trost hätte schöpfen können, aber Hank war nun einmal kein Mann für väterliche Weisheiten. »Er wird zurückkommen«, versicherte er. »Männer können manchmal verdammt töricht sein. Aber Blake wird einsehen, dass er einen Fehler gemacht hat, und dich um eine zweite Chance bitten.«

»Das würde ich gern glauben, Dad.«

Hank lächelte, offensichtlich befriedigt über die Wirkung seiner Beteuerungen. »Du kannst mir glauben, Annie. Der Mann liebt dich. Das habe ich erkannt, als ich ihn zum ersten Mal sah. Natürlich hielt ich dich für zu jung für die Ehe, aber du warst ein gescheites Mädchen, und ich sagte mir, wenn sie ihn sich ausgesucht hat, dann soll sie ihn auch haben. Er kommt mit Sicherheit zurück. Was hältst du davon, wenn wir es dir in deinem alten Zimmer gemütlich machen und dann das alte Schachbrett hervorholen?«

»Das wäre wundervoll.«

Hank streckte den Arm aus und ergriff ihre Hand. Zusammen liefen sie durch das spärlich möblierte Wohnzimmer und die knarrenden Stufen ins erste Stockwerk hinauf.

Vor Annies Zimmer drehte Hank den Knauf und stieß die Tür auf. Die Strahlen der untergehenden Sonne brachten die goldgelbe Tapete mit ihrem Blümchenmuster zum Leuchten, die eine liebevolle Mutter Jahrzehnte zuvor für ihre kleine Tochter ausgesucht hatte. Weder Annie noch Hank wäre es eingefallen, die Tapete durch eine andere zu ersetzen. Ein mit einem weißgelben Quilt bedecktes weißes Eisenbett beherrschte das Zimmer. Neben dem schmalen Doppelfenster stand ein Schaukelstuhl, den ihr Vater ihr zu ihrem dreizehnten Geburtstag geschreinert hatte. »Du bist jetzt eine Frau«, hatte er gesagt. »Also sollst du auch einen Frauensessel haben.«

Sie hatte viel Zeit auf diesem Schaukelstuhl verbracht, in die dunkle Nacht hinausgeblickt, Starfotos aus dem *Teen Beat*-Magazin ausgeschnitten, schwärmerische Briefe an Bobby Sherman und David Cassidy geschrieben und von dem Mann geträumt, den sie eines Tages heiraten würde.

Er kommt zurück … Sie hüllte sich in Hanks Worte, wappnete sich mit ihnen gegen andere, düstere Gedanken. Verzweifelt wünschte sie sich, dass ihr Dad Recht behielt.

Denn wenn er sich irrte, wenn Blake nicht wiederkam, wüsste sie nicht, wer sie war oder wohin sie gehörte.

5. Kapitel

Wieder verbrachte Annie eine unruhige Nacht. Häufig schreckte sie aus dem Schlaf, den Nachhall eines Schluchzens im Ohr, das schweißfeuchte Bettzeug um ihre Beine gewickelt. In den letzten vier Tagen war sie wie ein Geist durch das alte Farmhaus geschlichen, unruhig und ratlos. Nur selten wagte sie sich allzu weit vom Telefon fort.

Ich habe einen großen Fehler gemacht, Annie. Verzeih mir. Ich liebe dich. Wenn du zu mir nach Hause kommst, werde ich Suzannah nicht wiedersehen ... Den ganzen Tag wartete sie auf diesen Anruf, um dann spätabends in einen unruhigen Schlaf zu fallen und von ihm zu träumen.

Annie wusste, dass sie sich eine Beschäftigung suchen musste, aber sie hatte keine Ahnung, welche. Ihr ganzes Leben lang war sie für andere da gewesen, hatte ihre eigenen Wünsche und Bedürfnisse hintangestellt, um es Blake und Natalie so angenehm wie möglich zu machen, und nun, ohne die beiden, hatte sie keine Ahnung, was sie tun sollte.

Schlaf wieder ein ... Ja, genau das würde sie tun, sich unter der Daunendecke vergraben und weiterschlafen.

Es klopfte. »Ich steh schon auf«, murmelte sie und griff nach ihrem Kopfkissen.

Die Tür ging auf. Hank stand auf der Schwelle. Er steckte in einem rotblau karierten Flanellhemd und seinem ausgeblichenen Overall – der Arbeitsuniform, in der er seit nunmehr fast vierzig Jahren in die Sägemühle ging. In seinen Händen hielt er ein Frühstückstablett. Missbilligend verzog er das Gesicht und kniff die Augen zusammen. Er stellte das Tablett behutsam ab und durchquerte den Raum mit langen Schritten. »Du siehst einfach schrecklich aus.«

Zu ihrem Entsetzen brach sie in Tränen aus. Sie wusste, dass es stimmte. Sie war klapperdürr, ungepflegt und hässlich. Niemand, auch Blake nicht, würde sie wieder um sich haben wollen. Bei diesem Gedanken drehte sich ihr der Magen um. Hastig hielt sie sich den Mund zu und rannte ins Bad. Es war ihr peinlich, dass ihr Vater hörte, wie sie sich übergab, aber sie konnte es nicht verhindern. Danach putzte sie sich die Zähne und schwankte in ihr Zimmer zurück.

Die Besorgnis in Hanks Augen tat körperlich weh.

»Jetzt reicht es«, erklärte er und klatschte in die Hände. »Ich bringe dich zum Arzt. Zieh dich an.«

Die Vorstellung, das Haus zu *verlassen*, erfüllte sie mit Panik. »Ich kann nicht. Man wird …« Sie wusste nicht einmal, wovor sie sich fürchtete. Sie wusste nur, dass sie sich in diesem Zimmer, in ihrem Mädchenbett sicher fühlte.

»Ich kann dich noch immer über meine Schulter werfen, Kleines. Entweder ziehst du dich jetzt an oder du erscheinst im Schlafanzug in der Praxis. Ganz wie du willst. Aber ich bringe dich zum Arzt.«

Annie wollte protestieren, aber ihr Vater hatte ja Recht, und eigentlich tat es ganz gut, umsorgt zu werden. »Okay, okay.« Sie stand wieder auf, ging ins Bad und zog dieselben zerknitterten Sachen an, die sie auf der Fahrt hierher getragen hatte. Sich die Haare hochzustecken, kam ihr zu mühsam vor, stattdessen benutzte sie ihre Finger als Kamm und verbarg ihre geröteten, verquollenen Augen hinter einer Sonnenbrille. »Ich bin so weit …«

Annie starrte aus dem halb geöffneten Fenster des alten Ford-Pick-up. Hinter ihrem Kopf stieß das leere Gewehrgestell scheppernd gegen die Scheibe.

Geschickt wich ihr Vater den Schlaglöchern aus und hielt vor einem quadratischen Backsteingebäude. »Poliklinik Mystic. Dr. Gerald Burton, praktischer Arzt« stand auf einem handgeschriebenen Schild.

Annie lächelte. Der alte Doc Burton hatte sie auf die Welt geholt und sie fast zwei Jahrzehnte lang von Erkältungen, Ohrentzündungen, Schnitt- und Schürfwunden kuriert. Er gehörte ebenso zu ihrem Leben wie Zahnspangen, Schulbälle und Nacktbaden im Lake Crescent.

Hank drehte den Zündschlüssel. Keuchend und spuckend verstummte der Motor des alten Ford. »Es kommt mir ganz komisch vor, mit dir wieder hier zu stehen. Plötzlich packt mich die Angst, eine Wiederholungsimpfung verschlampt zu haben, und man lässt dich nicht zur Schule gehen.«

Wieder musste Annie lächeln. »Wenn ich brav bin, gibt mir Doc Burton vielleicht einen Lutscher.«

Hank drehte sich zu ihr um. »Du warst immer brav, Annalise. Vergiss das nicht.«

Seine Worte führten sie in das große Haus am Meer zurück, in dem ihr Mann ihr gesagt hatte, dass er eine andere Frau liebe. Bevor die Traurigkeit sie überwältigen konnte, straffte sie die Schultern und stieß die Tür auf. »Und wo treffen wir uns?«

»Im Uferpark. Da unten hat es dir immer besonders gut gefallen.«

»Im Uferpark«, wiederholte Annie und erinnerte sich an die Nachmittage, die sie dort am Fluss verbracht hatte und auf der Suche nach Fischeiern und Libellen durch den Schlamm gekrochen war. Sie nickte, stieg aus, schulterte ihre Tasche und lief die Betonstufen zur Poliklinik hinauf.

Drinnen hob eine alte Dame mit blau getönten Haaren den Kopf und blickte ihr erwartungsvoll entgegen. »Hi! Ich bin Madge«, stand auf ihrem Namensschild. »Guten Tag. Was kann ich für Sie tun?«

In ihren zerdrückten Kleidern und mit den schlaff herabhängenden Haaren kam Annie sich plötzlich vor wie eine Landstreicherin. Gott sei Dank verbarg die Sonnenbrille ihre Augen. »Ich bin Annie Colwater und möchte gern zu Doctor Burton. Ich glaube, mein Vater hat mich angemeldet.«

»Das hat er, Darlin'. Nehmen Sie Platz. Doc wird gleich für Sie da sein.«

Nachdem sie das Formular mit Fragen nach ihrer Krankenversicherung ausgefüllt hatte, setzte sich Annie ins Wartezimmer und blätterte lustlos in den neuesten Ausgaben von *People*. Eine knappe Viertelstunde später kam Dr. Burton ins Wartezimmer geschlendert. Die Jahre ihrer Abwesenheit zeigten sich in den Falten um seinen Hals und seinem schütter gewordenen Haar, aber er war noch immer der alte Doc Burton, der einzige Mann in Mystic, der eine Krawatte umband.

»Nun, wenn mich nicht alles täuscht, ist das Annie Bourne.«

Sie grinste den alten Mann an. »Wir haben uns lange nicht gesehen.«

»So ist es. Kommen Sie, kommen Sie.« Er legte ihr einen Arm um die Schultern und führte sie in einen Behandlungsraum. Sie setzte sich auf die papierüberzogene Liege und schlug die Knöchel übereinander.

Er nahm auf einem gelben Plastikstuhl Platz und musterte sie. Dicke Brillengläser ließen seine Augen so groß aussehen wie Suppenteller. Sie fragte sich, wann der Verlust seiner Sehkraft begonnen hatte. »Na, wie das blühende Leben sehen Sie nicht gerade aus.«

Sie versuchte es mit einem Lächeln. Offenbar war sein Sehvermögen noch nicht ganz geschwunden. »Deshalb bin ich hier. Hank fand, ich sehe schrecklich aus, und nun befürchtet er, ich könnte schwer krank sein.«

Doc Burton lachte wiehernd, schlug einen Aktendeckel auf und zückte einen Stift. »Typisch Hank. Als ich ihn das letzte Mal sah, hatte er eine Migräne, war aber überzeugt, dass es sich um einen Hirntumor handelte. Und welche Beschwerden machen Ihnen zu schaffen?«

Annie wusste nicht recht, wo sie beginnen sollte. »Ich schlafe nicht besonders gut, habe Kopfschmerzen … leide gelegentlich unter Übelkeit.«

»Könnten Sie möglicherweise schwanger sein?«

Auf diese Frage hätte sie vorbereitet sein müssen. Dann hätte sie ihr nicht einen solchen Stich versetzt. Aber es war Jahre her, seit ein Arzt ihr diese heikle Frage gestellt hatte. Ihr Arzt in Malibu kannte die Antwort nur zu gut. »Auf keinen Fall.«

»Irgendwelche Hitzewallungen, unregelmäßige Monatsblutungen?«

Sie zuckte mit den Schultern. »Meine Perioden waren immer ein wenig unregelmäßig. Im letzten Jahr sind sie ein paar Monate ganz ausgefallen. Und mein Gynäkologe hat mich bereits darauf vorbereitet, dass ich bald in die Wechseljahre kommen könnte.«

»Ich weiß nicht recht ... Dafür sind Sie noch ein wenig zu jung ...«

»Oh, vielen Dank«, lächelte sie.

Er schloss den Aktendeckel, deponierte den Ordner auf seinem Schoß und sah sie wieder forschend an. »Gibt es in Ihrem Leben vielleicht etwas, was Depressionen auslösen könnte?«

Depressionen.

Ein Wort, hinter dem sich unendliches Leid verbarg. Depressionen nahmen einem Menschen jede Freude am Leben und lieferten ihn trostloser Verzweiflung aus, auf der Suche nach etwas, was er nicht einmal benennen konnte.

»Möglicherweise.«

»Möchten Sie darüber sprechen?«

Annie blickte den alten Mann an. Das Verständnis in seinen Augen führte sie eine lange, gewundene Straße hinunter, an deren Ende sie wieder zwölf Jahre alt war, das erste Mädchen in ihrer Klasse, das ihre Periode bekam. In seiner Ratlosigkeit hatte Hank sie auch damals zu Doc Burton gefahren, damit der Arzt ihr ihre Angst nahm.

Tränen brannten in ihren Augen und liefen unkontrolliert ihre Wangen hinab. »Mein Mann und ich haben uns vor kurzem getrennt. Ich werde damit ... nicht besonders gut fertig.«

Langsam nahm er die Brille ab, legte sie auf den Aktenordner und rieb sich die Nasenwurzel. »Tut mir Leid, Annie. Sie ahnen gar nicht, wie oft ich so etwas höre. Zu oft. Es passiert in unserem kleinen Mystic ebenso häufig wie in der Großstadt. Natürlich leiden Sie unter der Trennung, und Depressionen können Schlaflosigkeit, Appetitmangel und Übelkeit verursachen. Ich könnte Ihnen Valium verschreiben oder auch Prozac. Irgendetwas, was Ihrem Schmerz die Schärfe nimmt, bis Sie sich wieder berappelt haben.«

Sie hätte ihn gern gefragt, ob er eine Frau kannte, die »sich berappelt« hatte, oder eine, deren Mann es sich anders überlegt hatte. Aber das waren allzu intime, verräterische Fragen, und so blieb sie stumm.

Er setzte die Brille wieder auf. »Auf jeden Fall sollten Sie jetzt verdammt gut auf sich achten, Annie. Mit Depressionen ist nicht zu spaßen. Und wenn sie Ihnen zu viele schlaflose Nächte bereiten, liegen Sie bald ganz flach. Ich werde Ihnen ein Rezept mitgeben.«

»Tabletten als Liebesersatz?« Sie rang sich ein Lächeln ab. »Das müssen ja wahre Wunderpillen sein. Vielleicht sollte ich gleich eine Hand voll davon nehmen.«

Er blieb ernst. »Sarkasmus steht einer Lady schlecht, Fräuleinchen. Aber sagen Sie, wie lange bleiben Sie eigentlich noch bei uns?«

Eine Welle der Scham überkam sie, als wäre sie wieder zehn Jahre alt. »Tut mir Leid, Doc. Mitte Juni muss ich … wieder zu Hause sein.« Es sei denn, Blake ruft an … »Bis dahin werde ich vermutlich hier bleiben.«

»Also bis Mitte Juni? Okay, am ersten Juni sehen wir uns wieder. Unabhängig davon, wie Sie sich fühlen. Ich lasse einen Termin für Sie eintragen, einverstanden?«

Es tat gut zu wissen, dass jemand ihre Fortschritte kontrollierte. »Einverstanden, aber bis dahin geht es mir bestimmt besser.«

Dr. Burton begleitete sie zur Tür hinaus, klopfte ihr auf die Schulter und ermahnte sie noch einmal, auf sich aufzupassen. Dann drehte er sich um und kehrte in die Klinik zurück.

Als Annie zum Park hinunterlief, fühlte sie sich schon sehr viel wohler. Die frische Frühlingsluft gab ihr neue Energie, und der Himmel war so klar, dass sie die Sonnenbrille wieder aufsetzte. Es war einer jener seltenen Frühlingstage, die einen Vorgeschmack auf den Sommer vermittelten. Annie lief an der Holzskulptur eines Roosevelt-Elches vorbei und stöberte mit den Füßen die letzten trockenen Laubblätter des Winters auf.

Hank saß auf der Holzbank, die schon immer am Ufer gestanden hatte. Sie setzte sich neben ihn.

Er streckte ihr einen dampfenden Hartschaumbecher entgegen. »Ich wette, du hast seit der Oberschule keinen anständigen Kaffee mehr getrunken.«

Annie legte die Finger um den warmen Becher. »Auch wenn du es vielleicht nicht glaubst, Dad, aber ich habe eine Kaffeemaschine.«

Schweigend tranken sie ihren Kaffee, und Annie lauschte dem beruhigenden, tröstenden Rauschen des Flusses.

Hank griff in eine Papiertüte, zog ein Croissant heraus und hielt es ihr hin. Schon der Anblick verursachte Annie Übelkeit, und sie winkte schnell ab.

»Was hat der Doc gesagt?«, wollte Hank wissen.

»Große Überraschung … Ich leide unter Depressionen.«

»Bist du eigentlich wütend?«

»Letzte Nacht habe ich mir ausgemalt, wie Blake von Piranhas gefressen wird. Das ist doch ein Zeichen von Wut, findest du nicht?« Er antwortete nicht, sah sie nur an, und so fügte sie leiser hinzu: »Ich war es, für einige Zeit. Aber jetzt bin ich zu … leer, um zornig zu sein.« Sie spürte, dass ihr wieder die Tränen kamen, konnte sie aber diesmal nicht zurückhalten. Verlegen wandte sie den Kopf ab. »Er hält mich für ein Nichts, Dad. Er geht davon aus, dass ich mich von ihm aushalten lasse.«

»Und wie denkst du darüber?«

»Ich denke, dass er Recht hat.« Sie schloss ganz fest die Augen. »Hilf mir, Dad. Gib mir irgendeinen klugen Rat.«

»Das Leben ist beschissen.«

Wider Willen musste sie lachen. Es war genau die Reaktion, die sie von ihm erwartet hatte, und auch wenn sie ihr nicht half, hatte ihre Vorhersagbarkeit doch etwas Tröstliches. »Vielen Dank, Dad. Ich bitte dich um einen klugen Rat, und du speist mich mit Klo-Sprüchen ab.«

»Was meinst du, wie die Leute auf Klo-Sprüche kommen?« Er tätschelte ihre Hand. »Alles wird gut, Annie. Blake liebt dich. Er wird wieder zu sich kommen. Aber du kannst dich nicht nur im Bett verkriechen. Du musst etwas unternehmen. Dich beschäftigen, bis Blake sich wieder im Griff hat.«

»Und nicht nur seinen …«

»Eine kesse Bemerkung für mein braves kleines Mädchen. Aber hier ist ein Rat für dich«, lächelte er. »Willst du ihn hören? Wenn das Leben dir Saures gibt, mach Limonade draus.«

Annie dachte an die Limonade, die sie für Blake gemacht hatte, an den großen Fleck auf den Trennungsvereinbarungen. »Ich mag keine Limonade.«

Ihr Vater wurde ernst. »Ich glaube, du weißt nicht, was du eigentlich willst, aber es ist höchste Zeit, dir darüber klar zu werden.«

Sie wusste, dass er Recht hatte. Sie konnte nicht weiterhin auf einen Anruf warten, der vermutlich nie kam, und sich die Augen ausweinen.

»Du musst auch einmal Risiken eingehen, Mädchen.«

»Das tue ich doch. Ich reinige mir die Zähne nicht täglich mit Zahnseide, und manchmal ziehe ich eine Blümchenbluse zu karierten Hosen an. Einmal habe ich sogar *nach* dem Labour Day weiße Schuhe getragen.«

»Ich meine …« Aber weiter kam Hank nicht.

Annie lachte schallend, zum ersten Mal seit dem »Tag der Wahrheit«. »Ich lasse mir die Haare schneiden.«

»Was?«

»Blake hat immer meine langen Haare geliebt.«

Hank schmunzelte. »Nun, offenbar bist du doch ein bisschen wütend. Das ist ein gutes Zeichen.«

Lurlene's *Fluff-n-Stuff* hatte nicht die geringste Ähnlichkeit mit den Coiffeuren, die Annie für gewöhnlich besuchte. Es war ein altmodischer Kleinstadt-Frisiersalon in einem pinkfarbenen, viktorianischen Haus mit weißen Gingerbread-Schnörkeln. Eine Veranda zog sich über die Vorderfront und spendete drei Rattan-Schaukelstühlen Schatten.

Annie parkte unter einem grellrosa Schild mit der Warnung: »Parken ausschließlich Lurlenes Kunden gestattet. Zuwiderhandlungen werden mit einem Haarschnitt nebst Dauerwelle geahndet«. Als sie über herzförmige Betonplatten auf die Veranda zulief, schallte ihr aus einem schwarzen Lautsprecher neben der Tür eine blecherne Version von »It's a Small World« entgegen.

Plötzlich blieb sie wie angewurzelt stehen. Seit Ewigkeiten trug sie ihre Haare lang. Glaubte sie etwa, mit Hilfe einer Schere ihre Jugend wiedergewinnen zu können? Ruhe bewahren, Annie ... Sie atmete tief durch und konzentrierte ihre ganze Energie darauf, die Stufen zur Veranda zu bewältigen und sich die Haare schneiden zu lassen.

Sie hatte die oberste Stufe noch nicht ganz erreicht, als die Tür aufschwang und eine Frau erschien. Sie musste mindestens eins achtzig sein, und ein hochtoupierter Wust roter Haare sprengte fast den oberen Türbalken. Irgendjemand hatte ihre stattliche Figur in rot glitzernde Stretchhosen eingeschweißt. Entweder das, oder es war auf den Leib gemalte Lackfarbe. Ein knapp sitzender Angorapullover mit Zebramuster spannte sich über voluminösen Brüsten. Von jedem Ohr hingen gigantische Zebra-Ohrringe.

Freudige Erregung ließ die Frau am ganzen Körper erbeben, bis hinunter zu den gewaltigen Füßen in goldenen Barbie-Pantoffeln. »Sie müssen Annie Colwater sein ...« In ihrem Südstaatentonfall klang der Name wie »Colwatah«, wie süßer, dickflüssiger Maissirup. »Nun, Darlin', ich hab Sie schon erwartet! Als Ihr Daddy sagte, Sie wünschten einen ganz neuen Stil, wollte ich meinen Ohren kaum trauen. So viel Mut in *Mystic*!« Wie eine Lawine kam sie die Stufen heruntergerauscht. »Ich bin Lurlene, Schätzchen. Ausladend wie eine Elchkuh, werden Sie denken, aber mit doppelt so viel modischem Geschmack. Hier sind Sie richtig. Ich werde Sie verwöhnen wie eine Prinzessin.« Sie bemächtigte sich Annies Arm und führte sie über die Veranda in einen hellen, in Rosa und Weiß gehaltenen Raum mit Spiegeln in Korbgeflechtrahmen. Vor den Fenstern hingen rosafarbene Gingham-Vorhänge, ein pinkfarbener Teppich bedeckte den Holzfußboden.

»Pink ist *meine* Farbe«, erklärte Lurlene stolz. »Die Farbtöne Babyrosa und Fuchsienrot sind wie keine anderen dazu angetan, ein Gefühl von Verwöhntwerden und Wohlbefinden zu vermitteln. Das hab ich in einer Zeitschrift gelesen, und genau so ist's doch, oder?« Sie führte Annie an zwei anderen Kundinnen vorbei, beides ältere Frauen mit vielfarbigen Lockenwicklern in den grauen Haaren.

Während sie Annies Haare wusch, schwatzte Lurlene munter weiter: »O Lordie, eine solche Haarpracht habe ich seit meiner Disco-Barbie nicht mehr gesehen.« Nachdem sie Annie vor einen Spiegel gesetzt hatte, spähte Lurlene über den fuchsienroten Schulterumhang. »Haben Sie sich's auch gut überlegt? Die meisten Frauen würden kalt lächelnd einen wertvollen Körperteil ihres Ehemannes für solche Haare geben.«

Annie verdrängte die nervöse Unsicherheit, die sich irgendwo in ihrer Magengegend bemerkbar machte. Keine Konzessionen. Jetzt nicht mehr. »Schneiden Sie«, sagte sie ruhig.

»Wie dumm von mir. Natürlich haben Sie es sich überlegt.« Lurlene lächelte strahlend. »Und was schwebt Ihnen vor? Schulterlang vielleicht …«

»Schneiden Sie sie ab.«

Lurlenes pinkfarbene Lippen klafften auseinander. »Wie ab? *Ganz ab*?«

Annie nickte.

Lurlene erholte sich schnell. »Nun, Darlin', Sie werden garantiert die Krönung meiner Laufbahn.«

Annie versuchte, nicht über ihre Entscheidung nachzudenken. Ein Blick auf ihr kalkweißes, verhärmtes Gesicht ließ sie die Augen schließen – und geschlossen halten.

Sie spürte ein Ziehen an ihrer Kopfhaut, hörte das Klappern einer Schere, ihre Haare fielen zu Boden.

»Der Anruf Ihres Daddys hat mich schon sehr überrascht. Ich habe von Kathy viel über Sie gehört. Sie erinnern sich doch an Kathy Johnson? Wir waren zusammen auf der Fachschule. Natürlich hat sie die Ausbildung nie beendet, irgendwie hatte sie was gegen Scheren, aber wir wurden gute Freundinnen. Sie hat mir jede Menge Geschichten aus Ihrer gemeinsamen Jugend erzählt. Schätze, Sie und Kathy waren ziemlich wilde Hummeln.«

Kathy Johnson.

Es war ein Name, den Annie seit Jahren nicht mehr gehört hatte. *Kathy and Annie, friends 4-ever. 2 good 2 be true.* Das hatten sie einander in ihre Jahrbücher geschrieben, das hatten sie einander geschworen, als sich ihre Schulzeit dem Ende zuneigte.

Annie hatte die feste Absicht gehabt, die Freundschaft aufrechtzuerhalten, in Kontakt zu bleiben, aber irgendwie war es dazu nie gekommen. Wie viele Schulfreundschaften hatte auch ihre den Test der Zeit nicht bestanden. In den ersten Jahren schrieben sie einander noch Weihnachtsgrüße, dann hörte auch das auf. Die Entfremdung begann bereits im letzten High-School-Jahr, als Nick Kathy einen Heiratsantrag machte.

Nick …

Annie konnte sich gut an den Tag erinnern, an dem sie ihn das erste Mal sah. Arrogant kam er in den Englischkurs geschlendert, und seine blauen Augen schienen alle im Raum herauszufordern. Er trug zerfetzte Levi's und ein verwaschenes weißes T-Shirt, in dessen hochgerolltem Ärmel eine Zigarettenschachtel steckte. Mit seiner wilden, zu langen schwarzen Haarmähne und der Komm-mir-ja-nicht-zu-nahe-Attitüde unterschied er sich von allen Jungen, denen Annie bis dahin begegnet war. Sie verliebte sich auf Anhieb in ihn – wie alle anderen Mädchen im Kurs, darunter auch ihre beste Freundin Kathy.

Er entschied sich für Kathy und bescherte Annie damit die Qual eines gebrochenen Herzens.

Bei der Erinnerung daran musste sie lächeln. Vielleicht sollte sie die beiden besuchen und den Versuch unternehmen, die alte Freundschaft wiederzubeleben. Es wäre doch sehr schön, gerade jetzt eine Freundin zu haben. Wenn es nicht klappte, konnten sie immer noch über die alten Zeiten lachen. »Und wie geht es Nick und Kathy?«

Das Klappern der Schere verstummte. »Sie wissen es nicht?« »Was?«

Lurlene beugte sich zu ihr herab und hüllte sie in rosige Parfumdüfte. »Kathy ist vor acht Monaten gestorben.«

Annie öffnete die Augen. Eine bleiche Frau mit wirren, kurzen Haaren starrte sie aus dem ovalen Spiegel an. Schnell kniff sie die Augen wieder zu. Als sie ihre Stimme wiedergefunden hatte, hörte sie sich an wie ein heiseres Krächzen. »Wie ...«

»Ich versuche zu helfen, wo ich kann, aber die kleine Isabella, seine Tochter ... Nun, sie ist seither ziemlich durcheinander. Gerade gestern wurde sie aus der Schule geworfen. Ist das zu glauben? Wie kann man eine Sechsjährige von der Schule verweisen? Was denken die sich eigentlich? frage ich. Sie wissen alle, dass ihre Mama gestorben ist. Da sollte man doch auf ein wenig Verständnis und Mitleid hoffen dürfen. Nick sucht ein Kindermädchen, aber an jeder Frau, die ich ihm schicke, hat er was auszusetzen.«

»Wie konnte es dazu kommen?«, flüsterte Annie.

»Sie wurde zur Schulleitung gerufen, wo man ihr erklärt hat, sie brauche nicht wiederzukommen.« Missbilligend schnalzte Lurlene mit der Zunge. »Wie kann man ein Kind nur so behandeln? Natürlich braucht Isabella vor allem ihren Daddy! Aber im Moment wäre selbst ein Karnickel ein besserer Vater – und die fressen ihre eigenen Jungen. Ich würde so gern mehr für sie tun, aber Buddy – das ist mein Mann – sagt, er hätte fünf Kinder großgezogen, von seiner Ex Eartha ... Kennen Sie sie? Sie wohnt unten in Forks. Buddy möchte das alles nicht noch mal erleben – nicht Eartha noch mal heiraten, sondern Kinder aufziehen, mein ich. Und ich hatte nie Kinder, ich hab keine Erfahrung damit. Ich meine, ich kann ihnen einen verdammt guten Haarschnitt oder 'ne Dauerwelle verpassen, ihnen vielleicht auch die Nägel lackieren, aber sonst? Es macht mir nichts aus, nach der Schule auf sie aufzupassen, sie ist sogar recht anstellig, was den Haushalt anbelangt, aber wenn ich ganz ehrlich sein soll, jagt sie mir ein bisschen Angst ein. Ich weiß einfach nicht, wie ich ihr helfen kann.«

Für Annie kam das alles zu plötzlich, sie konnte es noch immer nicht recht begreifen. Kathy …

Wie konnte Kathy tot sein? Noch gestern hatten sie in den Pausen auf dem Schulhof gespielt, auf der Highschool über die Jungs gekichert und sich mit ihnen verabredet, immer zusammen, die eine nie ohne die andere. Sie waren Freundinnen gewesen, so eng, wie nur Mädchen das können. Sie hatten ihre Sachen getauscht, die Nächte miteinander verbracht und sich ihre kleinen Geheimnisse anvertraut. Sie hatten sich geschworen, ewig Freundinnen zu bleiben.

Aber als ihre Lebenswege sie trennten, hatten sie weder die Zeit noch die Energie aufgebracht, in Kontakt zu bleiben. Und jetzt gab es Kathy nicht mehr. Es war nicht Annies *Absicht* gewesen, Kathy zu vergessen, aber sie hatte es getan, und das war alles, was zählte. Sie hatte ihr Studium an der Stanford aufgenommen, Blake kennen gelernt und die Vergangenheit gegen die Zukunft eingetauscht.

»Nick ist völlig gebrochen«, sagte Lurlene, blies ihren Bubblegum auf und ließ ihn knallen. »Er und Kathy haben das Beauregard House am Mystic Lake gekauft …«

Das Beauregard House. Es tauchte vor Annies innerem Auge auf, verpackt in bittersüße Erinnerungen. »Ich kenne es, aber Sie haben mir noch nicht erzählt, woran Kathy …«

Das Surren des Föns übertönte ihre Frage. Sie glaubte zu hören, dass Lurlene weiterredete, konnte aber die Worte nicht verstehen. Nach wenigen Minuten wurde der Haartrockner ausgeschaltet, die Schere landete scheppernd auf dem Kacheltisch.

»Lordie, sehen Sie toll aus.« Lurlene legte ihr beide Hände auf die Schultern und drückte sie leicht. »Machen Sie doch die Augen auf, Schätzchen. Bewundern Sie sich.«

Annie schlug die Lider auf und erblickte im Spiegel eine total fremde Frau. Ihre braunen Haare waren so raspelkurz, dass sie nirgendwo mehr auch nur eine Locke entdecken konnte. Der Schnitt betonte die Blässe ihres Teints und ließ ihre grünen Augen irgendwie gehetzt und zu groß für ihr fein geschnittenes Gesicht wirken. Sie sah aus wie Kate Moss mit fünfzig – nachdem sie unter einen Rasenmäher geraten war. »O Gott …«

Schmunzelnd nickte Lurlene ihr im Spiegel zu wie einer dieser Stoffhunde, die hinter Autoheckscheiben sitzen. »Sie sehen genau aus wie dieses junge Mädchen, das sich Warren Beatty geschnappt hat. Sie wissen schon, wen ich meine, die Schauspielerin aus *The American President*.«

»Annette Bening«, rief eine der anderen Kundinnen.

Lurlene holte ihre Wegwerfkamera. »Ich brauche unbedingt ein Foto. Wenn ich das dem *Modern Do* schicke, gewinne ich garantiert den Flug nach Reno.« Sie ging vor Annie in die Knie. »Bitte lächeln.«

Bevor Annie es sich versah, hatte Lurlene ein Foto gemacht. Dann richtete Annie sich wieder auf und knabberte versonnen an ihrem Acrylfingernagel. »Ich wette, es gibt keine hundert Frauen auf der ganzen Welt, denen ein solcher Schnitt stehen würde, und Sie sind eine von ihnen, Honey.«

Annie wollte nur eins: den Raum verlassen, bevor sie in Tränen ausbrach. Bloß keine Panik, sagte sie sich, es wächst wieder, aber sie konnte nur daran denken, was Blake zu ihrer neuen Frisur sagen würde, wenn – *falls* – er zurückkam. Mit zitternden Fingern langte sie nach ihrer Handtasche. »Was bin ich Ihnen schuldig?«

»Nichts, Schätzchen. Wir haben alle mal unsere schlechten Zeiten.«

Annie blickte zu der Frau auf und entdeckte in ihren stark geschminkten Augen aufrichtiges Mitgefühl.

Wäre ihr nicht so akut übel gewesen, hätte sie sich zu einem Lächeln durchgerungen. »Vielen Dank, Lurlene. Vielleicht kann ich Ihnen auch irgendwann einmal einen Gefallen erweisen.«

Lurlenes Gesicht verzog sich zu einem breiten Grinsen. »Nun, Darlin', wir sind hier in Mystic. Wenn man lange genug bleibt, wird aus einem Gefallen leicht Bettelei.« Sie bückte sich, hob eine große, grüne Angelkiste auf, stellte sie auf den Fliesentisch und öffnete den Deckel. Im Innern befand sich genügend Make-up, um Robin Williams in Courtney Love zu verwandeln. Lurlene lächelte. »Nun, wie wär's mit einer Vervollständigung Ihres neuen Stils?«

Entsetzt hielt Annie den Atem an. Sie sah sich schon mit mehr Schminke im Gesicht, als eine Palette Farben hat. »N… nein, vielen Dank, ich bin in Eile.« Sie sprang auf die Füße.

»Aber … aber wenn ich Sie schminke, könnten Sie aussehen wie …«

»Noch einmal vielen Dank«, murmelte Annie und rannte zur Tür. Sie sprang hinter das Steuer des Mustang, drehte den Zündschlüssel um und raste mit aufdröhnendem Motor davon, dass der Kies nur so spritzte. Erst eine Meile später machten sich die Tränen mit einem Brennen hinter den Augen bemerkbar.

Und fast eine Viertelstunde später, als sie am World-of-Wonders Pitch-and-Putt-Golfplatz vorbeifuhr, mit fest um das Lenkrad gekrallten Fingern und tränenüberströmten Wangen, erinnerte sie sich an die Frage, die unbeantwortet geblieben war.

Was hatte Kathy das Leben gekostet?

Annie fuhr so lange kreuz und quer durch Mystic, durch die hügelige, winterkahle Umgebung, bis die Tränen auf ihren Wangen getrocknet waren. Als sie endlich wieder ein wenig Selbstbeherrschung hatte, lenkte sie den Mustang nach Hause.

Hank saß auf einem der alten, buttergelb bezogenen Sessel neben dem Kamin. Auf seinem Schoß lag ein aufgeschlagenes Rätselmagazin. Als sie hereinkam, hob er den Kopf. Das Lächeln auf seinem Gesicht schwand schneller als Schnee in der Märzsonne. »Heiliger Strohsack«, murmelte er.

Annie musste lachen. »Ich habe eine Rolle in *G. I. Jane* bekommen, in der TV-Serie.«

Hanks Lachen begann zögernd, gewann aber zunehmend an Resonanz. »Es sieht … gut aus, Kleine.«

»Gut? Ich wollte jünger aussehen, aber doch nicht wie gerade geboren.«

Hank stand auf und breitete die Arme aus. Die Rätselzeitung flatterte auf den Fußboden. »Komm her, Schätzchen.«

Annie ließ sich von ihm in die Arme nehmen und drücken. Als er sie wieder losließ, griff er in seine Hemdtasche und zog einen Sahnebonbon hervor. Er war schon immer überzeugt gewesen, dass seine Bonbons Annie gut taten. Auch nach dem Tod ihrer Mutter hatte er ihr einen gegeben. »Hier nimm, Honey, aber nicht beißen, lutschen.« Später, wenn ihr irgendwo der Geruch von Sahnebonbons in die Nase stieg, sah sie sich suchend um, weil sie glaubte, Hank müsse in der Nähe sein.

Lächelnd nahm sie den Bonbon, wickelte ihn aus und steckte ihn in den Mund. Er schmeckte nach Sahne und Erinnerungen.

Hank strich ihr über die Wange. »Wahre Schönheit zeigt sich von innen.«

»Damit trösten sich Frauen, Dad. Männer sind da anderer Meinung.«

Hank grinste sie schief an. »Ich bin davon überzeugt, und wenn ich mich recht erinnere, bin ich ein Mann. Und ich finde deinen Haarschnitt phantastisch. Es braucht nur ein wenig Zeit, sich daran zu gewöhnen.«

»Nun, ich komme mir vor wie eine ganz neue Frau. Und genau das war mein Wunsch.«

»Gewiss, gewiss.« Er tätschelte ihre Schulter. »Was hältst du von einer kleinen Partie Scrabble?«

Annie nickte, und er holte den Scrabblekasten aus der Vitrine in der Ecke des Wohnzimmers, in der er vermutlich unangetastet ruhte, seit sie das letzte Mal miteinander gespielt hatten – vor etwa zwanzig Jahren. Er wischte den Staub vom Karton, öffnete den Deckel und setzte das Brett auf den Tisch.

Annie starrte die sieben Buchstabensteine auf ihrem Bänkchen an und dachte über ein Wort nach, mit dem sie das Spiel beginnen konnte. »«Du hast mir gar nicht erzählt, dass Kathy Johnson gestorben ist, Dad.«

Er sah auf. »Nein? Ich dachte, ich hätte es dir geschrieben. Oder vielleicht habe ich es dir auch erzählt, als ich Weihnachten bei euch war.«

»Nein.«

Er zuckte mit den Schultern. »Nun, jetzt weißt du es. Diese Lurlene ist ein fürchterliches Klatschmaul. Tut mir Leid, dass du auf diese Weise davon erfahren musstest.«

Annie sah, wie unbehaglich sich Hank fühlte. Er zupfte an seinem Kragen, obwohl sein Hemd gar nicht zugeknöpft war, und starrte seine Buchstaben so hingerissen an, als wären es die Zehn Gebote. Er war ein Mann, der nicht gern über den Tod sprach. Grundsätzlich nicht. Und mit Sicherheit nicht über den frühen Tod einer Frau, die er hatte aufwachsen sehen.

Annie ließ das Thema ruhen. Mühsam lächelnd griff sie nach vier Buchstaben und legte sie auf das Brett. Wenn sie etwas über Kathys Tod oder ihr Leben erfahren wollte, musste sie sich an jemand anderen wenden.

6. Kapitel

Im strömenden Regen stand Nick Delacroix in seinem Vorgarten und betrachtete den kümmerlichen, leblosen Kirschbaum, den er im letzten Jahr gepflanzt hatte. Langsam sank er auf die Knie und senkte den Kopf.

Er hatte bei der Bestattung seiner Frau keine Träne vergossen, auch nicht gestern, als man seine Tochter von der Schule verwiesen hatte, aber jetzt verspürte er einen sonderbaren Drang zum Weinen – und das über diesen verdammten kleinen Baum, der einfach nicht wachsen wollte. Er stand wieder auf, wandte dem Baum den Rücken zu und lief langsam ins Haus.

Aber auch im Haus hinter verschlossener Tür konnte er den verfluchten Baum nicht vergessen.

Ebenso wenig wie den gestrigen Tag, einen schlimmen Tag, obwohl es davon in den letzten Monaten wahrlich genug gegeben hatte.

Gestern hatte man seine Izzy von der Schule verwiesen.

Der Gedanke daran ließ glühenden Zorn in ihm aufsteigen. Als die Wut verraucht war, blieb nur noch Scham.

Mit Tränen in den braunen Augen und bebenden Lippen hatte seine Izzy gestern im Büro der Schulleitung gestanden. Ihr rosa Kleid war voller Flecke und Risse gewesen, schon morgens, als sie es angezogen hatte. Ihre langen schwarzen Haare, auf die sie früher so stolz gewesen war, hingen struppig und zerzaust um ihren Kopf.

Flüchtig fragte er sich, was eigentlich aus ihren hübschen Bändern und Schleifen geworden war.

Wir können sie nicht länger auf unserer Schule behalten, Mister Delacroix. Das sehen Sie doch sicher ein ...?

Reglos und schweigend hatte Izzy dagestanden. Seit Monaten sprach sie kein Wort mehr, das war ein Grund dafür, dass die Schule sie nicht länger duldete, das und ihr *Verschwinden*. Seit ein paar Monaten schien sie davon überzeugt, sich langsam, aber sicher *aufzulösen*.

Inzwischen trug sie einen schwarzen Handschuh an der linken Hand, deren Finger sie nicht länger benutzen oder sehen konnte. Seit kurzem setzte sie auch ihre rechte Hand so unbeholfen ein, als glaubte sie, einige dieser Finger wären gleichfalls nicht mehr da.

Sie hielt den Kopf gesenkt, blickte Nick nicht an, aber eine Träne lief ihr über die Wange, und er hatte gesehen, wie sie auf ihrem Kleid zu einem grauen, dunklen Fleck verblich.

Er hatte etwas sagen wollen, wusste aber nicht, wie man ein Kind tröstete, das die Mutter verloren hatte. Dann machte es ihn zornig, wie immer, wenn er merkte, dass er seiner Tochter nicht helfen konnte, und er verspürte den Drang nach einem Drink. Nur einen, um seine Nerven zu beruhigen. Und während der ganzen Zeit hatte sie – viel zu verschlossen und still für eine Sechsjährige – dagestanden, und die enttäuschte Resignation in ihren Augen war unübersehbar gewesen.

Nick ging ins Wohnzimmer, bahnte sich seinen Weg um die leer gegessenen Verpackungen des gestrigen Abendessens. Eine Fliege summte über den Resten. Sie hörte sich an wie ein Rasenmäher.

Er warf einen Blick auf seine Armbanduhr und musste blinzeln, um klar sehen zu können. Halb neun.

Mist! Er war zu spät dran, um Izzy abzuholen. Wieder einmal.

Die Vorstellung, in ihr enttäuschtes Gesicht blicken, den schwarzen Handschuh sehen zu müssen ...

Vielleicht sollte er sich schnell ein Glas genehmigen. Nur ein ganz kleines ...

Das Telefon klingelte. Schon bevor er abnahm, ahnte er, dass es Lurlene war. »Hi, Lurl«, sagte er und lehnte sich erschöpft gegen die Wand. »Ich weiß, ich weiß, es ist spät. Aber ich bin schon auf dem Weg.«

»Es hat keine Eile, Nicky. Buddy macht heute Abend mit den Jungs einen drauf. Und bevor du mir an den Hals springst – mit Izzy ist alles in Ordnung.«

Erleichtert seufzte Nick auf. »Dir macht es nichts aus, wenn ich mich verspäte, und Izzy fehlt nichts. Was gibt es dann?«

Ihre Stimme wurde zu einem geheimnisvollen Flüstern. »Eigentlich rufe ich an, um dir eine hochinteressante Neuigkeit mitzuteilen.«

»Ich flehe dich an, Lurl. Verschone mich bitte mit irgendwelchen …«

»Wart ab. Heute war eine alte Freundin von dir hier bei mir. Nun, das interessiert dich schon, oder? Und ich muss sagen, sie ist ganz anders, als ich sie mir vorgestellt habe. Wenn ich daran denke, was du und Kath… Entschuldige, ich wollte sie wirklich nicht erwähnen, aber sie war total normal. Ließ sich überhaupt nicht anmerken, wie reich sie ist. Genau wie Miss Sissy Spacek. Ich habe sie neulich bei *Oprah* gesehen, und du wärst nie auf den Gedanken gekommen, dass sie etwas anderes sein könnte als du und ich.«

Verzweifelt versuchte Nick, hinter den Sinn ihrer Worte zu kommen. Es gelang ihm nicht. »Sissy Spacek war heute bei dir im Salon? Ist es das, was du sagen willst?«

Lurlene lachte schallend. »Natürlich *nicht*, du Schaf. Wir sind hier schließlich in Mystic und nicht in Aspen. Ich rede von Annie Bourne. Sie ist wieder in der Stadt, besucht ihren Daddy.«

Nick glaubte, nicht richtig gehört zu haben. »Annie Bourne ist wieder hier?«

Lurlene schwatzte weiter von abgeschnittenen Haaren, Kaschmirpullovern und taubeneigroßen Diamanten. Aber Nick konnte sich nicht konzentrieren. Annie Bourne …

Er murmelte irgendetwas und legte den Hörer auf.

Großer Gott, Annie Bourne. Sie war seit Jahren nicht mehr

zu Hause gewesen. Das wusste er, weil Kathy vergebens auf Anrufe ihrer Freundin gewartet hatte.

Er durchquerte sein Wohnzimmer und nahm ein Foto vom Kaminsims. Er hatte es täglich gesehen, aber seit Jahren nicht mehr wirklich betrachtet. Es war ein bisschen verblichen und in den letzten Tagen des Sommers vor ihrem letzten Schuljahr aufgenommen: Annie, Kathy und Nick. Die drei Unzertrennlichen.

Er stand zwischen den Mädchen, hatte seine Arme um sie gelegt. Er sah jung, unbeschwert und glücklich aus, ganz anders als der Junge, der nur wenige Monate zuvor in einem engen, schmutzigen Auto dahinvegetiert war. In jenem wundervollen Sommer, in dem er erstmals begriff, was *normales Leben* eigentlich bedeutete, hatte er auch die Freuden der Freundschaft kennen gelernt.

Und er hatte sich verliebt.

Das Bild war am späten Nachmittag aufgenommen, unter einem tiefblauen Himmel. Sie hatten den Tag am See verbracht, waren lachend und kreischend von den Klippen ins Wasser gesprungen. Es war der Tag gewesen, an dem ihm schließlich bewusst wurde, dass er sich früher oder später zwischen den beiden Mädchen, die er liebte, würde entscheiden müssen.

Auf wen seine Wahl fallen würde, zeichnete sich bald deutlich ab. Annie hatte sich bereits für ein Studium an der Stanford University beworben, und ihre Schulzeugnisse ließen keinen Zweifel daran, dass sie zugelassen würde. Sie war auf ihrem Weg in die große, weite Welt. Anders als Kathy. Kathy war ein ruhiges, stilles Kleinstadtmädchen, das zur Melancholie neigte. Ein Mädchen, das sich verzweifelt wünschte, geliebt und umsorgt zu werden.

Nick erinnerte sich noch gut daran, was er an diesem Tag zu Annie gesagt hatte. Nach dem Leben, das er mit seiner Mutter verbracht hatte, wusste er genau, was er sich wünschte: Ansehen und Stabilität. Er wollte die Verhältnisse verbessern, zu einem Rechtssystem gehören, dem der Tod einer einsamen jungen Frau, die in ihrem Auto wohnte, nicht gleichgültig war.

Und so erzählte er Annie, dass es sein Traum sei, Polizist in Mystic zu werden.

»Oh, nein, Nicky«, flüsterte sie, rollte sich auf der Decke herum und blickte ihm in die Augen. »Stell dein Licht doch nicht unter den Scheffel. Wenn es dir um Recht und Gesetz geht, dann musst du höhere Ziele anstreben. Du könntest Richter am Supreme Court werden, unter Umständen sogar Senator.«

Ihre Worte hatten ihn gekränkt, sie waren eine unbeabsichtigte Herabwürdigung seiner Träume. »Aber ich will kein Richter am Obersten Gerichtshof werden.«

Sie war in Lachen ausgebrochen, ihr helles, melodisches Lachen, das sein Herz immer schneller schlagen ließ. »Du musst in größeren Dimensionen denken, Nicky-Boy. Du weißt noch nicht, was du wirklich willst. Wenn du erst einmal studierst …«

»Ein College kommt für mich nicht in Frage, Miss Neunmalklug. Für mich gibt es kein Stipendium wie für dich.«

Und ganz langsam hatte er in ihren Augen die Erkenntnis dämmern sehen, wie sehr sich ihre Zukunftsvorstellungen doch unterschieden. Er war nicht mutig genug für hochfliegende Träume. Er wünschte sich nur, anderen zu helfen, sehnte sich nach dem Gefühl, gebraucht zu werden. Damit kannte er sich aus, darin war er gut.

Doch das hatte Annie nicht verstehen können. Wie auch? Sie kannte die Niederungen nicht, in denen sein Leben verlaufen war.

»Oh …« Mehr sagte sie nicht, aber diese winzige Silbe drückte ihre ganze Verunsicherung aus. Danach lagen sie nebeneinander und doch Welten voneinander entfernt auf der kratzigen grünen Decke und starrten zum Himmel hinauf.

Damals war es für ihn ganz einfach gewesen. Er liebte Annie … aber Kathy brauchte ihn, und das gab den Ausschlag.

Als er wenige Monate vor ihrem Schulabschluss Kathy einen Heiratsantrag machte, wusste Annie längst, dass es so kommen würde. Nach der Verlobung bemühten sie sich zwar, die enge Freundschaft aufrechtzuerhalten, aber natürlich klappte das nicht. Kathy und Nick waren ein Paar und Annie so etwas wie das fünfte Rad am Wagen. Und als Annie dann mit lebhaften Beteuerungen, sich regelmäßig zu melden, nach Stanford aufbrach, hatte Nick gewusst, dass der Kontakt abbrechen würde, dass es kein unzertrennliches Trio mehr gab.

Es war fast halb zehn, als sie von Lurlene zurückkehrten. Izzy hätte schon längst schlafen müssen, aber Nick brachte es nicht über sich, sie sofort ins Bett zu stecken.

Mit überkreuzten Beinen saß sie auf dem Boden vor dem kalten Kamin. Das war immer ihr Lieblingsplatz gewesen, früher zumindest, als hinter ihr ein Feuer prasselte, das ihr sanft den Rücken wärmte. Sie hielt ihre Stoffpuppe Miss Jemmie im Arm, so gut es mit ihren *verschwundenen* Fingern eben ging. Die Stille im Zimmer war überwältigend, quälend.

Nick fühlte sich unsagbar hilflos. Immer wieder bemühte er sich, eine Unterhaltung mit seiner kleinen Tochter zu beginnen, doch alle Versuche scheiterten an ihrer Sprachlosigkeit.

»Tut mir Leid, was in der Schule geschehen ist, Izzy-Schatz«, sagte er hölzern.

Sie sah ihn nur an, mit großen, braunen Augen, die in ihrem blassen Gesichtchen geradezu riesig wirkten.

Falsch, dachte er. Ganz falsch. Er bedauerte nicht nur, dass die Schule sie nicht länger haben wollte, sondern alles: den Tod, das Leben und all die Jahre der Enttäuschung und Entfremdung, die sie in die jetzige Situation gebracht hatten. Vor allem jedoch bedauerte er, dass er ein solcher Versager war, dass er nicht wusste, wie es weitergehen sollte.

Zögernd stand er auf und trat ans Fenster. Mondschein erhellte die dunkle Wasseroberfläche des Mystic Lake, und die Verandalampe warf ihr Licht auf die beiden Schaukelstühle, auf denen seit Monaten niemand mehr gesessen hatte. Regen tropfte vom Dach auf die Holzstufen der Veranda.

Er war sich sicher, dass Izzy ihn sehr genau und voller Angst beobachtete. Er konnte sich gut in sie hineinversetzten und wusste, wie es war, wenn man mit schmerzhaft angehaltenem Atem als Kind darauf wartete, was Eltern als Nächstes taten.

Nick schloss die Augen. Die Erinnerung kam ungerufen, mit dem Regen. Er rief ihm einen längst vergangenen Tag ins Gedächtnis zurück, an dem ein ähnlich steter Regen die rostige Motorhaube des Impala seiner Mutter gepeitscht hatte.

Er war fünfzehn Jahre alt, ein stiller Junge, der zu viele Geheimnisse in sich verschloss, und wartete an der Straßenecke darauf, dass ihn seine Mutter von der Schule abholte. Lachend stürmten seine Mitschüler an ihm vorbei, eine ausgelassene Horde in Blue Jeans und psychedelischen T-Shirts. Neidisch sah er zu, wie sie die gelben Busse bestiegen, die am Straßenrand warteten.

Schließlich setzten sich die Busse schnaufend in Bewegung, um Wohngegenden anzufahren, die Nick noch nie gesehen hatte. Es begann zu regnen. Mit quietschenden Reifen rasten Autos die nasse Straße hinunter. Keiner der Fahrer achtete auf den mageren, schwarzhaarigen Jungen in zerrissenen Jeans und weißem T-Shirt.

Er fror entsetzlich, erinnerte er sich. Für einen Wintermantel fehlte ihnen das Geld, und so zitterte er vor Kälte, und seine Hände waren blau angelaufen.

Komm doch endlich, Mom, flehte er unhörbar immer wieder, doch ohne wirkliche Hoffnung.

Er hasste es, auf seine Mutter warten zu müssen. Einsam stand er an der Ecke, den Kopf zwischen die Schultern gezogen und von Angst übermannt. Wie betrunken würde sie sein? Nur leicht beschwipst, so dass sie noch wusste, dass sie ihn liebte? Oder hätte der Alkohol sie in eine kreischende, wutbebende Furie verwandelt, die ihr einziges Kind abgrundtief hasste? Das Letztere war mittlerweile die Norm. Seine Mutter erging sich vor allem in Selbstmitleid. Sie jammerte darüber, dass die Sozialhilfe für ihren Gin nicht reichte, dass sie gezwungen waren, in ihrem Auto zu wohnen – einen Schritt von der Obdachlosigkeit entfernt.

Er konnte auf Anhieb erkennen, in welchem Zustand sie sich befand. Ein blasses, schmutziges Gesicht, das nie lächelte, und wässrige Augen bedeuteten, dass sie irgendwo eine Flasche ergattert und geleert hatte. Selbst wenn er täglich das Auto nach Schnaps durchsuchen würde, könnte er sie damit nicht vom Trinken abhalten.

Er trat von einem Fuß auf den anderen, schlug sich mit den Armen gegen den Oberkörper, aber der Regen prasselte auf ihn nieder, rann ihm in eiskalten Bächen den Rücken hinab. Komm endlich, Mom ...

Sie kam überhaupt nicht. Auf der Suche nach ihr lief er stundenlang durch die verkommensten Gegenden von Seattle und schlief schließlich im abfallübersäten Torbogen eines China-Restaurants ein. Am Morgen schnappte er sich eine weggeworfene Tüte Glückskekse aus dem Müll und machte sich auf den Weg zur Schule.

Gegen Mittag kamen Polizisten zu ihm, zwei ernst blickende Männer in blauen Uniformen, die ihm mitteilten, dass seine Mutter erstochen worden war. Wie es zu dem Verbrechen gekommen war, sagten sie nicht, aber Nick wusste es. Sie hatte versucht, ihren dünnen, ungewaschenen Körper für ein paar Gläser Gin zu verkaufen. Dass es keinerlei Hinweise auf Tatverdächtige gab, überraschte Nick nicht. Als sie noch lebte, hatte sich mit Ausnahme von Nick niemand um sie gekümmert. Niemanden schien es zu scheren, dass wieder eine heruntergekommene, obdachlose Alkoholikerin ermordet worden war.

Nick wollte die Erinnerung verdrängen. Er wünschte, die Vergangenheit vergessen zu können, doch das schien unmöglich zu sein. Seit Kathys Tod war sie lebendiger als je zuvor.

Seufzend drehte er sich zu seinem stummen Kind um. »Höchste Zeit, schlafen zu gehen«, sagte er leise und versuchte auch zu vergessen, dass diese Worte vor noch nicht langer Zeit bei Izzy heftige Proteste ausgelöst hätten.

Doch jetzt stand sie schweigend auf, packte ihre Puppe mit den beiden *noch vorhandenen* Fingern ihrer rechten Hand und verließ das Zimmer. Ohne sich nur einmal umzudrehen, lief sie die Treppe ins obere Stockwerk hinauf. Etliche der Stufen knarrten unter ihrem Federgewicht, und jedes Mal traf es Nick wie ein Schlag. Wie sollte es nun weitergehen, nachdem Izzy nicht mehr in die Schule gehen konnte? Es gab niemanden, der für sie sorgen, sich um sie kümmern würde. Er konnte nicht zu Hause bleiben, und Lurlene hatte ihr eigenes Leben.

Was zum Teufel sollte er nur tun?

Zweimal wurde Annie in der Nacht wach und lief ruhelos im Zimmer umher. Kathys Tod hatte sie daran erinnert, wie kostbar Zeit war, wie flüchtig. Wie oft einem das Leben einen Strich durch die Rechnung machte und einem keine zweite Chance gab, das wirklich Wichtige zu sagen und zu tun.

Sie wollte nicht an Blake denken – *Ich liebe sie, Annie …* –, aber die Gedanken ließen sich nicht verdrängen. Sie waberten durch die Luft, blitzten wie fernes Wetterleuchten durch die Dunkelheit ihres Zimmers. Annie betrachtete sich im Spiegel, überprüfte ihre neue Frisur, versuchte herauszufinden, wer sie war und wohin sie gehörte. Sie starrte sich so lange an, bis das Spiegelbild sich veränderte, sich verzerrte, grau wurde, und eine Frau zeigte, die sie nicht kannte.

Ohne Blake hatte sie keinen Zeugen für die letzten zwanzig Jahre ihres Lebens. Es gab niemanden außer Hank, der sich daran erinnerte, wie sie mit fünfundzwanzig oder dreißig Jahren gewesen war, niemanden, dem sie ihre verlorenen Träume anvertrauen konnte.

Hör auf, denk endlich an etwas anderes …

Annie sah auf den Wecker. Es war sechs Uhr morgens. Sie setzte sich aufs Bett, griff zum Telefon und wählte Natalies Nummer, aber ihre Tochter hatte das Haus bereits verlassen. Sie rief Terri an.

Nach dem fünften Klingeln nahm ihre Freundin ab. »Ich kann nur hoffen, dass es etwas Wichtiges ist«, murrte sie verschlafen.

Annie lachte. »Entschuldige, ich bin es nur. Zu früh für dich?«

»Nein, nein. Ich liebe es, mitten in der Nacht aus dem Schlaf gerissen zu werden. Ist alles in Ordnung?«

Annie wusste nicht, ob ihr Leben jemals wieder in Ordnung kommen würde, doch das hätte Terri als Antwort nicht durchgehen lassen. »Ich schlage mich so durch.«

»Angesichts der frühen Stunde würde ich sagen, dass du nicht gerade gut geschlafen hast.«

»Nicht besonders.«

»Yeah, in den ersten drei Monaten, nachdem mich dieser Mistkerl Ron verlassen hat, ging es mir nicht anders. Du solltest dir eine Beschäftigung suchen.«

»Ich bin in Mystic. Das schränkt die Möglichkeiten erheblich ein. Ich könnte es vielleicht mit Bierdosen-Kunst versuchen. Dafür gibt es hier oben einen Galeristen. Oder das Jagen mit Pfeil und Bogen lernen und meine Beute dann ausstopfen.«

»Es ist schön, dich wieder lachen zu hören.«

»Reiner Galgenhumor.«

»Im Ernst, Annie. Du musst dich ablenken. Dir etwas suchen, was dich aus dem Bett bringt – oder in das Bett eines Mannes. Wie wäre es mit Shopping? Kauf dir ein paar neue Sachen, etwas, was dir ein neues Aussehen verleiht.«

Annie fuhr sich durch die kurzen Haare. »Oh, ich habe mein Aussehen bereits verändert. Ich sehe aus wie ein Schaf nach der Schur.«

Sie schwatzten noch eine halbe Stunde weiter, und als Annie den Hörer auflegte, fühlte sie sich ein wenig besser. Sie ging ins Bad, um heiß und ausgiebig zu duschen.

Dann zog sie einen weißen Kaschmirpullover zu einer steingrauen Wollhose an und lief in die Küche hinunter. Es dauerte nicht lange, bis der Duft nach Rühreiern, Speck und Pfannkuchen ihren Vater die Treppe herunterlockte.

Hank befestigte den Gürtel um den knöchellangen Morgenrock, kratzte sich seinen weißen Bart und betrachtete sie nachdenklich. »Du bist ja auf. Für den ganzen Tag oder nur so lange, bis dich die Kopfschmerzen wieder ins Bett treiben?«

Die Hellsichtigkeit der Frage erinnerte Annie daran, dass auch ihr Vater sich mit Trauer und Depressionen auskannte.

Sie holte ein paar Teller aus dem alten Eichenbuffet in der Ecke und deckte den Frühstückstisch. »Ich habe mich entschlossen, mein Leben wieder in den Griff zu bekommen, Dad. Etwas Neues anzufangen. Komm, setz dich.«

Er zog sich einen Stuhl hervor. Die Beine kratzten über das Linoleum. »Ich bin nicht sicher, ob es ein großer Schritt nach vorn ist, einem alten Mann das Frühstück zu machen.«

Lächelnd setzte sich Annie ihm gegenüber an den Tisch. »Eigentlich dachte ich daran, ein bisschen einzukaufen.«

Mit den Fingern nahm er einen Brocken Rührei und stopfte ihn sich in den Mund. »In Mystic? Wenn du nicht gerade auf perfekte Angelköder zum Fliegenfischen aus bist, wirst du nicht viel Glück haben, fürchte ich.«

Annie starrte auf ihren Teller. Sie hätte gern etwas gegessen, aber schon der Anblick bereitete ihr leichte Übelkeit. Sie hoffte, dass ihr Vater es nicht bemerkte. »Ich dachte eher daran, mir etwas Lektüre zu besorgen. Es scheint eine gute Gelegenheit zu sein, endlich wieder einmal die Nase in ein Buch zu stecken. Himmel, ich habe schließlich genügend Zeit, selbst *Moby Dick* an einem Tag zu schaffen. Und die Sachen, die ich mitgebracht habe, sind hier irgendwie fehl am Platz.«

»Yeah, Weiß ist keine sonderlich praktische Farbe hier in unserer ländlichen Einöde.« Er schüttete einen Klacks Ketchup neben sein Rührei und griff zum Pfefferstreuer. Dann nahm er seine Gabel in die Hand und sah Annie über den Tisch hinweg an. Sie merkte, dass er sich ein Grinsen verkniff. »Gut, Annie Virginia. Sehr gut.«

Eine helle Frühlingssonne bestrahlte Mystic. Der Ort wirkte heute sehr viel belebter. Farmer, Hausfrauen und Angler eilten über die Bürgersteige, um ihre Geschäfte zu erledigen, solange nur wenige Wolken über den blassblauen Himmel segelten. Jeder wusste, dass sich dieselben Wolken ohne Vorwarnung zusammenballen und gewaltige Wassermassen auf die Erde schütten konnten, so dass selbst ein Adler Mühe hätte, sich in die Lüfte zu erheben.

Annie schlenderte über die Main Street, spähte in die Geschäfte und ging in einige ein paar Schritte hinein, was jedesmal die Glocke über der Tür zum Klingeln brachte und eine freundliche Stimme ertönen ließ: »Hiya, Miss. Ein prachtvoller Tag, nicht wahr?« Im *Bagels and Beans*-Coffeeshop kaufte sie einen Becher Milchkaffee, den sie beim Weiterschlendern trank.

Sie kam an Läden vorbei, die Souvenirs für Touristen feilboten, Haushaltswaren, Stoffe und Anglerbedarf. Aber sie sah keine einzige Buchhandlung. Im *H & P*-Drugstore griff sie zum aktuellen Bestseller von Pat Conroy, fand darüber hinaus jedoch nichts, was sie interessierte. Die Auswahl war mehr als bescheiden.

Schließlich fand sich Annie vor *Eve's Leaves Dress Emporium* wieder. Eine Schaufensterpuppe in gelber Regenjacke und mit passendem Südwester lächelte sie aus den Auslagen an. Ihre Hände hielten ein Schild mit der Aufschrift »Der Frühling liegt in der Luft«. Bunte Seidenblumen standen in Gießkannen neben ihren Gummistiefeln, und an der Rückwand des Schaufensters lehnte eine Harke.

Annie drückte auf die Türklinke und trat ein. Eine kleine Glocke klingelte scheppernd.

»Das darf doch nicht wahr sein!«, rief eine Frauenstimme.

Suchend sah sich Annie um. Winkend und mit weit aufgerissenen Augen kam ihre alte Englischlehrerin Molly Block auf sie zu.

»Annie? Bist du es wirklich, Annie Bourne, oder spielen mir meine Augen einen Streich?«

»In voller Lebensgröße, Mistress Block. Wie geht es Ihnen?«

Molly Block stemmte die Hände in die molligen Hüften. »*Mistress Block*! Wenn du das sagst, fühle ich mich uralt, Annie. Als ich euch unterrichtete, war ich doch praktisch noch ein Kind.« Lachend schob sie sich die Nickelbrille höher auf die Nase. »Wie schön, dich endlich einmal wiederzusehen.«

»Auch ich freue mich, Molly. Sehr sogar.«

»Und was bringt dich in unsere Waldeinsamkeit? Ich dachte,

du hättest einen von diesen Topanwälten geheiratet und würdest im versmogten Kalifornien ein Traumleben führen.«

Annie seufzte. »Manche Dinge ändern sich, nehme ich an.«

Molly legte den Kopf schief und musterte Annie. »Du siehst blendend aus. Um einen solchen Haarschnitt tragen zu können, würde ich glatt einen Mord begehen, ich würde damit, fürchte ich, aussehen wie ein Luftballon. Und Kaschmir bleibt hier auf dem Land nicht lange weiß. Nach einem kräftigen Schauer sähe man aus wie ein begossener Pudel.«

»Mit Sicherheit«, lachte Annie.

Molly legte ihr eine Hand auf die Schulter. »Wollen doch mal sehen, ob wir etwas Passenderes finden.«

Eine Stunde später betrachtete sich Annie in einem hohen Spiegel. Sie trug ein Paar Neunzehn-Dollar-Jeans – wer hätte gedacht, dass es so preiswerte Jeans überhaupt noch gab? –, Baumwollsocken, Sneakers und ein ungemein praktisches, graues Sweatshirt.

In den Sachen fühlte sie sich wie eine ganz andere Frau. Sie sah nicht mehr aus wie die neununddreißigjährige Bald-Geschiedene eines kalifornischen Staranwalts, sondern wie eine ganz normale Kleinstädterin, eine Frau, die vielleicht Pferde fütterte und die Veranda neu anstrich. Eine ganz normale Frau. Zum ersten Mal gefiel ihr sogar fast ihre neue Frisur.

»Es steht dir ausgesprochen gut.« Molly verschränkte die Arme und nickte befriedigt. »Du siehst aus wie ein Teenager.«

»Wenn das so ist, nehme ich alles.«

Während Molly die Sachen zusammenpackte, gab sie die neuesten Neuigkeiten aus Mystic zum Besten: Wer mit wem eine Affäre hatte, wer wegen des Sperbereulen-Fiaskos in wirtschaftliche Schwierigkeiten geraten war, wer für den Stadtrat kandidierte.

Annie blickte zum Fenster hinaus und lauschte Mollys Geplauder, konnte sich aber nicht wirklich konzentrieren. Immer wieder musste sie an Lurlenes Worte denken. Kathy ist vor acht Monaten gestorben … Sie sah Molly Block an. »Ich habe das von Kathy Johnson erfahren, von Kathy Delacroix …«

Mollys Finger, die gerade an einem Preisschild nestelten, hielten inne. »Das war ein ganz schrecklicher Schlag. Ihr habt auf der High-School zusammengehalten wie Pech und Schwefel.« Sie lächelte traurig. »Ich weiß noch, wie Kathy, Nick und du etwas für diesen Talentwettbewerb eingeübt habt, irgendein Liedchen aus *South Pacific*. Nicky trug einen geradezu grotesken Kokosnuss-BH, und ihr musstet alle so lachen, dass ihr nicht weitersingen konntet.«

»Ich erinnere mich«, sagte Annie leise und fragte sich, warum ihr dieses Ereignis bis eben völlig aus dem Gedächtnis entschwunden war. »Wie geht es Nick seit … du weißt schon?« Sie konnte sich nicht überwinden, die Worte auszusprechen.

Molly griff zur Schere und schnitt das Preisschild von den Jeans. »Keine Ahnung. Er macht seine Arbeit und dreht seine Runden, nehme ich an. Du weißt, dass er Cop geworden ist, oder? Aber man sieht ihn kaum noch lächeln, und seine Tochter scheint sich völlig in sich selbst zurückgezogen zu haben. Ich wette, der Besuch einer alten Freundin würde den beiden wirklich gut tun.«

Als Annie ihre neuen Kleidungsstücke bezahlt hatte, verabschiedete sie sich von Molly, verstaute ihre Einkäufe im Wagen, setzte sich hinter das Steuer und dachte nach.

Sie konnte nicht sofort zu ihm fahren, nicht aus einer spontanen Aufwallung heraus. Ein solcher Besuch wollte genau überlegt sein. Man platzte nicht plötzlich in das Leben eines Fremden, denn das war er inzwischen für sie. Schließlich hatte sie Nick seit Jahren nicht mehr gesehen.

Abgesehen davon war sie selbst emotional verletzt. Welche Hilfe, welcher Trost konnte sie für einen Mann sein, der seine Frau verloren hatte?

Aber irgendwann würde sie ihn besuchen. Vermutlich wusste sie bereits, dass das unvermeidlich war, als Lurlene seinen Namen erwähnt hatte. Es machte nichts aus, dass sie ihm kein Trost sein konnte, dass er sich vermutlich gar nicht mehr an sie erinnerte. Wichtig war nur, dass er einmal ihr bester Freund war und seine Frau ihre beste Freundin. Und dass sie sonst niemanden hatte, den sie besuchen konnte.

Es dämmerte schon fast, als Annie sich dazu durchrang, zu Nick zu fahren. Eine gewundene, braune Straße führte zum Beauregard House. Hoch gewachsene, alte Bäume neigten ihre Kronen über die Fahrbahn, ihre Stämme verdeckt von struppigen Salalbüschen. Hin und wieder konnte sie zwischen den Bäumen die silbrige Wasseroberfläche des Sees blitzen sehen. Wie Dunstschwaden strichen die letzten grauen Sonnenstrahlen durch die bemoosten Äste.

Es regnete nicht, aber in winzigen Tropfen setzte sich Tau auf der Windschutzscheibe ab. Hier im Land der zehntausend Wasserfälle war die Luft von Feuchtigkeit gesättigt, und die Seen hatten die aquamarinhelle Farbe von Gletschern. Manche, so auch der Mystic Lake, waren so tief, dass sie an etlichen Stellen grundlos wirkten, und so einsam, dass man mit ein wenig Glück ein Pärchen Trompeterschwäne entdecken konnte, das auf seinem Zug eine Rast einlegte. Hier in der verschwiegenen Wildnis eines neblig-feuchten Landes fühlten sie sich sicher.

Die Straße wand und schlängelte sich, um schließlich in einer runden Auffahrt zu enden. Annie parkte neben einem Polizei-Streifenwagen, schaltete den Motor aus und betrachtete das schöne alte Haus. Es war an der Wende zum zwanzigsten Jahrhundert entstanden, als noch mit massivem Holz gebaut und Schnitzarbeiten von meisterhaften Handwerkern ausgeführt wurden, die stolz auf ihre Fertigkeiten waren. Von weitem hörte sie das Rauschen des Quinault River, der zu dieser Jahreszeit, angeschwollen durch die Schneeschmelze, der fernen Küste des Pazifischen Ozeans entgegenbrauste.

Fahler Dunst hüllte die Hälfte des Hauses ein. Gespenstisch kroch er die weiß gestrichenen Verandastufen hinauf und wand sich wie Schleier um die geschnitzten Pfosten.

Annie erinnerte sich an einen Abend, als das Haus gefunkelt hatte wie Diamanten oder Pailletten. Damals war es unbewohnt gewesen, und in jeder geborstenen Fensterscheibe hatten sich Sternenglanz und Mondschein widergespiegelt. Nick und sie waren an den See gefahren, hatten ihre Räder am Ufer zurückgelassen und zu dem großen, verlassenen Haus aufgeblickt.

»Eines Tages gehört dieses Haus mir«, hatte Nick gesagt, die Hände tief in den Hosentaschen verborgen.

Er hatte sie angeblickt, das Mondlicht ließ seine Züge ganz hart und scharf aussehen. Sie war auf den Kuss nicht vorbereitet gewesen, hatte ihn nicht einmal geahnt, aber als seine Lippen sanft wie Schmetterlingsflügel ihren Mund berührten, war sie in Tränen ausgebrochen.

Stirnrunzelnd trat er einen Schritt zurück. »Was ist denn, Annie?«

Sie konnte sich nicht erklären, warum sie weinte. Sie kam sich hoffnungslos naiv und töricht vor. Ihr erster Kuss – und sie hatte ihn verpatzt.

Danach hatte er sich abgewandt, mit verschränkten Armen und undeutbarer Miene über den See geblickt. Sie war auf ihn zugegangen, doch er hatte sich ihr entzogen und erklärt, es sei Zeit für die Heimfahrt. Es war das erste und letzte Mal gewesen, dass er sie geküsst hatte.

Annie verdrängte die Vergangenheit und konzentrierte sich auf die Gegenwart.

Nick und Kathy hatten das Haus sorgsam wiederhergestellt. Alle Fenster waren verglast und die Fassade sonnengelb gestrichen. Moosgrüne Läden rahmten die Fenster, trotzdem machte alles einen irgendwie ... vernachlässigten Eindruck.

In den Blumenkästen standen die struppigen, vergilbten Reste der Pelargonien und Lobelien des letzten Sommers. Das Gras war zu hoch gewachsen, und Moos breitete sich auf dem Backsteinweg aus. Eine umgekippte Vogeltränke lag zwischen gewaltigen Rhododendronbüschen.

Trotz alledem war es noch immer eines der schönsten Häuser, die Annie je gesehen hatte. Das junge Gras war smaragdgrün, dicht wie ein Chinchillafell und erstreckte sich sanft bis zum Seeufer hinunter. Hinter dem Haus trieben ein paar pausbäckige Wolken über einen stahlgrauen Himmel.

Annie klemmte ihre Tasche unter den Arm, ging langsam über den feuchten Rasen und stieg dann die weißen Verandastufen hinauf. Vor der Eichentür blieb sie stehen, atmete tief ein und klopfte.

Keine Reaktion.

Sie wollte schon wieder gehen, als sie drinnen schleppende Schritte hörte. Die Tür ging auf, und vor ihr stand Nick.

Sie hätte ihn überall wiedererkannt. Er war noch immer sehr groß, fast eins neunzig, aber die Zeit hatte aus den Muskelpaketen des Footballstars eine gertenähnliche Schlankheit gemacht. Er trug kein Hemd, und sein gebräunter Waschbrettbauch verlor sich in ausgeblichenen Levi's, die mindestens zwei Nummern zu groß waren. Er wirkte zäh wie Leder, mit blasser Haut über hohlen Wangen. Seine Haare waren zerzaust, und etwas – die Jahre oder die Trauer – hatte seinem Gesicht die Farbe genommen und ließ die Haut in einem fahlen Grau schimmern.

Nur seine gehetzten, blauen Augen fesselten ihre Aufmerksamkeit. Er musterte sie wie ein Cop, dem keine Einzelheit entging, weder der nagelneue Jungenhaarschnitt noch die frisch erworbene Kleinstadtkleidung. Und schon gar nicht der buickgroße Diamant an ihrer linken Hand. »Annie Bourne«, sagte er leise, ohne zu lächeln. »Lurlene hat mir gesagt, dass du wieder in der Stadt bist.«

Fieberhaft dachte Annie nach, was sie sagen sollte, und trat unbehaglich von einem Fuß auf den anderen. »Es hat mich sehr erschüttert ... das mit Kathy.«

Er schien unter ihren Worten in sich zusammenzuschrumpfen. »Yeah«, sagte er. »Mich auch.«

»Ich weiß, wie sehr du sie geliebt hast.«

Er schien etwas sagen zu wollen, und sie wartete, leicht nach vorn gebeugt, aber dann sagte er doch nichts. Er legte nur den Kopf schief und öffnete die Tür weiter.

Sie folgte ihm ins Haus. Es war dunkel, nirgendwo brannte

Licht, auch kein Feuer im Kamin. Ein leicht muffiger Geruch hing in der Luft.

Es klickte. Eine schirmlose Lampe verströmte plötzlich gleißende Helligkeit. So grell, dass sie einen Moment lang nichts erkennen konnte. Dann gewöhnten sich ihre Augen daran.

Das Wohnzimmer sah aus, als hätte jemand in ihm eine Bombe gezündet. Neben dem Sofa lag eine Scotch- oder Bourbonflasche, der Rest ihres Inhalts bildete eine kleine Lache auf dem Boden, zerrissene Pizzakartons bedeckten den Teppich, Kleidungsstücke lagen achtlos herum oder hingen über Sesseln oder Stuhllehnen. Den Fernsehschirm verdeckte ein zerdrücktes Polizistenhemd.

»Ich verbringe nicht mehr viel Zeit zu Hause«, sagte er in das verlegene Schweigen hinein. Er bückte sich, hob ein Flanellhemd auf und zog es an.

Annie wartete darauf, dass er noch etwas sagte, und als er das nicht tat, blickte sie sich um. Der Boden des Wohnraums bestand aus wundervollen Eichendielen, und er wurde von einem großen, rauchgeschwärzten Backsteinkamin beherrscht. Es sah ganz so aus, als hätte schon seit langer Zeit in ihm kein Feuer mehr gebrannt. Die wenigen Möbel – ein verschossenes, braunes Ledersofa, ein Balkentisch, ein Morris-Sessel – waren wie zufällig im Raum verteilt und trugen dicke Staubschichten. Ein bogenförmiger Durchgang führte in ein Esszimmer, in dem Annie einen ovalen Ahornholztisch und vier Stühle erblickte, deren Sitzpolster mit rotweißem Gingham überzogen waren. Sie nahm an, dass sich hinter der geschlossenen grünen Tür die Küche verbarg. Links führten Eichenstufen in das dunkle Obergeschoss hinauf.

Annie spürte Nicks Blick auf sich und zupfte sich nervös einen nicht existierenden Fussel vom Ärmel. »Du hast eine Tochter?«

Er nickte. »Izzy oder genauer Isabella. Sie ist sechs.«

Annie verkrampfte die Hände, um sie ruhig zu halten. Ihr Blick fiel auf ein Foto auf dem Kaminsims, und sie suchte sich ihren Weg durch das Chaos, um es näher zu betrachten. »Das schreckliche Trio«, sagte sie leise. »Dieses Bild hatte ich fast vergessen …«

In Erinnerungen verloren, hörte Annie kaum, dass er das Zimmer verließ. Wenig später kam er zurück.

Er trat so dicht hinter sie, dass sie die Wärme seines Atems in ihrem Nacken spürte. »Möchtest du etwas trinken?«

Sie drehte sich um und sah ihn direkt hinter sich stehen. Er hielt eine Weinflasche und zwei Gläser in den Händen. Einen Augenblick reagierte sie verdutzt, erinnerte sich dann aber, dass sie inzwischen erwachsen waren, und es dem Gebot der Höflichkeit entsprach, einem Gast ein Getränk anzubieten. »Sehr gern. Wo ist deine Tochter? Ich würde sie gern kennen lernen.«

Seine Augen verdunkelten sich. »Sie ist bei Lurlene. Sie wollen sich zusammen mit Buddys Enkelinnen im *Rose* einen Zeichentrickfilm ansehen. Komm, setzen wir uns an den See.« Er nahm eine Decke vom Sofa und ging ihr voran aus dem Haus. Nebeneinander, aber nicht zu dicht, setzten sie sich auf die Decke.

Nick goss Wein in die Gläser, und Annie trank einen Schluck. Der Nachklang des Sonnenuntergangs schickte violettrote Streifen zwischen den Bäumen hindurch. Langsam stieg eine blasse Mondsichel am Himmel empor, breitete einen milchigen Schleier über die marineblaue Wasseroberfläche des Sees. Winzige Wellen schlugen träge auf den Strand, versickerten zwischen den Kieseln am Ufer. Erinnerungen waberten durch die Luft, hüllten Annie ein. Sie dachte daran, wie unbeschwert und einfach es einmal zwischen ihnen gewesen war, als sie bei Sportveranstaltungen nebeneinander saßen und zusahen, wie Kathy am Spielfeldrand als Cheerleader fungierte. Oder als sie sich nach dem Spiel auf ein Kunstleder-Ecksofa quetschten, um Hamburger und fetttriefende Fritten zu verputzen. Damals hatten sie ohne Punkt und Komma miteinander geschwatzt – worüber, wusste sie nicht mehr, aber es hatte eine Zeit gegeben, als sie glaubte, ihm buchstäblich alles erzählen zu können.

Und jetzt, nach all diesen Jahren, nach ihren so unterschiedlich verlaufenen Biografien, hatte sie keine Ahnung, wie sie eine Unterhaltung in Gang setzen sollte.

Seufzend trank sie noch einen Schluck Wein. Sie trank mehr, als sie sollte, und auch schneller, aber der Wein machte sie lockerer, besänftigte ihre Verlegenheit. Die ersten Sterne kamen hervor, kleine Lichtpünktchen am dunklen Himmel.

Annie konnte das Schweigen nicht mehr ertragen. »Wie schön das ist …«

»Hübsch, dieses Sternengefunkel …«, stellte er im selben Moment fest.

Annie musste lachen. »Wenn du einmal nicht weißt, was du sagen sollst, sprich einfach über das Wetter oder die schöne Aussicht.«

»Das sollten wir uns ersparen«, sagte er leise. »Das Leben ist zu verdammt kurz, um es mit trivialem Geschwätz zu verplempern.«

Er wandte ihr sein Gesicht zu, und sie bemerkte die Fältchen um seine blauen Augen. Er sah traurig aus, erschöpft und unsagbar einsam. Und diese Einsamkeit gab ihr das Gefühl, dass sie gewissermaßen Partner waren, Opfer ähnlich gearteter Verletzungen und Verluste. Daher suchte sie nicht mehr nach belanglosen Gesprächsthemen, wollte nicht mehr in der Vergangenheit ihrer gemeinsamen Jugend gründeln, sondern wurde persönlich und direkt. »Wie ist Kathy gestorben?«

Er leerte sein Glas und goss sich erneut ein. Die goldfarbene Flüssigkeit schwappte über den Glasrand, tropfte auf sein Hosenbein. »Sie hat sich das Leben genommen.«

7. Kapitel

Fassungslos sah Annie Nick an. »Das …«, stammelte sie und verstummte. Der Satz »Das tut mir Leid« wäre allzu banal, ja geradezu billig gewesen. Sie trank einen großen Schluck Wein.

Nick schien ihr Schweigen nicht zu bemerken, vielleicht war er auch dankbar dafür. Er blickte über den See und seufzte. »Erinnerst du dich, wie niedergeschlagen sie häufig war? Schon damals war sie psychisch akut gefährdet, aber niemand ahnte etwas davon. Zumindest *ich* nicht – bis es dann mit zunehmendem Alter immer schlimmer wurde. Sie war manisch-depressiv, so heißt es in der Fachsprache. Die ersten Anfälle hatte sie kurz nach ihrem zwanzigsten Geburtstag, etwa sechs Monate nachdem ihre Eltern bei einem Autounfall umkamen. An manchen Tagen war sie ganz heiter und unbeschwert, doch dann kippte ihre Stimmung um. Sie begann hemmungslos zu schluchzen und verkroch sich in einem Schrank. Sie wollte ihre Medikamente nicht nehmen. Damit hätte sie das Gefühl, hinter Wattewänden zu leben, behauptete sie.« Seine Stimme begann zu zittern, und er trank hastig einen Schluck Wein. »Als ich eines Tages früher von der Arbeit nach Hause kam, stand sie weinend im Bad und schlug immer wieder mit dem Kopf gegen die Wand. Sie drehte sich mit tränen- und blutverschmiertem Gesicht zu mir um und sagte: ›Hi, Honey. Soll ich dir dein Essen machen?‹

Dieses Haus habe ich gekauft, weil ich glaubte, es könnte sie glücklich machen. Ich hoffte, es würde sie daran erinnern, wie schön das Leben sein kann. Wenn ich ihr ein gutes Zuhause biete, ein sicheres Heim, in dem wir unsere Kinder aufziehen können, würde schon wieder alles gut werden, dachte ich. Himmel, ich wollte ihr doch nur helfen …«

Erneut versagte seine Stimme, wieder nahm er einen Schluck. »Und für eine gewisse Zeit klappte es auch. Wir steckten all unsere Ideen, unsere ganze Kraft und unsere Ersparnisse in dieses alte Gemäuer. Dann wurde Kathy schwanger. Für ein paar Jahre nach Izzys Geburt lief alles gut. Kathy nahm ihre Medikamente und kümmerte sich um Haushalt und Familie. Sie gab sich alle Mühe, aber das Kind überforderte sie. Sie fing an das Haus zu hassen – die Heizung, die immer wieder ausfiel, die Rohrleitungen, in denen es zischte und gurgelte. Vor rund einem Jahr weigerte sie sich wieder, ihre Medikamente zu nehmen … und dann begann die Hölle.«

Er leerte sein zweites Glas Wein und goss sich erneut ein. »Aber noch immer sah ich nicht, was da auf uns zukam«, sagte er leise und schüttelte den Kopf.

Annie wollte nichts mehr hören. »Nick, du brauchst nicht …«

»Als ich eines Abends mit einem Liter Eiscreme und einem Video nach Hause kam, fand ich sie. Sie hatte sich in den Kopf geschossen … Mit meiner Waffe.«

Annies Finger krampften sich um den Stiel ihres Glases. »Du brauchst wirklich nicht über sie zu reden.«

»Aber ich *möchte*. Niemand hat mich bisher danach gefragt.« Er schloss die Augen, ließ sich nach hinten fallen und stützte sich auf die Ellbogen. »Kathy war wie Feuer und Eis. Ging es ihr gut, war das Leben mit ihr wie ein Traum, aber wenn es ihr schlecht ging, dann hätte man am liebsten das Weite gesucht.«

Annie streckte sich neben ihm aus und starrte zu den Sternen hinauf. Der Wein machte sie benommen, doch das tat ihr jetzt gut. Es machte seine Worte erträglicher.

Nick lächelte traurig. »An einem Tag liebte sie mich zärtlich und leidenschaftlich und am nächsten redete sie kein Wort mit mir. Nachts war es am schlimmsten. Mal umarmte sie mich, dann wieder drehte sie sich abweisend zur Wand. Wenn ich sie in diesen Nächten berühren wollte, schrie sie mich an, ich solle sie gefälligst in Ruhe lassen. Sie begann, hanebüchene Geschichten zu erzählen. Dass ich sie schlagen würde, dass Izzy nicht ihr Kind wäre, dass ich ihren *richtigen* Ehemann kaltblütig ermordet hätte. Das alles machte auch mich ganz verrückt. Je mehr sie sich von mir zurückzog, desto heftiger klammerte ich. Ich wusste, dass das nicht sehr hilfreich war, konnte aber einfach nicht anders. Wenn ich sie nur richtig genug liebte, würde schon alles wieder gut werden, sagte ich mir. Jetzt, wo sie nicht mehr da ist, kann ich nichts anderes denken als daran, wie egoistisch ich war, wie dumm und naiv. Ich hätte auf den Arzt hören und einer Einweisung ins Krankenhaus zustimmen sollen. Dann würde sie wenigstens noch leben ...«

Ohne nachzudenken, streckte Annie die Hand aus und strich ihm sanft über die Wange. »Dich trifft doch keine Schuld.«

Er sah sie an, ohne sie wirklich zu sehen. »Wenn sich deine Frau im gemeinsamen Bett erschießt, während ihre Tochter ein paar Meter entfernt spielt, dann gibt sie dir die Schuld an ihrem Schicksal, glaub mir.« Erstickt stöhnte er auf. »Mein Gott, wie muss sie mich gehasst haben ...«

»Das glaubst du doch nicht wirklich.«

»Nein. Doch. Manchmal schon.« Seine Lippen begannen heftig zu zittern. »Und das Schlimmste ist, dass auch ich sie mitunter gehasst habe. Ich hasste sie für das, was sie Izzy und mir antat. Sie wurde meiner Mutter immer ähnlicher, und irgendwo ganz tief in meinem Innern ahnte ich vermutlich, dass ich sie nicht würde retten können. Wenn ich mich nicht so intensiv bemüht hätte, vielleicht ...«

Sein Schmerz ging ihr nahe. Sie zog ihn in die Arme und schaukelte ihn sanft hin und her, so wie man ein Kind tröstet. »Ist ja schon gut, Nick ...«

Als er sich schließlich aus ihrer Umarmung löste und sie anblickte, standen Tränen in seinen Augen. »Und da ist Izzy. Mein kleines Mädchen. Seit Monaten redet sie kein Wort mehr, und jetzt glaubt sie sogar, sie würde sich auflösen. Erst war es nur ein Finger ihrer linken Hand, dann der Daumen.

Seit die ganze Hand *verschwunden* ist, trägt sie links einen schwarzen Handschuh. Kürzlich ist mir aufgefallen, dass sie von der rechten Hand nur noch zwei Finger einsetzt. Der Himmel mag wissen, was sie tun wird, wenn …« Er versuchte zu lächeln, aber es gelang ihm nicht. Annie bemerkte, wie unsagbar schwer ihm sogar das Sprechen fiel. »Was soll ich nur tun? Meine sechsjährige Tochter hat sich damals unter dem Bett versteckt, als sie ein Geräusch aus dem Schlaf weckte. Sie wollte zu ihrer Mutter, um sich beruhigen zu lassen, hat es aber nicht getan. Gott sei Dank. Denn ihre Mommy hatte sich eine Pistole gegen die Schläfe gehalten und abgedrückt. Wäre Izzy an diesem Abend in unser Schlafzimmer gekommen, hätte sie auf den Kissen, an der Wand, auf dem Spiegel das Blut und das Hirn ihrer Mutter gesehen …« Tränen liefen ihm übers Gesicht.

Sein Leid überwältigte Annie, machte sie hilflos. Sie wollte ihm versichern, dass alles gut werden würde, dass es auch für ihn und seine kleine Tochter so etwas wie Glück gab, aber die Worte blieben in ihrer Kehle stecken.

Mit Tränen in den Augen sah Nick sie an. Er strich ihr über die Wange, seine Hand glitt um ihren Nacken, und er zog sie näher an sich heran.

Annie wusste, dass sie sich an diesen Moment auch dann noch erinnern würde, wenn sie ihn längst vergessen wollte. Wahrscheinlich würde sie sich später fragen, was sie eigentlich so berührt hatte. War es das Funkeln der Sterne über dem See? Die Tatsache, dass die Mischung aus Mondlicht und Tränen seine Augen aussehen ließ wie flüssiges Silber? Oder das Gefühl ihrer eigenen Einsamkeit und Verlassenheit?

Leise flüsterte sie seinen Namen. In der Dunkelheit hörte es sich an wie ein Flehen, ein Gebet.

Der Kuss, den sie auf seine Lippen drückte, sollte ein Trost sein, eine Geste mitfühlenden Verständnisses, dessen war sie sich ganz sicher. Doch als sich ihre Lippen berührten, sanft, weich und salzig von Tränen, änderte sich alles. Der Kuss wurde sehnsüchtig, hungrig, verlangend. Sie dachte an Blake und wusste, dass er an Kathy dachte, doch das machte nichts. Nur die Leidenschaft des Zusammenseins zählte.

Hastig nestelte Annie an den Knöpfen seines Hemdes und schob ihre Hände unter den Flanell. Ihre Fingerspitzen strichen über seinen Brustkorb, wanderten über seine Schultern, den nackten Rücken. Es hatte etwas Verbotenes, Gefährliches, ihn zu berühren, und es weckte ihre *Begierde* ...

Aufstöhnend zerrte er sich das Hemd vom Körper und warf es von sich. Dann zog er Annie das Sweatshirt über den Kopf und schleuderte es ins Gras, öffnete ihren BH und streifte die Träger von ihren Schultern.

Kühle Abendluft wehte über Annies nackte Haut. Verlegen über die Heftigkeit ihres Verlangens schloss sie die Augen. Seine Hände schienen überall zur selben Zeit zu sein – zärtlich, begehrend, drängend. Irgendetwas in ihr warnte sie, dass sie dabei war, die Beherrschung zu verlieren, aber die Verlockung war stärker. Seit langer, langer Zeit hatte sie niemand mehr so leidenschaftlich begehrt. Vielleicht noch nie ...

Annie nahm jede seiner Berührungen mit überdeutlicher Sinnlichkeit wahr, den harten Druck seiner Finger auf ihrem Gesicht, ihren Brüsten, zwischen ihren Beinen. Er weckte Empfindungen in ihr, die sie nie für möglich gehalten hätte, ließ sie auf dem schmalen Grat zwischen Lust und Schmerz taumeln. Ihr Atem ging in heftigen, abgehackten Stößen, bis sie nach Luft ringen musste. »Bitte, Nick ...«, flehte sie.

Sie drängte sich an ihn, spürte Feuchtigkeit auf ihren Wangen und wusste nicht, ob sie weinte, er weinte oder ihre Tränen sich vermischten, und als er in sie eindrang, hatte sie einen Moment lang das Gefühl, laut schreien zu müssen ...

Die Erfüllung war überwältigend. Stöhnend klammerte er sich an sie, und als sie spürte, dass er kam, kam auch sie wieder, schluchzte seinen Namen und fiel erschöpft auf seine Brust. Er zog sie eng an sich, strich ihr übers Haar, flüsterte ihr Worte ins Ohr. Aber ihr Herz klopfte so laut, das Blut rauschte so heftig in ihren Ohren, dass sie nicht verstand, was er sagte.

Abrupt kam Annie wieder zu sich. Nackt und keuchend lag sie neben Nick. Der Himmel über ihr war pechschwarz und sternenbetupft, und die Nacht roch nach vergossenem Wein und befriedigter Leidenschaft.

Ganz langsam zog er seine Hände von ihr fort. Ohne die Wärme seiner Berührung fühlte sich ihre Haut kalt und klamm an.

Annie griff nach der Decke, zog sie sich über die nackten Brüste und rückte etwas von ihm ab. »O mein Gott, was haben wir getan?«

Er setzte sich auf und verbarg das Gesicht in den Händen.

Annie tastete im feuchten Gras nach ihrem Sweatshirt, zog es zu sich heran. Sie musste hier weg, schnell, bevor sie zusammenbrach. »Das ist nicht geschehen«, flüsterte sie mit bebender, unsicherer Stimme. »Das ist einfach nicht passiert.«

Er sah sie nicht an, als er nach seinen Sachen griff und sich hastig anzog. Danach stand er auf und wandte ihr den Rücken zu.

Mit zitternden Fingern zog auch sie sich an und bemühte sich, nicht in Tränen auszubrechen. Vermutlich verglich er sie mit Kathy, erinnerte sich daran, wie schön seine Frau gewesen war, und fragte sich, was zum Teufel ihn zum Sex mit einer zu dünnen, zu alten und zu kurzhaarigen Frau getrieben hatte, die verworfen genug war, sich zu …

Schließlich stand auch sie auf. Sie starrte auf ihre Füße und wünschte sich sehnlich, der Erdboden möge sich öffnen und sie verschlucken. »Ich sollte jetzt besser …«, begann sie, verstummte aber gleich wieder. Sie hatte kein Zuhause mehr, ebenso wenig wie einen Mann, der dort auf sie wartete. Sie schluckte hart und formulierte den Satz anders. »Zu meinem Vater zurück. Er wird sich schon Sorgen machen.«

Endlich drehte Nick sich zu ihr um. Sein Gesicht war müde, traurig, und die Reue in seinen Augen traf sie wie ein Schlag.

»Ich habe noch nie mit einer anderen Frau geschlafen. Nur mit Kathy«, sagte er leise und konnte sie dabei nicht ansehen.

»Oh …«, war alles, was sie über die Lippen brachte, aber sein ruhiges Eingeständnis besänftigte sie ein wenig. »Auch für mich war es das erste Mal.«

»Schätze, die sexuelle Revolution ist an uns einfach vorbeigegangen.«

Zu einem anderen Zeitpunkt wäre die Bemerkung vielleicht komisch gewesen. Annie nickte in die Richtung ihres geparkten Autos. »Ich glaube, ich sollte mich wirklich auf den Weg machen.«

Schweigend liefen sie zum Wagen. Sie gab sich große Mühe, ihn nicht zu berühren, musste aber unablässig an seine Hände auf ihrer Haut denken, die wilde, ungezügelte Leidenschaft, die er in ihr geweckt hatte …

»Dann hat Bobby Johnson also gelogen«, brach er das unbehagliche Schweigen, »als er behauptete, er hätte dich flach gelegt?«

Wie angewurzelt blieb Annie stehen und kämpfte gegen das Verlangen, schallend zu lachen. »Mich *flach gelegt*?«

Er hob die Schultern, rang sich ein Grinsen ab. »Das hat er gesagt, nicht ich.«

Annie schüttelte den Kopf. »Das hat Bobby Johnson behauptet?«

»Keine Sorge. Du wärst sehr gut gewesen, hat er gemeint. Und von Fellatio hat er nicht einmal *andeutungsweise* gesprochen.«

Jetzt lachte sie, und etwas von der Spannung fiel von ihr ab. Sie setzten sich wieder in Bewegung, und als sie ihr Auto erreicht hatten, hielt er ihr die Tür auf. Das überraschte sie. Seit Jahren hatte niemand mehr eine Autotür für sie geöffnet.

»Annie?« Er sprach ihren Namen ganz leise und zärtlich aus. Sie sah zu ihm auf. »Ja?«

»Bedaure es nicht. Bitte.«

Sie schluckte. Für ein paar kurze Augenblicke hatte Nick ihr das Gefühl gegeben, schön und begehrenswert zu sein. Warum sollte sie das bedauern? Sie wollte schon die Hand nach ihm ausstrecken, irgendetwas tun, um das Gefühl von Verlassenheit zu bannen, das sie in dem Moment überkommen würde, in dem sie den Wagen bestieg und die Tür hinter sich schloss. »Lurlene hat gesagt, dass du ein Kindermädchen für Isabella suchst. Ich könnte doch tagsüber auf sie aufpassen. Wenn das eine Erleichterung für dich wäre …«

Er runzelte die Stirn. »Warum solltest du das für mich tun?«

Das unverhohlene Misstrauen in seiner Frage stimmte sie traurig. »Es wäre auch gut für mich. Wirklich. Bitte, lass mich dir helfen.«

Er sah sie lange an, wieder mit diesem Copblick, dem nichts entging. Dann griff er nach ihrer Hand. Der Dreikaräter funkelte kalt im Mondlicht. »Hast du nicht andere Verpflichtungen?«

Jetzt würde er erfahren, welche Versagerin sie war, warum sie nach all diesen Jahren in Mystic Zuflucht suchte. »Mein Mann und ich haben uns vor kurzem getrennt …« Sie wollte noch mehr sagen, die brutale Wahrheit mit ein paar lockeren Worten verdecken, sagen, es mache ihr nicht das Geringste aus, aber die Kehle wurde ihr eng, Tränen stiegen ihr in die Augen.

Er ließ ihre Hand fallen, als hätte er sich daran verbrannt. »Mein Gott, Annie, wie konntest du nur zulassen, dass ich mich aufführe wie ein egoistischer, sentimentaler Narr, als hätten nicht auch andere ihre Probleme? Du hättest …«

»Ich möchte nicht darüber sprechen.« Sie sah ihn zusammenzucken und bereute ihre schroffen Worte sofort. »Entschuldige. Aber ich denke, für heute reicht es, dass einer sein Herz ausgeschüttet hat.«

Er nickte und blickte nachdenklich zum Haus hinüber. »Izzy könnte eine Freundin wirklich brauchen. Ich kann ihr mit Sicherheit nicht helfen.«

»Es täte auch mir gut. Im Moment fühle ich mich ein bisschen … verloren. Es wäre ein angenehmes Gefühl, wieder gebraucht zu werden.«

»Also gut«, sagte er schließlich. »Lurlene würde eine kleine Erholungspause gut tun. Sie möchte mit Buddy nach Branson fahren, und seit Izzy nicht mehr zur Schule geht ...« Er seufzte. »Morgen hole ich Izzy von Lurlene ab. Wir könnten uns bei ihr treffen. Sie wohnt unten auf den Raintree Estates. Du weißt doch noch, wo? In einem pinkfarbenen Haus mit Zwergen im Vorgarten. Du kannst es nicht verfehlen.«

»Abgemacht. Wann?«

»Vielleicht um eins? Ich würde meine Mittagspause nutzen.«

»Ausgezeichnet.« Sie sah ihn noch eine Weile schweigend an, drehte sich dann um und setzte sich hinter das Steuer. Als sie davonfuhr, sah sie im Rückspiegel, dass Nick ihr nachblickte.

Er stand noch lange am Rand des Rasens und starrte die leere Straße entlang. Dann kehrte er langsam ins Haus zurück und ließ die Gazetür hinter sich zufallen. Er lief zum Kamin, nahm das alte Foto in die Hand und betrachtete es versonnen. Dann stieg er erschöpft die Treppe zum Schlafzimmer hinauf. Fast zögernd trat er ein, und seine Augen gewöhnten sich schnell an die Dunkelheit. Er sah das große, unordentliche Bett, die auf dem Boden verstreuten Kleidungsstücke, die Lampe, die Kathy hatte schicken lassen, und den Schaukelstuhl, den er nach Izzys Geburt angefertigt hatte.

Er hob ein T-Shirt vom Boden auf, zog die Tür heftig wieder hinter sich zu und lief die Stufen zu seiner einsamen Couch hinab, wo er sich einen großen Scotch eingoss. Er wusste, wie gefährlich es war, sich vom Alkohol Trost für seine Trauer zu versprechen, und dass er in den vergangenen Monaten zu oft und immer häufiger Zuflucht bei der Flasche gesucht hatte.

Nick lehnte sich auf der Couch zurück und nahm den ersten, beruhigenden Schluck. Er leerte das Glas und goss sich wieder ein.

Was er und Annie getan hatten, änderte nicht das Geringste. Das durfte er nicht vergessen. Das Gefühl von Lebendigkeit, das sie in ihm geweckt hatte, war trügerisch und flüchtig. Schon bald würde sie Mystic verlassen, und er wäre wieder allein, ein Witwer mit einem von Trauer verzehrten Kind, der irgendwie sehen musste, wie er die Zukunft bewältigte.

Als Annie vor dem Haus ihres Vaters parkte, brannte noch Licht im Wohnzimmer. Es bereitete ihr Unbehagen, ihm um zwei Uhr morgens und mit zerknitterter Kleidung gegenüberzutreten zu müssen. Großer Gott, vermutlich roch sie sogar nach Sex.

Sie verließ das Auto und betrat das Haus. Wie befürchtet, wartete Hank im Wohnraum auf sie. Im Kamin knisterte ein Feuer und warf einen samtgelben Schein in den dunklen Raum.

Leise schloss sie die Tür hinter sich.

Hank blickte von seinem Buch auf. »Na endlich«, sagte er und nahm die Lesebrille ab.

Verlegen strich Annie über ihr Sweatshirt und fuhr sich nervös durch die Haare. »Du hättest aber meinetwegen nicht aufbleiben müssen.«

»Ach nein?« Er klappte sein Buch zu.

»Es besteht kein Grund zur Sorge. Schließlich bin ich nicht mehr sechzehn.«

»Oh, ich habe mir keine Sorgen gemacht. Jedenfalls nicht, nachdem ich die Polizei und das Krankenhaus angerufen hatte.«

Annie setzte sich auf den Ledersessel neben dem Kamin. »Tut mir Leid, Dad. Vermutlich bin ich es nicht gewohnt, mich zu melden, wenn ich mich verspäte. Blake hat nie …« Sie brach ab und zwang sich zu einem Lächeln. »Ich habe einen alten Freund besucht. Aber ich hätte anrufen sollen.«

»Ja, das hättest du. Bei wem warst du?«

»Bei Nick Delacroix. Erinnerst du dich an ihn?«

Hanks Finger trommelten auf sein Buch, er ließ sie nicht aus den Augen. »Ich hätte wissen müssen, dass du bei ihm landest. Ihr drei seid auf der High-School ja unzertrennlich gewesen. Wie ich höre, geht es ihm nicht sonderlich gut.«

Annie konnte sich vorstellen, dass Nick eine wohlfeile Beute für die Klatschmäuler von Mystic war. »Ich werde ihn ein wenig unterstützen. Mich um seine Tochter kümmern, während er arbeitet. Ich glaube, er hat eine kleine Atempause dringend nötig.«

»Hat es auf der High-School nicht zwischen euch geknistert?« Sein Blick wurde durchdringend. »Oder willst du es Blake heimzahlen?«

»Natürlich nicht«, antwortete sie hastig. »Aber du hast doch selbst gesagt, dass ich mir eine Beschäftigung suchen soll. Irgendetwas, bis Blake zur Vernunft kommt.«

»Dieser Mann bringt Unheil, Annie Virginia. Er befindet sich auf einem steilen Weg abwärts und könnte dich mitreißen.«

Annie lächelte. »Ich danke dir sehr, dass du dir Sorgen um mich machst, Dad. Aber ich habe lediglich vor, seine kleine Tochter zu hüten. Mehr nicht.«

»Mehr nicht?«

»Wie gesagt, es war dein Rat, mir eine Beschäftigung zu suchen. Was soll ich deiner Ansicht nach sonst tun? Krebs heilen? Ich bin eine Ehefrau und Mutter. Das ist alles, was ich kann. Alles, was ich *bin*.« Beschämt erkannte sie, dass sie ihm nicht die Wahrheit sagen konnte – nämlich, dass sie mit dem Alleinsein nicht fertig wurde. »Ich bin zu alt, um mir selbst etwas vorzumachen, Dad, und ich bin auch zu alt, mich zu ändern. Aber wenn ich nicht endlich *irgendetwas* tue, explodiere ich noch. Und Nick und Izzy brauchen Hilfe.«

»Im Moment solltest du zunächst einmal dir selbst helfen.«

Annie lachte unsicher. »Darin war ich noch nie sonderlich gut, oder?«

8. Kapitel

Annie schlug die Decke zurück und schwang die Beine aus dem Bett, noch ganz benommen von ihrem Alptraum. Es war ein Traum, den sie vor Jahren häufig geträumt hatte, und seit kurzem suchte er sie erneut heim. Sie befand sich allein in einem riesigen Haus mit Hunderten von leeren Räumen und suchte verzweifelt nach dem Ausgang.

Ihr erster Gedanke nach dem Erwachen hatte wie immer Blake gegolten. Aber natürlich lag er nicht neben ihr im Bett. Das war ein Aspekt ihres neuen Lebens, an den sie sich erst gewöhnen musste. Es gab niemanden, der sie nach einem Alptraum in die Arme nahm und tröstete.

Langsam begann sie einzusehen, dass Blake nicht zu ihr zurückkehren würde, und der Verlust ihrer anfänglichen Hoffnung gab ihr ein Gefühl von Leere und Verzweiflung.

Tränen brannten in ihren Augen. Gestern hatte sie zum ersten Mal in ihrem Leben ihr Treuegelöbnis gebrochen, das Vertrauen des einzigen Mannes zerstört, den sie jemals geliebt hatte. Und das Schrecklichste daran war, dass es ihm absolut nichts ausmachen würde.

Nick wollte sich gerade zu seiner Mittagspause abmelden, als der Hilferuf kam: ein heftiger Ehestreit an der Old Mill Road.

Wieder einmal bei den Weavers.

Seufzend setzte er sich mit der Funkzentrale in Verbindung und bat die Kollegin, Lurlene anzurufen. Er würde die Verabredung mit Annie und Lizzy nicht einhalten können.

Nick schaltete Blaulicht ein und raste unter Sirenengeheul die Main Street entlang, bog in die Old Mill Road ein, folgte ihren Kurven entlang des Simpson-Waldes, überquerte die Betonbrücke über die Stromschnellen des Hoh River und erreichte schließlich die Zufahrt. Ein eingedellter Briefkasten hing windschief am Pfosten eines aus Treibholz zusammengehämmerten Torbogens. Vorsichtig bog er auf die in den dichten Wald geschlagene Schneise ein. Hier drang kein Sonnenlicht durch die Bäume, selbst am Tag herrschte nahezu ägyptische Finsternis. Am Ende der Sandstrasse stand ein verwahrloster Wohnwagen im Schlamm. Hunde begannen wild zu kläffen, als sich Nick näherte.

Nick rief die Funkzentrale an, meldete seine Ankunft und stieg aus dem Streifenwagen. Mit einer Hand am Griff seiner Pistole patschte er hastig durch Pfützen und kletterte die Holzkisten hinauf, die als Haustürstufen dienten. Er wollte gerade anklopfen, als er drinnen laute Schreie hörte.

»Polizei!«, schrie er und drückte gegen die Tür. Sie flog auf und schlug krachend gegen die Wand. Der ganze Trailer erbebte. »Sally? Chuck?«

Draußen schienen die Hunde durchzudrehen. Er konnte sich förmlich vorstellen, wie sie in ihrer Wut über den Eindringling an ihren Ketten rissen und übereinander herfielen.

Nick blickte sich im schummrigen Innern um. Ein olivfarbener, mit Bierdosen und Aschenbechern übersäter Teppichbelag dämpfte seine Schritte. »Sally?«

Ein verzweifelter Schrei war die Antwort.

Nick durchquerte die dreckige Küche und stieß die Tür zum Schlafzimmer auf.

Chuck drückte seine Frau gegen die Kunstholzverkleidung der Wand. Sie hielt die Hände schützend vor ihr Gesicht. Nick packte Chuck im Nacken und schleuderte ihn zur Seite. Der verblüffte Mann verlor das Gleichgewicht und stolperte gegen den wackligen Schreibtisch. Nick setzte ihm nach und legte ihm Handschellen an.

Verwirrt blinzelte Chuck zu ihm auf. »Verdammt noch mal, Nicky«, lallte er mit schwerer Zunge. »Was machst du denn hier? Wir hatten nur eine kleine Auseinandersetzung…«

Nick widerstand dem überwältigenden Bedürfnis, dem Mann mit der Faust ins Gesicht zu schlagen. »Bleib, wo du bist«, sagte er stattdessen und stieß so heftig gegen Chucks Brust, dass der zu Boden stürzte und eine billige Lampe umriss. Die Glühbirne zersplitterte, und der Raum lag in völliger Dunkelheit.

Nick legte die Hand an seinen Schlagstock und bahnte sich vorsichtig seinen Weg zu Sally. Mit geschlossenen Augen lehnte sie an der Wand, Blut tropfte auf ihr fleckiges Kleid. Ihre Unterlippe war aufgerissen, und an ihrem Kinn begann ein purpurvioletter Bluterguss anzuschwellen.

Nick konnte sich nicht erinnern, wie oft er schon hier war, wie oft er Chuck davor bewahrt hatte, seine Frau umzubringen. Die beiden hatten schon vor Chucks Kündigung in der Papierfabrik ihre Probleme gehabt, aber seither war ihre Ehe die reine Hölle. Chuck ließ sich in *Zoe's Tavern* mit Bier volllaufen, das er sich eigentlich nicht leisten konnte. Wenn er vom Barhocker rutschte, um die Heimfahrt anzutreten, war er unberechenbar wie ein Straßenköter. Und wenn er mit seinem Pick-up vor dem Wohnwagen ankam, kannte seine Wut keine Grenzen mehr. Die Einzige, an der er sich austoben konnte, war seine Frau.

Behutsam berührte Nick Sallys Schulter.

Sie zuckte zusammen. »Tu mir nichts…«

»Ich bin es, Sally. Nick Delacroix.«

Zögernd öffnete sie die Augen, und er sah in ihnen den Abgrund ihrer Verzweiflung und ihre Scham. Sie hob eine Hand und versuchte mit zitternden Fingern, die blutverschmierten Haare aus ihrem Gesicht zu streichen. Tränen füllten ihre Augen und liefen ihr über die Wangen. »Oh, Nick… Haben die Roberts' etwa wieder die Polizei gerufen?« Sie trat einen Schritt von ihm fort und bemühte sich um zumindest ein wenig Haltung und Selbstbeherrschung. »Dafür bestand wirklich kein Grund. Chuckie hat nur einen schlechten Tag, das ist alles. Die Papierfabrik stellt zur Zeit niemanden ein …«

Nick seufzte. »Aber so kann es nicht weitergehen, Sally. Eines Tages bringt er dich um.«

Sie bemühte sich um ein Lächeln. Der tapfere, aber vergebliche Versuch zerriss Nick fast das Herz. Wie immer erinnerte ihn Sally an seine Jugend und daran, wie auch er früher immer wieder Entschuldigungen für die Trinkerei seiner Mutter gefunden hatte. »Aber nein, doch nicht mein Chuckie. Es ist nur seine Frustration über die Arbeitslosigkeit, mehr nicht.«

»Diesmal nehme ich Chuck mit, Sally. Ich möchte, dass du gegen ihn Anzeige erstattest.«

Chuck rappelte sich hoch und schwankte auf das Bett zu. »Das würde sie mir nie antun. Ist es nicht so, Honey? Sie weiß, dass ich es nicht so meine. Es ist nur so, dass sie mich manchmal so verflucht ärgerlich macht. Es war nichts zu essen da, als ich nach Hause kam. Und ein Mann muss etwas Anständiges essen. Hab ich nicht Recht, Nick?«

Ängstlich sah Sally ihren Mann an. »Tut mir Leid, Chuckie. Aber ich hatte dich nicht so früh erwartet.«

Hilflose Verzweiflung packte Nick. »Lass dir doch endlich helfen, Sally«, flüsterte er leise.

Sie tätschelte seinen Arm. »Ich brauche keine Hilfe, Nicky. Aber trotzdem vielen Dank, dass du vorbeigekommen bist.«

Schweigend sah Nick sie an. Sie schien vor seinen Augen an Gewicht zu verlieren, zu schrumpfen. Ihr Kleid war entschieden zu groß für sie, es hing ihr von den schmalen Schultern, schlotterte förmlich um ihren Körper. Irgendwann würde er nach einem dieser Anrufe hier erscheinen, und Sally wäre tot. Dessen war er sich gewiss. »Sally …«

»Bitte, Nick«, sagte sie mit zitternder Stimme. »Bitte, verlang es nicht von mir.« Ihre Augen füllten sich mit Tränen.

Nick wandte sich von ihr ab. Er konnte nichts für sie tun. Die Erkenntnis brachte ihn auf die verbitterte Frage, warum er eigentlich Polizist geworden war. Dieser Job brachte verdammt wenige Erfolge, aber jede Menge Hilflosigkeit. Er konnte gegen

Chuck erst etwas unternehmen, wenn der seine Frau umgebracht hatte, und dann wäre es natürlich zu spät.

Er trat über einen umgekippten Wäschekorb hinweg und packte Chuck am Kragen. »Komm, Chuck. Du kannst deinen Rausch in einer Zelle ausschlafen.«

Er überhörte Chucks Protestgejammer und vermied es, Sally anzusehen. Das brauchte er auch nicht. Sally würde ihnen schluchzend nachlaufen und sich bei dem Mann entschuldigen, der sie zusammengeschlagen hatte, ihm schwören, sich zu »bessern«, und ihm versprechen, das Essen künftig rechtzeitig auf den Tisch zu bringen.

Ihr Verhalten widerte ihn nicht an. Unglücklicherweise konnte er Sally verstehen. Als Junge war er gewesen wie sie, war seiner Mutter wie ein hungriger Hund überallhin gefolgt, hatte verzweifelt um ihre Zuneigung gebettelt und gewinselt – nur, um allzu oft enttäuscht zu werden.

Ja, er verstand nur zu gut, warum Sally bei Chuck blieb. Und er wusste auch, dass es für beide böse enden würde. Aber es gab nichts, womit er ihnen helfen konnte. Er konnte Chuck lediglich in die Ausnüchterungszelle bringen und dann darauf warten, dass ihn wieder ein nachbarlicher Hilferuf in die Old Mill Road zitierte.

Zusammengerollt wie eine Kugel lag Izzy Delacroix in Lurlenes Gästebett. Das Kissen roch so komisch, eben *nicht richtig*. Das war einer der Gründe, weshalb Izzy nahezu jeden Abend weinen musste. Seit ihre Mommy im Himmel war, roch nichts mehr richtig – weder die Kissen noch die Bettdecke, noch Izzys Kleidung.

Selbst Miss Jemmie roch nicht mehr so wie früher.

Izzy drückte ihre Puppe an die Brust und strich ihr mit Daumen und Zeigefinger ihrer rechten Hand über die blonden Haare, den einzigen beiden Fingern, die ihr geblieben waren.

Anfangs hatte sie sich gefürchtet, als sie feststellte, dass sie verschwand. Sie wollte nach einem Buntstift greifen und merkte, dass ihr kleiner Finger so komisch verschrumpelt und grau aussah. Am nächsten Tag war er unsichtbar. Sie hatte ihrem Daddy und Lurlene davon erzählt und ihnen angesehen, dass es auch ihnen Angst machte. Und dieser grässliche Arzt hatte sie so erschrocken gemustert, als wäre sie etwas Ekliges, eine Raupe oder ein widerlicher Wurm.

Sie starrte ihre letzten beiden Finger an. Auch die sind bald nicht mehr da, Mommy ...

Sie wartete auf eine Antwort, aber es kam keine. Oft stellte sie sich vor, dass ihre Mommy direkt neben ihr war, und sie mit ihr sprechen konnte, indem sie die Worte nur dachte, nicht aussprach.

Izzy wünschte sich, dass es auch jetzt so wäre, aber das schien nur zu ganz besonderen Zeiten zu geschehen, in der blauen Stunde zwischen Tag und Nacht.

Dabei musste sie ihrer Mommy doch erzählen, was in der Schule passiert war. Eben noch hatte sie sich die Bilder in ihrem Buch angesehen, doch dann, ganz plötzlich, war da dieser Schrei in ihrem Inneren gewesen. Izzy wusste, dass man in der Schule nicht einfach losschreien durfte – die anderen Kinder hielten sie sowieso schon für komisch und doof –, und bemühte sich wirklich, den Mund geschlossen zu halten. Sie ballte die Hände zu Fäusten und kniff die Augen zu, bis sie Sterne sah.

Vor Angst und Hilflosigkeit konnte sie kaum atmen. Der Schrei drang zunächst wie ein Wimmern über ihre Lippen. Sie presste eine Hand auf den Mund, aber es half nichts.

Alle Kinder starrten sie an und zeigten lachend mit den Fingern auf sie.

Und dann schrie sie. Laut, immer lauter. Sie musste die Hände gegen die Ohren drücken, weil sie es nicht mehr aushielt. Sie wusste, dass sie weinte, konnte aber auch das nicht verhindern.

Die Lehrerin hatte Izzys linke Hand gepackt und ganz fest gedrückt. Und Izzy musste noch lauter schluchzen, weil sie nichts fühlen konnte.

»Aber Schätzchen, deine Hand ist doch nicht unsichtbar«,

sagte Mrs. Brown ganz leise und freundlich. Dann griff sie nach Izzys anderer Hand und führte sie aus der Klasse.

Und das Schreien hatte nicht aufgehört.

Izzy schrie während des ganzen, langen Wegs über den Flur bis in das Amtszimmer der Rektorin. Ihr entging nicht, wie sonderbar die Erwachsenen sie ansahen, so als wäre sie verrückt, aber sie konnte nicht aufhören. Sie wusste nur, dass sie sich auflöste, dass ein Finger nach dem anderen verschwand, aber das schien niemanden zu kümmern.

So plötzlich wie der Drang zum Schreien gekommen war, hörte er wieder auf. Am ganzen Körper zitternd, stand sie im Schulbüro, und alle starrten sie an.

Mit gesenktem Kopf schlich Izzy in eine Ecke und zwängte sich in den Spalt zwischen der Wand und dem grünen Sofa. Und die Erwachsenen flüsterten miteinander, sprachen über sie …

Jedermann schien sich nur Sorgen darüber zu machen, dass sie nicht mehr sprach. Dieser Dr. Schwaabe wollte von ihr immer nur wissen, warum sie nichts sagte, und Izzy hörte genau, wenn sich Lurlene und Buddy unterhielten. Sie benahmen sich, als wäre sie auch taub, nur weil sie kein Wort sagte. Ständig nannte Lurlene sie ein »armes, kleines Ding«, und das erinnerte Izzy immer an das Schreckliche, und sie wünschte, Lurlene würde endlich damit aufhören.

Und dann, wie ein Ritter aus Mommys Märchen, kam ihr Daddy herein. Sofort verstummten die Erwachsenen.

Er wäre nicht in die Schule gekommen, wenn sie nicht geschrien hätte, und eine Sekunde lang war sie froh, so unartig gewesen zu sein.

Sie wollte sich in seine Arme werfen, erleichtert »Hi, Daddy« zu ihm sagen, aber er sah so traurig aus, dass sie sich nicht rühren konnte.

Obwohl seine Haare nach dem Schrecklichen ganz grau aussahen, war er noch immer der schönste Mann der Welt. Sie erinnerte sich an sein Lachen und daran, wie er früher mit ihr gespielt hatte …

Aber eigentlich war er nicht mehr ihr Daddy. Er las ihr keine Gutenachtgeschichten mehr vor und warf sie nicht mehr in die Luft, bis sie vor Lachen kreischte. Und manchmal roch sein Atem abends nach Medizin, und er schwankte beim Laufen so komisch hin und her.

»Izzy?«

Er trat auf sie zu, und einen Augenblick glaubte Izzy, er würde sie in die Arme nehmen. Sie kam aus der Ecke hervor und sah ihn erwartungsvoll an. Merkte er denn nicht, wie sehr sie ihn brauchte?

Aber er seufzte nur tief auf und drehte ihr den Rücken zu, um mit den Erwachsenen zu sprechen. »Was geht hier vor?«

Fast wünschte Izzy, wieder schreien zu müssen, doch alles, was sie in sich spürte, war diese brennende Leere, und als sie den Kopf senkte, sah sie, dass wieder ein Finger verschwunden war. An ihrer rechten Hand gab es nur ihren Daumen und den Zeigefinger.

Die Erwachsenen begannen wieder zu reden und sagten Dinge, die sich Izzy gar nicht anhörte. Dann verließ Daddy den Raum, und Izzy ging mit Lurlene nach Hause. Wieder einmal.

»Izzy, mein Engelchen? Bist du da drinnen?«

Sie hörte Lurlenes Stimme durch die geschlossene Zimmertür. »Komm heraus, Izzy. Hier ist jemand, der dich kennen lernen möchte.«

Izzy wollte so tun, als hätte sie nichts gehört, wusste aber, dass das nichts genutzt hätte. Sie hoffte nur, dass Lurlene sie nicht wieder in die Badewanne stecken würde. Das Wasser war immer zu kalt, und sie benutzte Seife, die in Izzys Augen brannte.

Izzy seufzte. Miss Jemmie, wir müssen aufstehen …

Sie klemmte die Puppe unter den linken Arm und verließ das Bett. Als sie am Frisiertisch vorbeikam, erblickte sie sich selbst im Spiegel. Ein kleines, mageres Mädchen mit strähnigen, schwarzen Haaren und nur einem Arm. Ihre Augen waren vom Weinen geschwollen.

Mommy hätte nie zugelassen, dass sie so aussah.

Die Tür ging auf, und Lurlene kam schnell auf sie zu. »Guten Morgen, Schätzchen.« Sie streckte die Hand aus und strich eine Haarsträhne hinter Izzys Ohr.

Stumm sah Izzy sie an.

»Komm, Vögelchen.«

Wortlos folgte ihr Izzy über den Korridor.

Annie stand auf dem pinkfarbenen Läufer in der Diele von Lurlenes und Buddys an- und ausgebautem Wohnwagen.

Lurlenes Mann Buddy – »Nett, Sie kennen zu lernen« – streckte sich auf einem weinroten Barcalounger aus, eine *Sports Illustrated* auf der Brust, in der rechten Hand eine Dose Miller's. Er ließ Annie nicht aus den Augen.

Sie trat von einem Fuß auf den anderen und versuchte, nicht darüber nachzudenken, dass sie nicht Psychologie studiert hatte, dass sich das Trauma des Kindes vielleicht als unheilbar erweisen könnte, dass auch ihre Seele verwundet war.

Natürlich war liebevolle Zuwendung nötig, mehr als alles andere, aber in den vergangenen Wochen hatte sie erfahren müssen, dass Liebe kein Zaubermittel darstellte. Selbst Annie war nicht so naiv zu glauben, Liebe würde alle Probleme lösen. Manche Traumata waren nun einmal nicht zu heilen. Das wusste sie seit dem Tag, an dem ihre Mutter gestorben war.

»Nick kommt nicht. Hat Ihnen Lurlene das gesagt?«

Stirnrunzelnd sah Annie Buddy an. »So? Nein, das wusste ich nicht.«

»Er ist nie da, wenn er gebraucht wird.« Buddy trank einen Schluck Bier und beäugte Annie über den Dosenrand hinweg. »Wissen Sie eigentlich, was Sie sich da aufhalsen? Diese Izzy ist komplett durch den Wind.«

»Nick hat mir erzählt, dass sie seit längerem nicht mehr spricht. Und dass sie glaubt, ihre Finger würden … verschwinden.«

»Das ist noch längst nicht alles. Sie hat sich total in sich selbst zurückgezogen, total; jeder Außenstehende wird mit in den Strudel ihrer Trauer gerissen.«

Mit anderen Worten: Hier bist auch du mit deiner Weisheit am Ende, Citygirl. Annie war klar, welchen Eindruck sie auf ihn machen musste, mit ihren nagelneuen Jeans und den schneeweißen Tennisschuhen. Verlegen wollte sie sich eine Haarsträhne hinters Ohr streichen, aber da waren keine Haare mehr. Sie rang sich ein Lächeln ab. »Der Regen gestern war gut für den Boden. Auf der Wiese hinter dem Haus meines Vaters kommen die Narzissen schon aus dem Boden. Ich dachte schon, vielleicht …«

»Annie?«

Langsam drehte Annie sich um.

Lurlene tauchte am Ende des Korridors auf. Sie trug einen giftgrünen Pullover und hautenge Leggings aus purpurfarbenem Schlangenhautimitat.

Ein Kind drängte sich eng an sie, ein kleines Mädchen mit großen, braunen Augen und nachtdunklen Haaren. Sie steckte in einem ausgewachsenen rosa Kleidchen, das auch schon bessere Tage gesehen hatte. Wie Bohnenstangen ragten ihre dünnen Beine unter dem Saum hervor. Unterschiedliche Socken, eine gelb, die andere pinkfarben, ringelten sich über ungeputzten Minnie-Mouse-Tennisschuhen.

Ein kleines Mädchen. Kein Konglomerat psychischer Probleme, seelischer Verletzungen und Mangel an Disziplin. Nur ein ganz gewöhnliches kleines Mädchen, das keine Mutter mehr hatte.

Annie lächelte. Sie hatte vielleicht keine Ahnung von traumatischem Verstummen oder den Therapien, die Ärzte und Psychiater empfahlen. Aber sie kannte sich mit Ängsten aus und wusste, was es hieß, sich nach einer Mutter zu sehnen, die nie wiederkam.

Langsam ging sie mit ausgestreckter Hand auf das Kind zu. »Hey, Izzy.«

Izzy antwortete nicht. Das hatte Annie auch nicht erwartet. Izzy würde schon wieder sprechen, wenn sie den Zeitpunkt für gekommen hielt. Bis dahin ging es darum, so zu tun, als wäre alles ganz normal. Und vielleicht war Schweigen sogar das Normalste von der Welt – nach allem, was das Kind durchgemacht hatte.

»Ich heiße Annalise, aber das ist ein sehr langer Name. Du kannst mich gern Annie nennen, wenn du magst.« Sie ging vor dem Kind in die Knie und blickte in die traurigsten Augen, die sie je gesehen hatte. »Ich war eine Freundin deiner Mutter.«

In den Augen des Kindes leuchtete es flüchtig auf.

Annie nahm es als Ermutigung. »Wir haben uns im Kindergarten kennen gelernt, gleich am ersten Tag.« Sie lächelte Izzy an, stand auf und wandte sich Lurlene zu. »Ist sie bereit mitzukommen?«

Lurlene zuckte mit den Schultern. »Wer weiß?«, flüsterte sie und beugte sich zu Izzy hinunter. »Du weißt doch, worüber wir gesprochen haben. Miss Annie wird sich ein bisschen um dich kümmern, während dein Daddy auf der Arbeit ist. Aber bemüh dich, ein braves Mädchen zu sein, hörst du?«

»Sie braucht überhaupt kein braves Mädchen zu sein.« Annie zwinkerte Izzy zu. »Sie kann sein, wie sie will.«

Izzy riss die Augen auf.

»Oh.« Lurlene lächelte Annie an. »Gott segne Sie für Ihre Hilfsbereitschaft.«

»Glauben Sie mir, Lurlene, ich tue es auch für mich selbst. Wir sehen uns später.«

Annie sah das Kind an. »Nun, Izzy, was hältst du davon, wenn wir uns auf den Weg machen? Ich bin schon ganz neugierig auf dein Zimmer. Wahrscheinlich hast du ganz tolle Spielsachen. Ich spiele wahnsinnig gern mit Barbies.« Sie nickte Lurlene und Buddy zu, verließ das Haus, setzte Izzy auf den Beifahrersitz ihres Mietautos und schnallte sie fest.

Wie ein kleiner Vogel hockte das Kind auf dem Sitz und starrte unverwandt durch die Windschutzscheibe.

Annie startete den Motor, fuhr rückwärts zur Fahrbahn und gab sich große Mühe, die Kolonnen von Gartenzwergen nicht umzustoßen. Als sie die Straße erreicht hatte, begann sie zu reden, als würde sie dafür bezahlt. Sie kamen an der Quinault-Indianerreservation vorbei, an Ständen, an denen Räucherlachs und frische Krabben verkauft wurden, an einem Dutzend leerer Picknickplätze, und Annie sprach über Gott und die Welt: über die Notwendigkeit, alten Waldbestand zu schützen, die Bedeutung der Schauspielerei als Kunstform, die ihr sympathischsten Farben, ihre Lieblingsfilme, das Pfadfinderlager, in dem Kathy und sie Ferientage verbracht hatten, ihre Streiche am Lagerfeuer – und während der ganzen Zeit starrte Izzy nur stumm zum Fenster hinaus.

Während Annie den Windungen der Uferstraße folgte, hatte sie das Gefühl einer Zeitreise in die Vergangenheit. Die Route unter den hoch aufragenden Bäumen schien direkt ins Gestern zu führen. Als sie am Ende der Straße angelangt war, konnte sie sich kaum rühren. Reglos saß sie hinter dem Steuer und blickte das alte Beauregard House an. Nicks Zuhause.

Eines Tages wird dieses Haus mir gehören.

Damals hatte Annie seine Worte für Hirngespinste gehalten, für den hochfliegenden Traum im Kopf eines jungen Mannes. Etwas, was man an einem sternenklaren Abend sagte, bevor man den Mut aufbrachte, das Mädchen neben sich zu küssen.

Jetzt erkannte sie natürlich den Zauber eines erfüllten Traums und verspürte einen leichten, schmerzlichen Stich. Hatte sie damals eigentlich einen Traum gehabt? Wenn ja, konnte sie sich zumindest nicht daran erinnern.

Sie fuhr wieder an und parkte den Wagen neben dem großen Holzstapel. Eine blasse, wässrige Frühlingssonne schien auf das frische Wiesengrün und brachte die dottergelbe Schindelfassade zum Leuchten. Dennoch wirkte das Haus, diese Grande Dame aus der viktorianischen Zeit, irgendwie verloren und vergessen. An einigen Stellen blätterte die Farbe ab, am Giebel fehlten ein paar Schindeln, und die Rhododendren mussten dringend zurückgeschnitten werden.

»Ich wette, das war einmal eine Art Festung«, sagte Annie und spähte zu den zerbrochenen Brettern zwischen den Ästen einer kahlen Erle auf. »Deine Mom und ich hatten auch so ein Baumhaus, nur für uns beide ...«

Der Verschluss von Izzys Sicherheitsgürtel wurde so heftig geöffnet, dass die Metalllasche gegen die Fensterscheibe knallte. Sie stieß die Tür auf, rannte auf den See zu und blieb vor einer umzäunten Fläche unter einem mächtigen Ahorn stehen.

Annie folgte Izzy über das feuchte Gras und stellte sich neben das Kind. Die Beete inmitten des weiß gestrichenen Lattenzauns waren nicht ganz so verwildert wie der Rest des Grundstücks. »Das war der Garten deiner Mom«, sagte Annie leise.

Mit gesenktem Kopf starrte Izzy schweigend vor sich hin.

»Gärten sind etwas ganz Besonderes, findest du nicht auch? Sie sind anders als Menschen ... Die Wurzeln der Pflanzen reichen ganz tief in die Erde, und mit Geduld und fleißiger Arbeit kann man sie wiederbeleben.«

Fast zögernd hob das Mädchen den Kopf und sah Annie an.

»Wir können diesen Garten retten, Izzy. Möchtest du das?«

Ganz langsam schob Izzy ihren Arm über den Zaun. Mit Daumen und Zeigefinger griff sie nach dem Stängel einer welken Shasta-Margerite und zerrte so heftig, dass sie die Pflanze aus der Erde zog.

Dann streckte sie sie Annie entgegen.

Die struppige, abgestorbene Blume war das Schönste, das Annie jemals gesehen hatte.

9. Kapitel

Izzy klemmte Miss Jemmie unter den Arm und lief der hübschen Lady hinterher.

Sie freute sich, wieder zu Hause zu sein, aber das konnte nicht lange anhalten. Die hübsche Lady brauchte nur einen Blick auf Daddys Unordnung zu werfen, um sofort wieder zu verschwinden. Erwachsene Mädchen mochten keine unaufgeräumten und schmutzigen Häuser.

»Komm, Izzy«, rief die Lady von der Veranda.

Izzy blickte zur Haustür und wünschte sich, ihr Vater würde aus der Tür gelaufen kommen, sie mit seinen starken Armen hochheben und so lange herumwirbeln, bis sie lachen musste.

Aber das würde nicht passieren, wusste Izzy, weil sie diesen Traum schon seit Monaten immer wieder träumte und er noch nie wahr geworden war.

Sie konnte sich noch gut an den Tag erinnern, an dem ihr Vater mit Mommy und ihr zum ersten Mal hierher gefahren war. Damals hatte ihr schwarzes Haar geglänzt wie Rabenflügel und sein Atem nicht so komisch gerochen.

Ja, damals war es einfach wundervoll gewesen. Ihr Daddy hatte gelächelt und gestrahlt. »Siehst du es nicht auch schon vor dir, Kath? Da drüben werden wir Obstbäume pflanzen, auf die Veranda stellen wir Schaukelstühle, damit wir die Sommerabende richtig genießen können, und auf der Wiese veranstalten wir Picknicks …« Er hatte Izzy auf die Wange geküsst. »Würde dir das gefallen, mein Sonnenscheinchen?

Ein Picknick mit Brathühnchen, Milkshakes und Jell-O Salad?«

»O ja, Daddy«, hatte sie gejubelt, aber es war nie zu einem Picknick gekommen, weder auf der Wiese noch anderswo.

Die Haustür knarrte, und Izzy erinnerte sich daran, dass die Lady auf sie wartete. Zögernd kletterte sie die Verandastufen hinauf. Die Lady – Annie. Sie durfte nicht vergessen, sie Annie zu nennen – knipste die Lampe neben dem Sofa an. Licht ergoss sich über Daddys Unordnung: Flaschen, Pizzakartons, Kleidungsstücke.

»›Was für eine Müllhalde‹, würde Bette Davis sagen. Dein Daddy hat nicht die geringste Chance, den Felix-Unger-Preis zu gewinnen.«

Izzy zuckte zusammen. Aus der Traum. Morgen müsste sie wieder Lurlenes Corned-Beef-Sandwiches essen …

Aber Annie machte nicht auf dem Absatz kehrt und ging. Stattdessen suchte sie sich vorsichtig ihren Weg durch das Chaos und riss die Vorhänge auf. Sonnenlicht strömte durch die hohen Fenster herein. »So ist es schon besser.« Suchend sah Annie sich um. »Weißt du vielleicht, wo ich Besen und Müllschaufel finden kann? Oder einen Bulldozer? Wie wäre es mit einem Flammenwerfer?«

Izzys Herz begann heftig zu klopfen, in ihrer Brust fühlte es sich ganz sonderbar an.

Annie zwinkerte ihr zu. »Ich bin gleich wieder da.« Mit schnellen Schritten verschwand sie in der Küche.

Reglos stand Izzy da und lauschte auf das wilde Klopfen ihres Herzens. Mit einem riesigen schwarzen Müllsack, einem Besen und einem Eimer mit Seifenlauge kehrte Annie ins Wohnzimmer zurück.

Das eigenartige Gefühl in Izzys Brust schien sich immer weiter auszudehnen, bis sie kaum noch atmen konnte. Langsam machte sie ein paar Schritte auf Annie zu und rechnete fest damit, dass die Lady wie früher ihre Mommy die Hände hoch in die Luft warf und rief: »Verdammt noch mal, Nicky, das ist einfach zu viel Arbeit.«

Aber das sagte Annie nicht. Stattdessen bückte sie sich, hob den Unrat auf und warf ihn Stück für Stück in den Müllsack.

Vorsichtig trat Izzy noch näher heran.

Annie sah sie nicht an. »Unordnung ist nichts Dauerhaftes, Izzy. Sie lässt sich aufräumen. Das Zimmer meiner Tochter sah ständig so aus – und sie war ein ausgesprochen liebenswerter Teenager.« Wieder begann sie zu reden wie ein Wasserfall, und mit jedem ihrer Sätze spürte Izzy, dass ihr leichter ums Herz wurde. »Ich kenne dieses Haus schon sehr lange. Als deine Mom, dein Dad und ich Kinder waren, spähten wir häufig durch die Fenster herein und malten uns aus, wer früher hier gelebt hat. Ich war fest überzeugt, dass es ein reiches Ehepaar von der Ostküste war, das in Smoking und Abendkleid herumlief. Dein Dad glaubte, dass das Haus einem Glücksspieler gehörte, der bei einem einzigen Kartenspiel alles verlor. Und deine Mutter … Nun, genau kann ich mich nicht erinnern, was sie sich vorstellte. Aber vermutlich irgendetwas sehr Romantisches.« Annie schwieg gerade lange genug, um Izzy anzulächeln. »Wenn es wärmer ist, können wir vielleicht draußen auf dem Rasen ein Picknick abhalten. Nun, wie fändest du das?«

Izzy hatte ein Gefühl, als müsste sie weinen. O ja, mit Milkshakes und Jell-O Salad, wollte sie sagen, brachte aber kein Wort heraus. Ohnehin war es nur eins von diesen Dingen, die Erwachsene versprachen, ohne sie wirklich halten zu wollen.

»Wenn ich es mir recht überlege«, fuhr Annie fort, »könnten wir uns eigentlich gleich heute ein kleines Picknick gönnen. Wenn ich mit dem Wohnzimmer fertig bin, setzen wir uns einfach mit ein paar Keksen und Saft auf die Veranda. Was hältst du von Rosinenkeksen und Maui-Punch? ›O ja, Annie, das wäre einfach superklasse.‹ Natalie, meine schon fast erwachsene Tochter, hat früher am liebsten Frosted Flakes gegessen. Ich wette, du auch.«

Fast hätte Izzy ein klein wenig lächeln müssen. Ihr gefiel, dass Annie keine Antwort von ihr verlangte. Das gab Izzy das

Gefühl, dass sie nichts Besonderes war, dass Schweigen ebenso gut war wie Reden.

Schrittchen für Schrittchen bewegte sie sich seitlich auf das Sofa zu. Als sie es erreicht hatte, setzte sie sich. Langsam, aber stetig verschwand der Abfall im Müllsack, und nach einer Weile sah der Raum aus wie ein ganz normales Zuhause.

Annie klopfte sachte an Izzys Zimmertür. Als sie keine Antwort erhielt, trat sie nach kurzem Zögern ein. Seine Lage unter dem vorspringenden Dach machte den kleinen Raum ein wenig dunkel. Durch die Spitzenvorhänge vor dem Mansardenfenster drang das letzte Tageslicht herein. Lavendelfarbene Streifentapeten bedeckten die Wände, und die Bettdecke zeigte ein dazu passendes, fliederfarbenes Blümchenmuster. Auf dem weißen Nachttisch stand eine Winnie-Pu-Lampe.

Nick und Kathy hatten die Einrichtung dieses Zimmers vermutlich sorgfältig geplant und dafür gespart, um ihrem Kind eine perfekte Umgebung zu schaffen. Annie erinnerte sich an die hoffnungsvolle Vorfreude während ihrer eigenen Schwangerschaft. Vieles davon fand seinen Ausdruck in der Einrichtung des Kinderzimmers.

Annie hatte zwar keine Ahnung von manischer Depression, noch wusste sie, wie die Krankheit Kathy verändert hatte, doch eins war ganz sicher: Kathy hatte ihre Tochter geliebt. Jeder Gegenstand in diesem Zimmer war mit zärtlicher Zuneigung ausgewählt, von dem kleinen Morgenrock mit Dornröschen-Motiven am Haken an der Tür bis hin zu den Peter-Rabbit-Buchstützen.

Sie überquerte den mit Kleidungsstücken übersäten Fußboden und trat an das Bett. Izzys Profil auf dem ausgeblichenen Big-Bird-Kopfkissen sah aus wie eine kostbare Kamee. Sie hatte sich die Bettdecke bis hoch unter das Kinn gezogen. Ihre Puppe – Miss Jemmie, hatte Lurlene gesagt – lag auf dem Boden und starrte mit schwarzen Knopfaugen zur Decke. Wie ein dunkler Fleck lag Izzys kleine Hand in dem schwarzen Handschuh auf der fliederfarbenen Steppdecke.

Annie weckte das Mädchen nur ungern, aber sie war von der Wichtigkeit gewisser Regeln überzeugt. Um halb drei hatte sie Izzy zu Bett gebracht, um überrascht festzustellen, dass sie tatsächlich einschlief. Jetzt war es vier Uhr, also höchste Zeit zum Aufstehen.

Sie beugte sich vor und rüttelte sanft an der Schulter des Mädchens. »Wach auf, kleine Schlafmütze.«

Izzy maunzte leise auf und kroch noch tiefer unter die Decke.

»O nein, du wirst nicht weiterschlafen. Komm, Izzy.«

Ein braunes Auge öffnete sich. Mit Daumen und Zeigefinger zog sie sich die Bettdecke vom Kinn. Gähnend und blinzelnd setzte sie sich auf.

»Ich dachte, du würdest vielleicht gern baden, bevor dein Daddy nach Hause kommt.« Lächelnd zeigte sie Izzy ihre Einkaufstüte. »Ich habe dir etwas Neues zum Anziehen und ein paar Überraschungen mitgebracht. Also komm.« Sie half Izzy aus dem Bett, führte sie ins Bad und ließ Wasser in die Wanne laufen.

Dann kniete sie sich vor das Kind.

Izzy musterte sie argwöhnisch.

Annie blickte auf Izzys Handschuh. »Findest du es nicht schrecklich, dass Teile von dir einfach so verschwinden? Und jetzt: Arme hoch.«

Gehorsam hob Izzy den rechten Arm. Ihr linker hing schlaff von der Schulter.

Annie setzte sich auf ihre Fersen. »Aber wie sollen wir den unsichtbaren Arm eigentlich entkleiden? Ich glaube, wenn ich den Ärmel ein wenig hochschiebe …« Ganz langsam tat sie es. Dann griff sie nach dem Handschuh.

Mit einem erstickten Keuchen riss sich Izzy von Annie los.

»Oh, entschuldige. Der Handschuh lässt sich nicht ausziehen?«

Stumm starrte Izzy auf irgendeinen Punkt hinter Annies linkem Ohr.

»Verstehe. Da ist gar kein Handschuh. Stimmt's, Izzy?«

Izzy biss sich auf die Unterlippe. Noch immer sah sie Annie nicht an.

Annie stand auf, legte ihre Hände auf die Schultern des Mädchens, schob es auf die Wanne zu und half ihr ins warme Wasser. Steif hockte Izzy in der Wanne, ihr linker Arm hing schlaff über den Rand.

»Es ist dir doch nicht etwas zu heiß?«, fragte Annie. »›Nein, Annie, genau richtig. So mag ich es.‹«

Izzy sah sie nur an.

»Ich kann mich perfekt mit mir selbst unterhalten«, lächelte Annie. »Als kleines Mädchen – ich war auch ein Einzelkind – tat ich es ständig.«

Sie goss Schaumlotion in den Wasserstrahl. Verblüfft beobachtete Izzy, wie sich rund um sie weiße Blasen bildeten.

Dann zündete Annie die drei Duftkerzen an, die sie in der Küche gefunden hatte. Süßer Vanillegeruch erfüllte die Luft. »Manchmal braucht ein Mädchen ein bisschen Romantik. Und nun sieh dir meine Schätze an.« Sie griff in ihre Einkaufstüte. »Hier habe ich Johnson's Babyshampoo, *Pocahontas*-Seife, ein Handtuch mit dem *Glöckner von Notre Dame* und einen *Cinderella*-Kamm. Und wie gefallen dir die kleinen gelben Blumen auf deiner neuen Latzhose? Sie sehen genauso aus wie die, die im Sommer im Garten deiner Mom blühen werden.«

Annie legte die Sachen beiseite und begann, Izzy abzuseifen und ihre Haare zu waschen, während sie ununterbrochen weiterredete. Schließlich hob sie das kleine Mädchen aus der Wanne und wickelte es in ein Badetuch. »Du erinnerst mich an meine Tochter Natalie, als sie in deinem Alter war. Klein wie eine Spitzmaus. Es tat mir fast weh, sie nur anzusehen.« Sie flocht Izzys Haare zu zwei Zöpfen und band sie mit gelben Satinschleifen zusammen.

»Dreh dich um.«

Das Mädchen gehorchte.

Annie zog Izzy neue Baumwollunterwäsche an und half ihr in die lavendelfarbene Bluse und die Latzhose. Dann führte sie Izzy zum großen Spiegel in der Ecke.

Die Kleine betrachtete sich lange. Dann hob sie ganz langsam die rechte Hand und berührte eine Satinschleife mit dem Zeigefinger. Ihr Mund begann zu zittern, und sie biss sich schnell auf die Unterlippe. Eine Träne lief ihr über die Wange.

Annie lächelte. »Ich wette, so hast du früher immer ausgesehen. Stimmt's, Izzy?«

Sie küsste sie auf die Stirn. Das Kind roch nach Babyshampoo und Seife. Wie alle kleinen Mädchen.

Annie hockte sich vor Izzy und sah ihr fest in die Augen. »Weißt du, dass es sehr viel mehr Spaß macht, sein Spielzeug mit einer Freundin zu teilen, als allein zu spielen? Manchmal ist das auch so, wenn man traurig ist. Manchmal vergeht die Traurigkeit ein bisschen, wenn man darüber spricht.«

Das Kind rührte sich nicht.

»Es gibt da ein kleines Problem, Izzy«, lächelte Annie. »Ich habe begonnen, das Abendessen zu kochen, kann aber nirgendwo Teller und Bestecke finden. Würdest du mir vielleicht helfen?«

Izzy zwinkerte.

Annie nahm es als Zustimmung.

Zusammen liefen sie in die Küche hinunter, und Izzy setzte sich an den Tisch. Ihre kleinen Füße baumelten zehn Zentimeter über dem Boden.

Annie setzte Wasser für die vorbereiteten Klöße auf und rührte im Hühnerfrikassee. »Kannst du schon den Tisch decken?«, fragte sie, als sie den Deckel wieder auf den Topf legte.

Izzy antwortete nicht.

»Also so wird das nichts, Miss Izzy.« Annie streckte dem Mädchen einen Löffel entgegen. »Hier, nimm.«

Izzy packte den Löffel zwischen Daumen und Zeigefinger, musterte ihn stirnrunzelnd und sah dann zu Annie auf.

»Wenn du einmal mit dem Löffel wackelst, heißt das ja. Zweimal bedeutet nein. So können wir uns verständigen, ohne wirklich miteinander sprechen zu müssen. Na, wie ist es? Kannst du mir jetzt sagen, wo die Teller stehen?«

Izzy starrte den Löffel eine kleine Ewigkeit an. Dann wackelte sie mit dem Löffel. Einmal.

»Hey, Nicky. Ich hörte, dass Hank Bournes Tochter wieder in der Stadt ist.«

Nick blickte von seinem Glas auf. Sein Kopf schmerzte, und er konnte sich nicht richtig konzentrieren. Das war schon den ganzen Tag so, seit dem Fiasko an der Old Mill Road. Er hatte Chuck in die Ausnüchterungszelle verfrachtet, aber Sally war inzwischen auf dem Revier erschienen, um zu verhindern, dass etwas gegen ihren Mann unternommen wurde. Sie wäre auf der Treppe gestürzt, hatte sie dem diensthabenden Sergeanten erklärt.

Ein schneller Schluck bei Zoe, hatte er gedacht, ein einziges Glas, um sich zu beruhigen, bevor er zu Izzy und Annie nach Hause fuhr. Doch wie immer war es bei einem Drink nicht geblieben …

Der Blick in Sallys Augen hatte düstere, qualvolle Erinnerungen in ihm geweckt. Er griff zum Glas und nahm einen tiefen Schluck Scotch. »Was du nicht sagst, Joel.«

Joel Dermot rutschte näher an ihn heran. »Ich kann mich noch gut an Annie Bourne erinnern. Sie war mit meiner Tochter Suki bei den Pfadfinderinnen.«

Nick schloss die Augen. Er wollte nicht an früher denken, an diese lange vergangene Zeit, als sie Freunde gewesen waren. Denn das erinnerte ihn daran, wie viel er damals für Annie empfunden hatte, und dann musste er unweigerlich an die vergangene Nacht denken, als sie nackt und leidenschaftlich in seinen Armen lag. Diese Erinnerung wiederum brachte ihn dazu, über die Entscheidungen seines Lebens nachzudenken. Dass er Kathy geheiratet hatte, weil sie ihn brauchte, dass er sie enttäuscht und im Stich gelassen, dass ihn die Liebe zu ihr ruiniert hatte. Was wiederum zu der Frage führte, wie sein Leben verlaufen wäre, wenn er sich für Annie entschieden hätte – oder wie es sein *könnte,* wenn sie eine Frau wäre, der es in Mystic gefiel …

Aber sie war die Frau eines anderen Mannes.

Hastig verdrängte er diesen Gedanken und stand unsicher auf. Er warf zwanzig Dollar auf den Tresen, drehte sich um und verließ die verqualmte Bar. Er sprang in seinen Streifenwagen und fuhr nach Hause. Als er neben dem Beauregard House parkte, kam es ihm vor, als hätte er tausend Meilen auf einer mit Schlaglöchern übersäten Straße hinter sich. Jeder Muskel tat ihm weh, sein Kopf schmerzte, und er hätte viel für einen einzigen kleinen Schluck Scotch gegeben.

Wie zum Teufel sollte er Annie nach der letzten Nacht unter die Augen treten?

Zögernd stieg er aus, überquerte den Kiesweg, stieg die Verandastufen hinauf und betrat das Haus.

Annie lag auf dem Sofa. Als die Tür hinter ihm ins Schloss fiel, richtete sie sich auf und lächelte ihn benommen an. »Oh. Ich fürchte, ich bin eingeschlafen.«

Ihre Schönheit machte ihn für einen Moment sprachlos. Unwillkürlich wich er einen Schritt zurück und wandte den Kopf ab. »Tut mir Leid, dass ich so spät komme. Ich wollte rechtzeitig bei Lurlene sein, aber es gab einen Notfall und … Nun ja …«

Sie schlug die Decke zurück und stand auf. »Das macht nichts. Izzy und ich hatten einen wundervollen Tag. Ich glaube, wir kommen großartig miteinander aus.«

Er wollte etwas sagen. Etwas, was seine Schuldgefühle milderte, was sie gut über ihn denken ließ. Er verspürte den unsinnigen Drang, ihr zu erzählen, was sich heute ereignet hatte, einem anderen Menschen mitzuteilen, dass etwas in ihm aufgebrochen war, und er nicht wusste, wie er damit fertig werden, wie er es wieder verdrängen konnte. Aber derartige Vertraulichkeiten waren ihm so fremd, dass er nicht wusste, wie er beginnen sollte.

Annie nahm ihre Handtasche vom Couchtisch. Sie vermied es, ihn anzusehen. »Wenn du willst … könnte ich Izzy und dir morgen Abend etwas kochen. Ich glaube, das würde ihr gefallen.«

»Das wäre wunderbar. Ich bin morgen gegen sechs zu Hause.«

Sie ging an ihm vorbei zur Tür, drehte sich aber noch einmal um. »Aber für die Zukunft … Ich wäre für einen Anruf dankbar, wenn du dich verspätest.«

»Yeah. Tut mir Leid.«

Sie lächelte ihn an und verließ das Haus.

Er ging zum Fenster und sah ihr nach, wie sie davonfuhr. Als die roten Pünktchen ihrer Rücklichter verschwunden waren, ging er langsam die Treppe hinauf und in das Gästezimmer, in dem er seit acht Monaten schlief – wenn er nicht so betrunken war, dass er gleich unten auf der Couch eindöste. Er streifte seine blaue Uniform ab, zog Jeans und einen Sweater an und lief über den Flur. Vor Izzys Tür blieb er kurz stehen und holte tief Luft.

Auf dem Nachttisch neben ihrem Bett schimmerte Winnie Pus Gesicht durch die Dunkelheit. Er holte Izzys Lieblingsbuch und setzte sich behutsam auf den Rand ihres Bettes. Als die Matratze unter seinem Gewicht nachgab, erstarrte er. Izzy drehte den Kopf, wurde aber nicht wach.

Nick schlug *Where the Wild Things Are* auf und starrte versonnen auf die erste Seite. Früher hatte er ihr jeden Abend vorgelesen. Lächelnd hatte sie sich an ihn geschmiegt und gefragt: »Daddy, was liest du mir heute vor, Daddy?«

Nick kniff die Augen fest zu. *Daddy … Daddy*. Am Anfang und Ende jeden Satzes. Fast hatte er es vergessen. Er beugte sich vor und küsste sie sanft auf die Stirn. Ihr Kleinmädchengeruch hüllte ihn ein und erinnerte ihn daran, wie er sie gebadet hatte …

Nick seufzte tief auf. Jetzt las er ihr nur vor, wenn sie schon schlief. Er hoffte, die Worte würden durch den Schlaf zu ihr dringen. Eine törichte, kleine Geste, ihr zu zeigen, dass er sie liebte. Aber es schien alles zu sein, was ihm noch geblieben war.

Mit leiser Stimme las er ein paar Seiten und legte das Buch dann auf den Nachttisch zurück. »Schlaf gut, Izzy-Bär«, flüsterte er und küsste sie noch einmal auf die Stirn.

In der Küche goss er sich einen Scotch ein. Er stieß die Haustür mit dem Fuß auf und ließ sich auf der Veranda in einen Schaukelstuhl fallen. Plötzlich glaubte er einen Geruch wahrzunehmen, wie es im Haus der Weavers nach Speck und Lysol gerochen hatte, glaubte das aufgerissene Linoleum in der Küche zu sehen. Er erinnerte sich an Sallys blutende Lippe, an die Abschürfung an ihrem Kinn.

Vor langer Zeit war er überzeugt gewesen, Menschen wie Sally helfen zu können. Er glaubte, er brauchte nur seine Uniform anzuziehen, um unüberwindlich zu sein. Wie töricht von ihm, sich an Werte zu klammern, die in der heutigen Welt keine Bedeutung mehr hatten: Anstand, Respekt und Gerechtigkeit. Er hatte sogar geglaubt, Menschen retten zu können, die gar nicht gerettet werden wollten.

Aber das Leben hatte ihn eines Besseren belehrt. Sein Beruf und die Ehe mit Kathy hatten seinen Idealismus nach und nach aufgezehrt, aufgerieben, bis nichts mehr übrig war als schäbige Reste. Aber ohne ihn wusste er nicht, wer er eigentlich war.

Er nahm einen tiefen Schluck, lehnte sich im Schaukelstuhl zurück und blickte zum sternenklaren Himmel auf. Fast überrascht machte er sich bewusst, dass um ihn herum alles so ruhig und still war, wie es sein sollte. Der See schimmerte wie immer im Mondschein. Schon bald würde ein neuer Morgen die Dunkelheit in andere Ecken des Globus vertreiben.

Früher waren diese Dinge für ihn ein Grund zu staunender Bewunderung gewesen. Damals hatte er seine Wünsche für einfach und leicht erfüllbar gehalten. Für ihn gab es nur seine Familie, seinen Beruf, sein Zuhause. Er hatte sich vorgestellt, in diesem Haus alt zu werden, hier auf der Veranda im Schaukelstuhl zu sitzen und zuzusehen, wie seine Kinder aufwuchsen und in die Welt hinauszogen. Irgendwann, nach vielen Jahren, würde er alt und grau sein. Dass Trauer und Schuld einen Menschen über Nacht altern und grau werden lassen konnten, hatte er nicht gewusst.

Er trank, bis sich in seinem Kopf alles drehte, bis er alles doppelt sah. Die leere Flasche entglitt seinen schlaffen Fingern, rollte über die Veranda und polterte die Stufen hinab ins Gras.

Am nächsten Morgen wurde Izzy von der Stimme ihrer Mutter geweckt. Sie schob die Bettdecke von sich und setzte sich blinzelnd auf. Mommy ...?

Aber sie hörte keine Antwort, nur das leise Knacken und Knarren des alten Hauses. Sie schlüpfte in ihre Häschen-Hausschuhe und verließ ihr Zimmer. Ganz leise, um ihren Daddy nicht zu wecken, lief sie die Treppe hinunter. Er schlief auf der Couch. Ein Arm lag ausgestreckt auf dem Couchtisch, und seine nackten Füße lugten unter der blauen Decke hervor.

Auf Zehenspitzen schlich sie an ihm vorbei, öffnete mit klopfendem Herzen die Haustür und schloss sie behutsam wieder hinter sich. Auf der Veranda blickte sie sich um. Purpurfarbene Nebelschwaden lagen über dem See. Mommy ...?

Sie lief durch das Gras zum Seeufer, kniff die Augen zu und dachte ganz fest an ihre Mutter. Als sie die Augen wieder öffnete, stand ihre Mutter mitten im See.

Zunächst schien sich ihre Mommy nicht zu bewegen, doch plötzlich war sie neben Izzy, so nahe, dass sie ihr Parfum riechen konnte.

Keine Angst, Izzy, es wird alles gut ... hörte sie die Stimme ihrer Mutter im Wind. Irgendwo im Ufergebüsch schrie ein Vogel und schwang sich hoch zum Himmel hinauf.

Es begann zu regnen, große, dicke Tropfen, die auf Izzys Haare fielen, auf ihre Lippen. Sie sah, wie tausend regenbogenbunte Tropfen auf die Wasseroberfläche platschten. Aber auf der anderen Seite des Sees regnete es nicht.

Wieder hörte Izzy die Stimme ihrer Mutter. *Alles wird gut. Aber jetzt muss ich fort ...*

Atemberaubende Angst ergriff Izzy. *Geh nicht, Mommy. Ich ...*

Doch ihre Mutter war bereits verschwunden. Der bunte Regen hörte auf, und der Nebel schwand.

Izzy stand noch lange am Ufer, aber nichts geschah. Schließlich ging sie ins Haus zurück. Sie durchquerte das Wohnzimmer, lief in die Küche und machte sich Frühstück. Als sie die Frosted Flakes aus dem Wandschrank angelte, hörte sie, dass nebenan ihr Vater wach geworden war.

Izzy wusste, was nun geschah. Sie hatte es oft genug erlebt. Er setzte sich auf, fasste sich an den Kopf und stöhnte ganz laut. Dann wollte er aufstehen, stieß sich aber das Bein am Couchtisch und rief ein unartiges Wort. Heute war es nicht anders.

»Mist!«

Schnell warf sie die pinkfarbene Decke über den Tisch, die ihre Mutter immer für das Frühstück benutzt hatte. Sie wollte, dass ihr Vater merkte, wie klug sie war, wie vernünftig und erwachsen. Vielleicht würde er sie dann endlich ansehen, sie in die Arme nehmen und möglicherweise sogar wie früher fragen: »Na, wie hast du geschlafen, Sonnenscheinchen?« Vielleicht fand sie dann ihre Stimme wieder und konnte antworten »Gut, Daddy-O«, was ihn immer zum Lachen gebracht hatte. Sie sehnte sich nach seinem Lachen.

Danach vor allem. Auf andere Dinge könnte sie verzichten. Er brauchte ihr nicht zu sagen, dass er sie lieb hatte. Er brauchte ihr auch keinen Gutenachtkuss zu geben, sie mit seinen starken Armen herumzuwirbeln, bis sie kreischte, oder mit ihr zu einem Picknick zu fahren. Sie wünschte sich nur, dass er sie ansah wie früher, als wäre sie für ihn das Allerwichtigste auf der Welt.

Jetzt sah er sie kaum noch an. Manchmal wandte er so schnell den Blick ab, dass sie Angst bekam und befürchtete, sie könnte ganz verschwunden sein. Aber das stimmte nicht. Sie war noch immer da, mit Ausnahme einer Hand und drei weiteren Fingern. Er sah sie nur nicht mehr gern an.

Jetzt kam er in die Küche gestolpert und blieb abrupt stehen. »Izzy. Warum bist du schon auf?«

Fast überrascht blinzelte sie ihn an. Ich schaffe es, dachte sie. Ich *kann* ihm antworten. Ich brauche nur »Ich habe dir Frühstück gemacht, Daddy« zu sagen. Aber die Worte blieben irgendwo in ihrer Kehle stecken.

»Frosted Flakes«, lächelte er mühsam. »Das wird Annie ge-fallen.« Er ging zum Kühlschrank und goss sich ein Glas Orangensaft ein.

Er kam auf sie zu. Einen Moment lang hoffte Izzy, er würde ihr seine Hand auf die Schulter legen und sie loben, weil sie so hübsch den Tisch gedeckt hatte. Oder ihr sagen, wie hübsch *sie* aussah, mit den gewaschenen Haaren, den Zöpfen. Sie reckte sich ihm sogar ein wenig entgegen.

Aber er ging an ihr vorbei, und sie musste mit den Tränen kämpfen.

Er blickte den Tisch an, nicht sie. »Ich habe keine Zeit zum Frühstücken, Izzy-Bär.« Mit der Hand fuhr er sich über die Stirn und schloss die Augen.

Wahrscheinlich hatte er wieder Kopfschmerzen – wie im-mer, seit ihre Mutter im Himmel war. Es machte ihr immer Angst, wenn ihr Daddy morgens so krank aussah. Sie wollte ihm versprechen, ein artigeres Mädchen zu sein, nicht weiter zu verschwinden, wieder zu sprechen und brav ihr Gemüse zu essen.

Ihr Vater lächelte – aber nicht sein *richtiges* Lächeln, sondern das dieses weißhaarigen Daddys, der sie nicht mehr ansah. »Und? War es gestern ein schöner Tag mit Annie?«

Izzy bemühte sich wirklich, konnte aber nicht antworten. Sie bemerkte, dass ihr Vater aussah, als würde er gleich weinen, und schämte sich über sich selbst.

Schließlich seufzte er. »Izzy, ich muss ins Bad, duschen. An-nie wird gleich hier sein.«

Er blieb noch einen Augenblick stehen, als würde er auf eine Antwort warten. Doch sie konnte nicht antworten. Stumm sah sie ihm nach, wie er die Küche verließ.

Lange nachdem Nick zur Arbeit gefahren war, saß Izzy mit zusammengepressten Knien auf der Couch. Miss Jemmie schlief auf ihrem Schoß. Gleich nach ihrer Ankunft hatte An-nie wieder mit dem Aufräumen begonnen. Und während sie arbeitete, redete Annie so viel und ununterbrochen, dass Izzy manchmal gar nicht mehr zuhören konnte.

Izzy gefiel, wie behaglich das Haus aussah, nachdem Annie aufgeräumt hatte.

Es gab ihr ein Gefühl von Sicherheit.

Sie schloss die Augen und lauschte auf Annies gleichmäßiges, beruhigendes Fegen. Es erinnerte sie daran, wie oft sie mit einem Bilderbuch auf der Couch gesessen hatte, während ihre Mutter das Haus putzte.

Bevor sie es sich versah, kamen ihr Laute über die Lippen. Ein leises »Sssk-sssk«, genau das Geräusch, das der Besen verursachte.

Izzy riss die Augen auf. Es schockierte sie, nach so langer Zeit ihre eigene Stimme zu hören. Auch wenn es keine richtigen Worte waren, die Laute stammten von *Izzy*. Sie hatte angenommen, dass ihre Sprache ebenso vertrocknet und *verschwunden* war wie ihr Arm und die Finger der anderen Hand. Sie war nicht absichtlich verstummt, nur eines Tages nach einem Besuch beim Arzt hatte sie den Mund aufgemacht, aber nichts war herausgekommen. Kein einziger Ton.

Das war schrecklich gewesen, vor allem, als sie feststellte, dass sie nichts daran ändern konnte. Danach hatte jedermann sie behandelt wie ein Baby und so getan, als könnte sie auch nichts mehr hören. Sie musste weinen über die Art und Weise, wie alle sie ansahen, aber selbst ihr Weinen war nicht zu hören.

Doch Annie war anders. Annie sah Izzy nicht an, als wäre sie eine kaputte Puppe, die in den Müll gehörte.

Annie sah sie genauso an, wie früher ihre Mommy und ihr Daddy.

Izzy lächelte, und da war es wieder, dieses Geräusch. Leise, kaum lauter als ihre Atemzüge. »Sssk-sssk-sssk.«

10. Kapitel

Das Kreisgericht war vor hundert Jahren erbaut worden, als die Holzindustrie in Mystic in voller Blüte stand, als gewaltige Stapel geschlagener Stämme darauf warteten, auf Güterwagen verladen zu werden, und jedermann ein gesichertes Auskommen hatte. Das imposante Gebäude aus handbehauenen, grauen Steinquadern stand inmitten einer gepflegten Rasenfläche. Azaleen und Rhododendren säumten die Backsteinwege. Eine Staatsflagge von Washington flatterte im Frühlingswind.

Nick lehnte sich gegen eine der mächtigen Steinsäulen, die das Eichenportal flankierten, und blätterte in seinem Notizbuch. Er informierte sich über Einzelheiten einer Festnahme, die vor mehr als einem Monat stattgefunden hatte. Aussagen gehörten zu seinem Job, waren jedoch etwas, das er nicht gern tat, besonders nicht vor dem Familiengericht, wo sich für gewöhnlich das ganze Elend zerrütteter Familien enthüllte.

Heute ging es um Gina Piccolo. Er kannte Gina, seit sie ein kleines Mädchen war. Er erinnerte sich, dass sie vor wenigen Jahren an der High-School die Hauptrolle in *Oklahoma* gespielt hatte. Ein kluges, sonniges Mädchen mit pechschwarzen Haaren und strahlenden Augen. Aber das war einmal. Mit vierzehn hatte sie sich mit der falschen Clique zusammengetan, und nun war sie kein sonniges Mädchen mehr, sondern eine rebellische Halbwüchsige, die ein wüstes Mundwerk hatte und sich immer wieder in Schwierigkeiten brachte. Ihre Eltern waren außer sich vor Sorge, und es trug nicht gerade zu deren

Beruhigung bei, dass sie sich seit kurzem mit einem siebzehnjährigen Jungen traf.

Und nun war Nick hier, um vor Gericht eine Bewertung über Gina abzugeben. Er sah auf seine Uhr. Noch zehn Minuten bis zum Beginn der Sitzung. Wieder blickte er in seine Notizen, fand es aber schwer, sich zu konzentrieren.

Seit vier Tagen schlug er sich mit einem Problem herum – seit dem Moment, an dem Annie Bourne wieder in sein Leben getreten war.

Izzy machte bereits Fortschritte. Natürlich sprach sie noch immer nicht, dennoch bemerkte Nick Veränderungen. Sie nahm wieder Anteil, hörte zu, lächelte – und das aus offenkundigen Gründen.

Annie war aber auch verdammt umgänglich, anregend, belebend. Und genau darin lag das Problem – zumindest für Nick. Die Erinnerung an ihren Abend am See ging ihm nicht mehr aus dem Kopf. Annie faszinierte ihn – die Art, wie sie beim Lächeln die Augen zusammenkniff, wie sie sich nicht mehr vorhandene Haarsträhnen hinters Ohr streichen wollte, wie sie hilflos mit den Schultern zuckte, wenn sie etwas verpatzt hatte.

Meistens wagte er es nicht einmal, sie anzusehen – aus Furcht, sie könnte das Verlangen in seinen Augen bemerken.

Seufzend klappte er sein Notizbuch zu, betrat das Gericht und lief zum Sitzungssaal 6.

Gina wartete neben der Tür. Sie trug sackförmige schwarze Jeans und einen übergroßen schwarzen Sweater, der ihr fast bis zu den Knien reichte. Ihre schwarzen Haare waren von purpurnen und pinkfarbenen Strähnen durchzogen, und in ihrer Nase steckte ein Silberring.

Als sie ihn sah, verzog sie das Gesicht. »Verpiss dich, Delacroix«, fauchte sie. »Du bist doch nur hier, um mich ins Heim sperren zu lassen.«

Woher kam nur dieser Zorn, diese unbändige Rebellion? Er seufzte. »Ich bin hier, um Judge McKinley zu erzählen, was sich am sechsundzwanzigsten Februar ereignet hat.«

»Als würden Sie das wissen – oder ich. Man hat mich geleimt. Es war nicht mein Schnee.«

»Du meinst, jemand hat es dir in die Tasche gesteckt?«

»Exakt.«

»Okay, wenn du Lügen erzählen willst ... Aber Ehrlichkeit wäre sehr viel klüger.«

Sie schlug sich nervös auf den Oberschenkel. »Yeah, das alte Lied. Wenn ich euch Bullen höre, wird mir schlecht.«

»Du bist noch sehr jung, Gina ...«

»Scher dich zum Teufel.«

»Und wie alle jungen Leute hältst du dich für einen Pionier, den ersten Menschen, der bisher unentdeckte Bereiche betritt. Aber ich kenne dich. Ich war dort, wo du offenbar hinwillst, und das ist kein angenehmer Ort, das kannst du mir glauben.«

»Was wissen Sie schon von der wirklichen Welt? Sie sind ein Cop ... in *Mystic*.« Sie kramte eine Zigarette hervor und steckte sie an. Dann drehte sie sich zu dem Rauchverbotszeichen hinter ihr um und grinste herausfordernd.

Nick machte eine Kopfbewegung zum Haupteingang. »Komm.«

Ohne sich umzublicken, verließ er das Gebäude. Leicht überrascht stellte er draußen fest, dass Gina ihm gefolgt war. Er setzte sich auf die oberste Treppenstufe.

Sie hockte sich einen Meter von ihm entfernt auf den Boden und verschränkte die Beine. »Und?«

»Als ich so alt war wie du, habe ich auf der Straße gelebt.«

Sie schnaubte verächtlich. »Na klar. Und ich bin eins von den Spice Girls.«

»Meine Mutter war Alkoholikerin, die sich für Schnaps prostituierte. Ein herrliches Leben, aber nicht ungewöhnlich für eine Süchtige ohne Schulabschluss. Sie verließ die Schule mit sechzehn, als sie mit mir schwanger wurde. Mein Vater ließ sie fallen wie eine heiße Kartoffel, und eine Familie, die sie unterstützt hätte, gab es nicht.«

Gina rührte sich nicht. Schlaff hing die Zigarette zwischen

ihren schwarz geschminkten Lippen. »Unsinn«, sagte sie, aber nicht sonderlich überzeugt.

»Eine Wohnung konnten wir uns nicht leisten. Eine weitere Folge der Abhängigkeit. Sie nimmt dir dein Geld, dann deinen Willen und deinen Stolz. Schon bald macht es dir nichts mehr aus, dass du in einem alten Chevy Impala lebst und dein Sohn keinen Wintermantel hat. Für dich zählt nur der Alkohol oder der Stoff. Du wirst unter Zeitungen auf einer Parkbank schlafen und nicht einmal merken, dass du frierst oder dich von oben bis unten bekotzt.«

»Sie wollen mir doch nur Angst machen.«

»Damit hast du verdammt Recht, Gina. Die Straße, auf der du inzwischen bist, hat drei Ziele: eine Parkbank, eine Gefängniszelle oder einen Sarg. Überleg es dir gut.«

Sie hob den Kopf, blickte ihn an, und er sah, dass sie Angst hatte. Einen Moment lang glaubte er, sie würde sich helfen lassen.

Komm, Gina, dachte er. Du schaffst es, wenn du dir ein bisschen Mühe gibst. Er zog eine Karte aus der Tasche und gab sie ihr. »Ruf mich an. Jederzeit.«

»Ich …«

»Hey, Gino, was quatschst du da mit dem Bullen?«

Gina ließ die Karte mit Nicks Telefonnummer fallen und sprang hastig auf die Füße. Sie drehte sich um und winkte dem Jungen mit schlammgrünen Haaren zu, der die Treppe heraufgesprintet kam. Ketten klirrten an seinen Handgelenken und an seinem Gürtel, und in einer Augenbraue blitzte ein silbernes Piercing. Er schlang einen Arm um Gina und zog sie eng an sich. »Sie sind doch nur hier, damit Gina eingebuchtet wird. Ist es nicht so?«, fragte er, nahm Gina die Zigarette aus dem Mund und zog daran.

Nick blickte den Jungen an. Drew Doro war erstmals im Alter von zehn Jahren mit dem Gesetz in Konflikt geraten, als er die Garage seiner Eltern abgefackelt hatte. Vor zwei Jahren hatten diese ihn schweren Herzens aus dem Haus gewiesen. Es schien nur eine Frage der Zeit zu sein, bis er in der Jugendstrafanstalt in Monroe landete. Er war Ginas erster Freund.

»Ich bin lediglich gekommen, um dem Familienrichter meine Einschätzung mitzuteilen, Drew. Schließlich ist es kein Strafverfahren.« Nick sah Gina an. »Noch nicht.«

Gina machte einen Schritt auf Nick zu. Die Unsicherheit in ihren Augen sagte ihm, dass sie bei aller aufgesetzten Raubeinigkeit nur eine ängstliche Jugendliche war, die versuchte, in einer verworrenen Welt zurechtzukommen. »Und was wollen Sie dem Richter sagen?«

Er wünschte, er könnte ihr sagen, was sie hören wollte. »Ich werde ihm sagen, dass du für dich und andere eine Bedrohung darstellst. Du lässt mir keine andere Wahl.«

Ein Aufflackern unverhüllter Wut trat an die Stelle ihrer Verunsicherung. »Scheiße, Delacroix. Es war *nicht* mein Koks.«

Langsam stand Nick auf. »Wenn du Hilfe brauchst, Gina … Du weißt, wo du mich finden kannst.«

»Wozu sollte sie *Ihre* Hilfe brauchen?«, lachte Doro. »Sie hat jede Menge Freunde, die sie wirklich unterstützen. Sie sind doch nur ein mies bezahlter Cop in der finstersten Provinz. Gerade mal gut genug, Katzen von Bäumen zu holen. Komm, Gina.«

Nick sah ihnen nach. Er hatte nicht damit gerechnet, dass Gina auf ihn hörte. Wohl aber gehofft. Und Hoffnung war etwas, was er nicht aufgeben konnte und wollte.

Im Laufe der Jahre hatte er ähnliche Gespräche mit Dutzenden von Teenagern geführt, und keiner von ihnen war einsichtig gewesen. Nicht einer hatte sich geändert. Die meisten waren früh und auf gewaltsame Weise gestorben.

Nur einmal, dachte er bitter. Es wäre zu schön, *einmal* einen Menschen beschützen, ihn retten zu können. Ein einziges Mal.

Er sah, wie Gina vor dem Portal ihre Zigarette ausdrückte.

»Denk an die Parkbank«, rief er ihr zu.

Gina reckte nur den Mittelfinger.

Als Nick endlich heimkam, war Annie so erschöpft, dass sie

sofort nach Hause fuhr. Sie fiel in ihr Bett und sank augenblicklich in tiefen Schlaf. Aber irgendwann in der Nacht wurde sie wach und streckte die Hand nach Blake aus.

Prompt konnte sie nicht wieder einschlafen. Es war ein Symptom ihrer depressiven Stimmung, dass sie sich zwar ständig müde fühlte, aber nur selten gut schlafen konnte.

Wie üblich lag sie bis zum Morgengrauen wach und bemühte sich, nicht an das große, leere Haus am Pazifik und den Mann zu denken, der Jahrzehnte lang ein Bestandteil ihres Lebens gewesen war. Den Mann, der zu ihr gesagt hatte: *Ich liebe sie, Annie …*

Sie ging in die Küche, aß ein Schüsselchen Cornflakes, ging wieder ins Bett und rief Natalie an. Sie hörte ein paar Minuten lang zu, was ihre Tochter aus London zu berichten hatte, und erzählte ihr dann, dass sie nach Mystic gefahren war. »Um Hank wiederzusehen und einem alten Freund ein bisschen zu helfen«, setzte sie hinzu.

»Und was sagt Daddy?«

Annie zwang sich zu einem Lachen, aber es klang selbst in ihren Ohren falsch. »Du kennst doch Dad. Er will vor allem, dass ich glücklich bin.«

»Wirklich?«

Bei dieser knappen Frage, die einfach zu viel Wissen verriet, kam sich Annie unendlich alt vor. Sie plauderten noch eine gute Stunde miteinander, bis Annie sich ein wenig besser fühlte. Es tat ihr gut, mit ihrer Tochter zu sprechen, gab ihr das Gefühl, nicht nur gescheitert zu sein.

Am Ende des Gesprächs vergewisserte sie sich, dass Natalie für Notfälle Hanks Nummer hatte, und legte auf.

Dann lag sie wieder reglos unter der Decke und starrte zum Fenster, bis die Sonne aufging und die Schatten der Nacht vertrieb.

Der Gedanke an Izzy gab ihr die Kraft zum Aufstehen. Das Kind war zu einer Art Lebensaufgabe für sie geworden. Izzy berührte etwas ganz Tiefes und Elementares in Annie, und es bedurfte keines teuren Psychiaters, um zu erkennen, was.

Wenn Annie in Izzys braune, verschreckte Augen blickte, sah sie sich selbst.

Sie kannte den Schicksalsschlag, der Izzy getroffen hatte. Es ist in jedem Alter schwer, die Mutter zu verlieren, doch für ein Kind verändert es alles. In den Jahren nach dem Tod ihrer Mutter hatte Annie gelernt, über ihren Verlust zu sprechen wie über das Wetter. »Meine Mutter starb, als ich noch sehr jung war … Sie ist ganz plötzlich verschieden … Ein Unfall … Ich erinnere mich kaum an sie.« Manchmal machte es ihr nichts aus, darüber zu reden, und dann wieder konnte sie vor Trauer kaum atmen. Manchmal, wenn sie ein bestimmter Parfumduft anwehte, wenn sie frisch gebackene Kekse roch oder einen alten Beatles-Song im Radio hörte, begann sie zu schluchzen wie ein kleines Kind.

Mutterlos.

Drei kleine Silben, und doch verbarg sich hinter ihnen eine namenlose Trauer, eine nie aufhörende Sehnsucht nach Zärtlichkeiten, die unerfüllt blieb, nach Ratschlägen, die nie gegeben wurden. Es gab kein Wort, das den Verlust einer Mutter wirklich beschreiben konnte. Nicht in Annies Vokabular und bestimmt auch nicht in Izzys. Kein Wunder, dass das Mädchen verstummt war.

Das alles wollte sie Nick sagen, ihm erklären, was Izzy empfinden musste, aber immer, wenn sie den Mund öffnen wollte, überkam sie ein Gefühl von Anmaßung. Wenn sie in Nicks blaue Augen blickte, sein vor der Zeit ergrautes Haar sah, wusste sie, dass er das alles nur zu gut verstand.

Ihr Miteinander war von Verlegenheit geprägt, Unsicherheit. Die Erinnerung an ihre leidenschaftliche Zärtlichkeit verließ Annie nie, und wenn ihre Unterhaltung die Gefahr signalisierte, auf ein allzu privates, intimes Gleis zu geraten, stellte sie fest, dass sie kaum atmen konnte. Er schien in ihrer Gegenwart ähnlich gehemmt, und so umkreisten sie einander meistens mit nichts sagendem Lächeln und belanglosen Bemerkungen.

Aber langsam schien es besser zu werden. Gestern, als Izzy

ihr Frühstück aß, hatten sie nebeneinander am Küchentresen gestanden, Kaffee getrunken und es schließlich tatsächlich gewagt, von *früher* zu reden. Irgendwann mussten beide wirklich lächeln.

Dieser kurze Moment wiedererweckter Freundschaft hatte Annie neue Zuversicht gegeben. Eine halbe Stunde früher als sonst parkte sie neben dem Beauregard House. Sie griff nach den Croissants, die sie auf dem Herweg gekauft hatte, und den Überraschungen für Izzy, stieg aus und klopfte laut an die Haustür.

Sie musste eine Weile warten, aber schließlich öffnete Nick die Tür. Er trug einen grauen, schmuddeligen Jogginganzug und sah sie mit blutunterlaufenen Augen an.

Annie streckte ihm die Tüte mit den Croissants entgegen. »Hier. Sozusagen frisch aus dem Ofen.«

Er trat zur Seite, um sie einzulassen, und Annie sah, dass er leicht schwankte. »Ich habe keinen Appetit. Aber vielen Dank.«

Sie folgte ihm ins Haus. Er verschwand im Bad und kam ein paar Minuten später in seiner Uniform wieder heraus. Die grauen Haare hatte er sich glatt aus dem Gesicht gekämmt und sah krank und hinfällig aus. Die Falten unter seinen Augen wirkten wie eingemeißelt.

Ohne nachzudenken, streckte sie die Hand aus und befühlte seine Stirn. »Vielleicht solltest du heute zu Hause bleiben ...«

Er erstarrte, und Annie bemerkte, wie ihn die intime Geste verstörte. Hastig ließ sie die Hand sinken und spürte, wie sie errötete. »Entschuldige. Das hätte ich nicht ...«

»Schon gut«, sagte er leise. »Ich habe nur schlecht geschlafen, das ist alles.«

Fast hätte sie etwas gesagt, ihm ein Gespräch über emotionale Befindlichkeiten aufgedrängt. Aber stattdessen wechselte sie das Thema. Es war besser, sich ausschließlich auf Izzy zu konzentrieren. »Wirst du heute Abend zum Essen da sein?«

Er wandte den Blick ab, und sie wusste, dass er an gestern und vorgestern dachte. An beiden Abenden hatte er sich verspätet. »Mein Dienstplan ...«

»Izzy würde sich sehr freuen.«

»Glaubst du, das wüsste ich nicht?« Er blickte sie wieder an, und die Verzweiflung in seinen Augen griff ihr ans Herz.

»Tut mir Leid …«

Er schüttelte den Kopf und hob eine Hand, als wollte er sie zum Schweigen bringen. »Ich werde pünktlich sein«, sagte er und verließ das Haus.

Ihr Zusammensein gewann eine Art behaglicher Routine. Annie kam morgens und verbrachte den Tag mit Izzy, spielte mit ihr, las ihr etwas vor, oder sie unternahmen Spaziergänge im Wald. Am späten Nachmittag bereitete sie das Abendessen vor, und danach beschäftigten sie sich mit Brettspielen oder sahen Videos, bis es Zeit zum Schlafengehen war.

Jeden Abend brachte Annie Izzy zu Bett und gab ihr einen Gutenachtkuss.

Nick tauchte für gewöhnlich erst gegen neun Uhr auf, seine Uniform roch nach Zigarettenqualm, sein Atem nach Alkohol. Obwohl er fast jeden Morgen versprach, pünktlich zum Essen zu kommen, schaffte er es nie.

Annie war es inzwischen leid, immer neue Entschuldigungen für ihn zu erfinden. Auch heute würde seine kleine Tochter wieder ohne einen Gutenachtkuss von ihrem Vater einschlafen müssen.

Sie blickte zu Izzy hinüber, die seit einer halben Stunde am Fenster stand, in die Dunkelheit hinaussah und zweifellos darauf wartete, dass der Streifenwagen ihres Vaters endlich auftauchte.

Sie kniete sich neben Izzy auf den Dielenboden. »Als ich ein kleines Mädchen war, ist meine Mutter gestorben«, begann sie leise. »Das machte mich und meinen Dad lange Zeit sehr, sehr traurig. Immer wenn mein Vater mich sah, musste er an meine Mom denken, und der Schmerz brachte ihn dazu, mich gar nicht mehr anzusehen.«

Izzys Augen füllten sich mit Tränen. Ihr Mund begann zu zittern, und sie biss sich schnell auf die Unterlippe.

Annie streckte die Hand aus und tupfte ihr eine Träne mit der Fingerspitze von der Wange. »Aber irgendwann kümmerte sich mein Dad wieder um mich. Es dauerte eine Weile, aber mein Vater überwand seine Trauer, weil er mich lieb hatte. Genau wie dein Dad dich.«

Annie wartete auf Izzys Reaktion. So lange, bis ihr Wunsch spürbar wurde. Dann stand sie lächelnd auf. »Komm, mein Schatz. Lass uns zu Bett gehen.« Sie ging auf die Treppe zu.

Izzy lief ihr nach, und Annie verlangsamte ihre Schritte. Auf halber Treppe drängt sich Izzy näher an sie heran und schob ihre Hand zwischen Annies Finger. Es war das erste Mal, dass das kleine Mädchen sie berührte.

Sanft drückte Annie die kleinen Finger. *So ist es richtig, Izzy, streck die Hand aus und halt dich an mir fest ... Ich lasse dich nicht fallen ...*

Nachdem sich Izzy die Zähne geputzt hatte, knieten beide vor dem Bett nieder. Annie sprach ein Nachtgebet, hob Izzy ins Bett und küsste sie auf die Stirn. Nachdem sie die Decke um das Kind festgestopft hatte, ging sie zum Schaukelstuhl vor dem Fenster und setzte sich.

In regelmäßigen Abständen pochten die Kufen des Stuhls auf den Boden. Annies Blick flog zum Fenster hinaus, über den mondbeschienenen See. Sie lauschte auf die ruhigen Atemzüge des Kindes.

Wie so oft erinnerte dieses abendliche Ritual Annie an ihre eigene Kindheit. Nach dem Tod ihrer Mutter war sie zu klein gewesen, um mit ihrer Trauer ins Reine zu kommen. Von einer Minute zur anderen wurde aus ihrer von Liebe und Freude erfüllten Welt eine trostlose Öde. Sie konnte sich noch gut an ihre Angst erinnern, als sie ihren Vater weinen sah.

Irgendwie hatte das ihr ganzes weiteres Verhalten geprägt. Sie war ein braves Mädchen geworden, das niemals weinte, sich nie beklagte, nie unbequeme Fragen stellte.

Annie hatte Jahre gebraucht, um wirklich trauern zu können. Als sie dann Mystic verließ, war das erste Jahr unvorstellbar einsam gewesen. Stanford erwies sich als ungeeigneter Ort für die Tochter eines Sägewerkarbeiters. Zum ersten Mal wurde ihr bewusst, dass sie aus einer ungebildeten, armen Familie stammte.

Nur ihre Liebe zu Hank ließ sie ihre Studienzeit ertragen. Sie wusste, wie viel es ihm bedeutete, dass sie als erste Bourne ein College besuchte. Daher hatte sie entschlossen die Zähne zusammengebissen, aber die Einsamkeit war oft überwältigend gewesen.

Und dann, als sie eines Tages ihr Auto startete, hatten die Motorengeräusche etwas in ihr ausgelöst. Die Erinnerung kam so unerwartet wie ein Schneesturm im Juli. Plötzlich hatte sie das Gefühl, ihre Mutter säße neben ihr, und Annies Volkswagen wurde zu dem alten Kombi, den sie früher einmal besaßen. Sie wusste nicht mehr, wohin sie hatten fahren wollen oder worüber sie sprachen, und voller Schmerz erkannte sie, dass sie sich nicht einmal an den Klang der Stimme ihrer Mutter erinnern konnte. Je mehr sie sich bemühte, in ihrem Gedächtnis zu graben, desto vager und verschwommener wurde die Erinnerung.

Bis zu diesem Augenblick hatte Annie in ihrer Naivität angenommen, den Tod ihrer Mutter überwunden zu haben, doch nun – zehn Jahre nachdem der Sarg ihrer Mutter in die Erde gesenkt worden war – brach sie zusammen. Sie weinte um die entgangenen Zärtlichkeiten, die Gutenachtküsse, die spontanen Umarmungen. Am meisten trauerte sie um den Verlust ihrer Kindheit, die an einem verregneten Tag abrupt endete und aus ihr eine Erwachsene in einem Kinderkörper machte, die wusste, dass das Leben ungerecht war und einem die Liebe das Herz brechen konnte, dass nichts schlimmer sein konnte, als nach dem Tod eines geliebten Menschen allein zurückbleiben zu müssen.

Sie brauchte Tage, um ihre Trauer zu bewältigen, und selbst dann war ihre Ruhe ein hauchdünnes Gewebe, das jederzeit reißen konnte. Und so überraschte es nicht, dass sie sich bald darauf verliebte. Sie war die personifizierte Einsamkeit gewesen und die Sorge für andere die einzige Möglichkeit, ihre innere Leere zu füllen. Als sie Blake kennen lernte, überschüttete sie ihn mit der ganzen in ihr aufgestauten Liebe und Sehnsucht.

Zögernd erhob sich Annie aus dem Schaukelstuhl und trat auf Zehenspitzen ans Bett. Izzy schlief friedlich, und Annie fragte sich, ob sie von Kathy träumte – dieser Segen war Annie nur sehr selten beschieden.

Als sie die Treppe hinunterlief, klingelte das Telefon. Sie rannte schnell die letzten Stufen hinunter und nahm nach dem dritten Rufton den Hörer ab. »Nick?«

Ein paar Sekunden herrschte Schweigen in der Leitung, dann wiederholte eine Frauenstimme: »*Nick?*«

Unwillkürlich verzog Annie das Gesicht. »Hi, Terri.«

»Oh, nun tu nicht so, als wäre dies ein ganz normales Gespräch. Wer zum Teufel ist Nick? Und wo bist du eigentlich? Ich habe Hank angerufen, und er nannte mir diese Nummer.«

Annie sank auf die Couch und zog die Beine an. »Ich hüte nur die kleine Tochter eines alten Freundes, und er ist noch nicht nach Hause gekommen.«

»Und ich hatte fest gehofft, du würdest dich ändern. Ein bisschen wenigstens.«

»Was meinst du damit?«

»Du hast die letzten zwanzig Jahre deines Leben mit Warten verbracht. Und jetzt wartest du schon wieder auf einen Mann? Das ist doch bescheuert.«

Es war tatsächlich bescheuert. Annie ärgerte sich, das nicht selbst erkannt zu haben. Plötzlich machte es sie zornig, dass sie sich von Nick das Gleiche gefallen ließ wie von Blake. Ausflüchte und Lügen. »Offenbar glauben Männer, die ich liebe, mich warten lassen zu können.«

»Nun, das beantwortet die Frage, die ich als nächstes stellen wollte. Aber was …?«

»Entschuldige, Terri, aber ich bin in Eile. Ich rufe dich später an.« Terri wandte irgendetwas ein, aber darauf hörte Annie schon gar nicht mehr. Sie legte auf und wählte eine andere Nummer.

Nach dem zweiten Klingeln kam Lurlene an den Apparat. »Hallo?«

»Lurlene? Hier Annie …«

»Ist alles in Ordnung?«

»Ja, aber Nick ist noch nicht zu Hause.«

»Wahrscheinlich genehmigt er sich in Zoe's Bar einen Drink – oder zehn.«

Annie nickte. Das deckte sich mit ihrer Vermutung. »Könnten Sie vielleicht eine Stunde auf Izzy aufpassen? Ich möchte zu ihm, mit ihm reden.«

»Das wird ihm aber gar nicht gefallen.«

»Egal. Ich tue es trotzdem.«

»In zehn Minuten bin ich bei Ihnen.«

Nachdem sie den Hörer aufgelegt hatte, lief Annie noch einmal die Treppe hinauf und sah nach Izzy. Danach lief sie im Wohnzimmer ungeduldig auf und ab. Genau zehn Minuten später tauchte Lurlene auf. Sie trug einen pinkfarbenen Chenille-Bademantel und knallgrüne Clogs.

»Hier bin ich«, sagte sie leise und trat ein.

»Vielen Dank«, sagte Annie und griff nach ihrer Tasche. »Es dauert bestimmt nicht lange.«

11. Kapitel

Einen Moment lang blieb Annie zögernd vor *Zoe's Hot Spot Tavern* stehen. Zwei oder drei Buchstaben der Neonbeleuchtung flackerten und surrten leise.

Sie klemmte sich ihre Handtasche unter den Arm und trat ein. Die Kneipe war größer, als sie angenommen hatte, ein rechteckiger Raum mit einer langen Holztheke an der rechten Wand. Hinter dem Tresen beleuchteten bläuliche Neonröhren riesige Spiegel. Brauereifirmenzeichen flackerten in Blau, Rot und Gold. Auf den Barhockern saßen Männer und Frauen, tranken, rauchten und unterhielten sich. Hin und wieder hörte Annie, dass Gläser auf den Tresen gestellt wurden.

Ganz hinten im Raum standen zwei Poolbillardtische. Umgeben von Zuschauern beugten sich Spieler über das grüne Filztuch. Einer landete einen guten Treffer, und scheppernd verschwanden die Kugeln im Loch.

Annie drückte sich an der Wand entlang, bis sie Nick entdeckte. Er saß an einem Ecktisch. Sie drängte sich durch die Gäste auf ihn zu.

»Nick?«

Er hob den Kopf und sprang hoch. »Ist etwas mit Izzy?«

»Ihr geht es gut. Sie schläft.«

»Gott sei Dank.«

Nick wich vor ihr zurück, stolperte und sackte tiefer auf seinem Stuhl. Er griff nach seinem Glas und leerte es mit einem Schluck. »Verschwinde, Annie. Ich möchte ...«

Sie setzte sich neben ihn. »Was willst du?«

Er sprach so leise, dass sie ihn kaum verstehen konnte. »Ich will nicht, dass du mich so siehst.«

»Weißt du, dass Izzy jeden Abend auf dich wartet? Sie sitzt neben der Haustür, bis sie kaum noch die Augen offen halten kann, und wartet darauf, endlich deine Schritte zu hören.«

»Hör auf, Annie. Tu mir das nicht an …«

Mitleid mit ihm ergriff sie, aber sie konnte nicht aufhören. Nicht, nachdem sie endlich den Mut gefunden hatte, ihm die Meinung zu sagen. »Geh endlich nach Hause, Nick. Kümmere dich um deine kleine Tochter. Die Zeit mit ihr geht unglaublich schnell vorbei. Machst du dir nicht klar, dass du schon bald ihre Sachen packst, um dann zusehen zu müssen, wie sie irgendein Flugzeug besteigt?«

Traurig und verzweifelt sah er sie an. »Ich bin dafür nicht geschaffen, Annie. Weißt du das denn nicht? Großer Gott, ich bin ein Versager, ich kann für niemanden sorgen, niemand beschützen.« Abrupt stand er auf. »Aber ich werde nach Hause fahren und so tun, als könnte ich es. Schließlich halte ich es so nun schon seit acht Monaten.« Ohne sie anzusehen, warf er zwanzig Dollar auf den Tisch und verließ die Bar.

Annie rannte ihm nach und überlegte die ganze Zeit, was sie sagen sollte. Am Straßenrand blieb er endlich stehen und drehte sich zu ihr um. »Tust du mir einen Gefallen?«

»Jeden.«

Ein Schatten flog über sein Gesicht, und Annie fragte sich flüchtig, warum er befürchtet hatte, sie würde ablehnen. Fiel es ihm so schwer zu glauben, dass sie ihm helfen wollte?

»Fährst du mich nach Hause?«

»Selbstverständlich.« Sie lächelte.

Am nächsten Morgen war Annie eine Stunde früher als sonst am Beauregard House. Sie öffnete die unverschlossene Tür und lief leise die Treppe hinauf. Sie sah bei Izzy hinein, die noch fest schlief.

Dann öffnete sie die Tür des Schlafzimmers. Es war leer. Sie ging den Flur entlang zum Gästezimmer.

Die Vorhänge waren zugezogen, kein Licht drang in den Raum. An einer Wand stand ein altmodisches Himmelbett. Auf ihm konnte sie Nicks schemenhafte Umrisse ausmachen.

Sie hätte wissen müssen, dass er aus dem Schlafzimmer ausgezogen war.

Es kam ihr gefährlich vor, diesen Raum zu betreten, in dem sie nichts zu suchen hatte, aber sie konnte nicht anders. Sie ging zum Bett und blickte auf ihn hinab. Im Schlaf sah er jung und unschuldig aus, wie der Junge, den sie einst gekannt hatte, nicht wie der Mann, dem sie kürzlich wiederbegegnet war.

Sie lauschte seinen Atemzügen, und plötzlich erinnerte sie sich daran, wie sehr sie ihn einmal geliebt hatte …

Bis sie eines Abends sah, wie er Kathy küsste.

»Sie braucht mich, Annie. Siehst du das nicht ein?«, hatte er später gesagt. »Wir passen zusammen.«

»Wir passen auch zueinander, Nick …«

»Nein.« Er hatte ihr so zart über ihre Wange gestrichen, dass sie in Tränen ausbrach. »Du brauchst keinen Jungen wie mich, Annie Bourne. Im Herbst gehst du nach Stanford. Dir steht die ganze Welt offen …«

»Was machst du denn so früh hier?«

Überrascht merkte Annie, dass er wach war und sie ansah. »Ich … Ich dachte, du würdest mich vielleicht brauchen.«

Stirnrunzelnd setzte er sich auf. Die Decke glitt von seinem Oberkörper und enthüllte eine schwarz behaarte Brust.

Sie wartete darauf, dass er etwas sagte, aber er schloss nur schweigend die Augen. Sein Teint sah wächsern aus, ein Eindruck, den die wirren Haare und schwarzen Wimpern noch verstärkten. Ein feiner Schweißfilm stand auf seiner Stirn und der Oberlippe.

Sie zog sich einen Stuhl neben das Bett und setzte sich. »Wir müssen miteinander reden, Nick.«

»Aber nicht jetzt.«

»Du musst dich mehr um Izzy bemühen.«

Endlich sah er sie an. »Ich weiß nicht, wie ich ihr helfen kann, Annie. Sie macht mir Angst.« Er sagte es leise, gequält.

»Ich ziehe nach der Arbeit los, um mit den Kollegen ein Gläschen zu trinken, aber dann muss ich daran denken, wie es ist, in ein leeres Haus zu kommen, zu meiner stummen Tochter, und aus einem Drink werden zwei …«

»Wenn du mit dem Trinken aufhören würdest, ginge es dir besser.«

»Nein. Ich hab den Frauen, die ich liebe, nie Gutes gebracht. Da hättest du nur Kathy zu fragen brauchen.«

Annie kämpfte gegen den Drang an, ihm die Haare aus dem Gesicht zu streichen, ihm auf irgendeine Weise zu zeigen, dass er nicht so allein war, wie er sich fühlte. »Du konntest ihr nicht helfen, Nick.«

Er seufzte leise. »Ich möchte lieber nicht darüber sprechen. Es geht mir nicht gut. Ich muss …«

»Izzy liebt dich, Nick. Ich kann deine Trauer nachempfinden, soweit das einem Außenstehenden möglich ist, aber ein Kind zu haben ist ein großes Geschenk. Du bist Izzys Vater. Du hast einfach kein Recht, dich gehen zu lassen. Sie braucht einen starken Vater. Aber vor allem braucht sie dich *hier*.«

»Das weiß ich auch«, sagte er zögernd, und die Verzweiflung in seiner Stimme entging ihr nicht. »Am Freitagabend bin ich pünktlich zu Hause. Betrachte es als einen Anfang zum Besseren, okay? Ist es das, was du von mir willst?«

Annie wusste schon jetzt, dass er auch dieses Versprechen brechen würde. Nick hatte das Vertrauen in sich selbst verloren, und ohne das trieb er orientierungslos durch ein sturmgepeitschtes Meer und wartete darauf, von der nächsten Woge verschlungen zu werden.

»Es kommt nicht darauf an, was *ich* von dir erwarte, Nick«, antwortete sie leise, und die tiefe Traurigkeit in seinen Augen sagte ihr, dass er sie verstand.

Wenn sich Izzy große Mühe gab, konnte sie die Anwesenheit ihres Vaters spüren. Sein Geruch lag in der Luft, dieser rauchige Geruch, der Izzy das Gefühl gab, weinen zu müssen.

Sie drückte Miss Jemmie an die Brust und lief auf den Korridor. In Daddys neuem Schlafzimmer hörte sie Stimmen, und eine Sekunde lang hörte es sich an, als wäre das Furchtbare gar nicht geschehen.

Aber es war nicht ihre Mutter, die da drinnen sprach.

Mommy war bei den Engeln, und von dort kam niemand wieder zurück. Das hatte ihr Vater ihr erzählt.

Sie lief über den schummrigen Flur und die Treppe hinunter. In der Vase auf dem Tisch standen frische Blumen, und die Fenster waren geöffnet. Ihrer Mommy hätte gefallen, wie sauber und hübsch alles aussah.

Izzy öffnete die Haustür und trat auf die Veranda hinaus. Über den Wipfeln der Bäume lag ein rosiger Schein, und Izzy wusste, dass es wieder ein klarer, sonniger Tag werden würde. Doch noch lag nebliger Dunst über dem See, waberte zwischen den Stämmen der Bäume. Ihr Herz begann schneller zu klopfen, und das Atmen fiel ihr schwer.

Vorsichtig blickte sie sich um, ob sie auch niemand beobachtete, und lief die Verandastufen hinab. In den Zweigen eines alten, mächtigen Baumes zwitscherten Vögel, als sie über das taunasse Gras lief.

Neben ein paar Sträuchern blieb sie stehen und lauschte angestrengt in den Dunst. Mommy?

Und nach ein paar Minuten hörte sie etwas, die leise, hauchzarte Antwort ihrer Mutter.

Na, mein Izzy-Bär. Wie geht es dir?

Intensiv starrte Izzy in den Dunst, und endlich, endlich sah sie die Umrisse einer Frau mit blonden Haaren.

Ich verschwinde, Mommy. Genau wie du …

Ihre Mutter seufzte so leise, dass es klang wie ein Windhauch. Izzy spürte, wie sie ihr sanft über die Haare strich. *Oh, Izzy-Bär …*

Zum ersten Mal schien ihre Mutter nicht froh zu sein, sie zu sehen. Izzy starrte in den Nebel, bis sie die blauen Augen ihrer Mutter im grauen Dunst erkennen konnte. Aber Tropfen fielen aus diesen Augen, groß und rot wie Blut. *Es fällt mir immer schwerer, dich zu besuchen, Izzy …*

Izzys Angst schnürte ihr fast die Kehle zu. Aber ich gebe mir doch so große Mühe, zu dir zu kommen ...

Wieder spürte Izzy die Hand ihrer Mutter im kühlen Windzug, der ihre Wangen berührte. *Das ist unmöglich, Izzy-Bär. Du kannst mir nicht folgen ...*

Tränen traten in Izzys Augen, ließen alles vor ihr verschwimmen. Energisch blinzelte sie die Tränen fort.

Die Dunstschwaden gerieten in Bewegung, wichen von ihr fort.

Izzy wollte ihnen nachlaufen, folgte ihnen bis zum Ufer des Sees. Geh nicht fort, Mommy. Ich werde auch ganz brav sein. Ich verspreche, ganz lieb zu sein. Ich räume mein Zimmer auf, putze mir die Zähne und gehe abends sofort ins Bett ... Mommy, bitte ...

Doch die Sonne ging über dem See auf und vertrieb den Dunst, bis nichts mehr davon übrig war.

Izzy sank auf den harten Kies am Ufer und weinte bitterlich.

Nick schwankte aus dem Gästezimmer. Es hatte ihn eine kleine Ewigkeit gekostet, seine Uniform anzuziehen. Als er die Treppe erreichte, hielt er sich mit einer Hand am Geländer fest, um nicht zu stürzen.

Sein Körper fühlte sich an wie gerädert. Schweiß stand auf seiner Stirn, rann ihm kalt den Rücken hinunter.

Es kam ihm wie ein Wunder vor, dass er die Stufen bewältigte, ohne zusammenzubrechen oder sich übergeben zu müssen. Als er unten angekommen war, schloss er die Augen und atmete tief durch, um die Übelkeit zu verdrängen.

Als er sich wieder gefasst hatte, sah er, wie sehr sich sein Haus durch Annies Bemühungen verändert hatte. Im Kamin knisterte ein Feuer, die beiden Ledersessel waren offensichtlich gereinigt und standen nun neben der Couch, und der Tisch zwischen ihnen schimmerte in einem herrlichen Rotbraun. Darauf stand ein Silberkrug mit weißen Blüten und Farnwedeln.

Früher hatte er davon geträumt, einen solchen Raum zu haben, er hatte ihn sich immer voller Lachen und Zärtlichkeit vorgestellt – nicht mit dem bedrückenden Schweigen und den Ausbrüchen, die Kathy plötzlich überkamen.

Mit einem tiefen Seufzer ließ er das Treppengeländer los.

Und in diesem Moment entdeckte er Izzy. Sie stand vor dem großen Fenster, das auf den See hinausführte. Sonnenstrahlen umgaben ihren Kopf wie ein Heiligenschein. Die Zeit machte einen Sprung rückwärts, und das Kind sah wieder aus wie früher. Wie eine Porzellanpuppe in hübschen Kleidern und mit Seidenbändern in den Zöpfen.

Mit großen Augen blickte sie ihm entgegen.

»Hey, Izzy«, sagte Nick und versuchte zu lächeln. »Du siehst wunderschön aus.«

Sie blinzelte kurz, rührte sich aber nicht.

Er fuhr sich mit der Zunge über die trockenen Lippen. Ein Schweißtropfen rann ihm über die Schläfe.

In diesem Moment kam Annie mit einer Kanne Kaffee aus der Küche. Bei seinem Anblick blieb sie wie angewurzelt stehen. »Nick! Wie schön. Du kannst mit uns frühstücken.«

Der Gedanke an Frühstück ließ seinen Magen revoltieren.

»Geh mit deinem Daddy schon mal in den Wintergarten, Izzy. Der Tisch ist schon gedeckt. Ich muss nur noch schnell einen zusätzlichen Teller holen.«

Annie schien überhaupt nicht zu merken, wie übel ihm war. Sie redete ununterbrochen und sauste zwischen Wintergarten und Küche hin und her. Ihre Worte summten wie ein Bienenschwarm um seinen Kopf.

»Annie, ich …«

Aber sie würdigte ihn keines Blickes. »Hast du gehört, Izzy? Dein Vater fühlt sich nicht besonders wohl. Also hilf ihm ein bisschen.« Und schon war sie wieder verschwunden.

Mit großen Augen sah Izzy ihn an. Ihr Blick verriet Unsicherheit.

»Ich brauche keine Hilfe, Izzy. Mir geht es gut. Wirklich.«

Sie musterte ihn noch kurze Zeit unverwandt und bewegte sich dann mit kleinen Schritten auf ihn zu. Nick dachte schon, sie würde an ihm vorbeigehen, aber in letzter Minute blieb sie dicht vor ihm stehen.

Die Angst in ihren Augen ließ ihn schlucken, der verdammte schwarze Handschuh brachte ihn fast um. Annie hatte Recht. Er musste wirklich ein besserer Vater werden, konnte sein Versagen und seine Erinnerungen nicht länger mit Alkohol vernebeln. Er hatte sich endlich um seine kleine Tochter zu kümmern. »Komm, Izzy-Bär. Lass uns gehen.«

Ganz langsam legte sie ihre linke Hand in seine, und gemeinsam gingen sie auf den Wintergarten zu. Es war quälend still zwischen ihnen. Die Tochter hatte die Sprache verloren, und der Vater wusste nicht, was er sagen sollte.

Bei ihrem Eintritt strahlte Annie sie an. Eine himmelblaue Decke lag auf dem Tisch. In der Mitte stand ein Keramikkrug mit knospenden Zweigen. Rührei und Pfannkuchen dampften auf großen Platten. Neben den Tellern standen Gläser mit Milch und Orangensaft.

»Nehmt doch Platz«, sagte Annie, half Izzy auf den Stuhl und schob ihn dicht an den Tisch heran.

Nick setzte sich zögernd und war bemüht, seine bohrenden Kopfschmerzen zu ignorieren.

»Für mich bitte nur Kaffee«, murmelte er heiser. »Mir ist kotz …« Nach einem Blick auf Izzy verstummte er. »Mir geht es nicht gut. Mein Kopf dröhnt, als wollte er explodieren.«

Izzys Augen sagten ihm, dass sie wusste, woher seine Kopfschmerzen stammten. Schuldgefühle kamen in ihm hoch, vermischt mit Scham.

Nick wollte nach dem Orangensaft greifen, verfehlte ihn aber und stieß die Vase um. Die Zweige landeten auf dem Rührei, große Wasserlachen bildeten sich auf dem Tisch. Mit lautem Knall stürzte die Keramikvase auf den Boden und zerbrach.

Nick kniff die Augen zu. »Mist«, krächzte er und drückte beide Hände gegen die schmerzenden Schläfen.

»Das macht doch nichts. So ein Unglück kann jedem mal passieren. Stimmt's, Izzy?« Annie stand auf und tupfte mit ihrer Serviette das Wasser fort.

Er war schon kurz davor, Annie zu sagen, dass er lieber sofort zum Dienst fahren wolle, aber ihr Lächeln hielt ihn davon ab. Sie sah so verdammt ... hoffnungsvoll aus. Er konnte sie einfach nicht enttäuschen. Nick schluckte hart und wischte sich den kalten Schweiß von der Stirn.

Annie setzte sich wieder und teilte das Essen aus. Sich selbst häufte sie eine riesige Portion Pfannkuchen und Rührei auf den Teller.

Ungläubig sah Nick sie an. »Willst du das alles wirklich essen?«

Sie lachte. »Ich komme aus Kalifornien, das hinterlässt Spuren. Fünfzehn Jahre lang habe ich kein Ei gegessen. Aber seit kurzem esse ich wie ein Scheunendrescher. Ich bin ständig hungrig.« Noch immer lächelnd, goss sie Sirup über das Ganze und begann zu essen. Zu essen und zu reden.

Nick legte die bebenden Finger um die dicke Porzellantasse. Nach einer Weile hob er sie vorsichtig an die Lippen und trank einen Schluck. Der Kaffee beruhigte seine Nerven und ließ seine Kopfschmerzen abklingen. Schließlich lehnte er sich auf seinem Stuhl zurück und lauschte Annies Geplauder. Nach ein paar Minuten konnte er sogar ein paar Bissen essen. Und während der ganzen Zeit tat Annie so, als wären sie eine ganz normale Familie, die jeden Morgen miteinander frühstückte, und nicht ein verkaterter Vater und seine schweigende kleine Tochter.

Nick konnte seine Augen einfach nicht von Annie abwenden. Jedes Mal, wenn sie lachte, durchzuckte ihn ein seltsames Verlangen, und er begann sich zu fragen, wann Izzy zum letzten Mal gelacht hatte. Oder er.

»Ich dachte, wir könnten heute vielleicht ein paar Dinge für den Garten kaufen«, erklärte Annie vergnügt. »Es ist ein so schöner Tag, und wenn wir alle drei in die Hände spucken, haben wir den Garten innerhalb kürzester Zeit in Ordnung gebracht.«

Der Garten. Nick erinnerte sich daran, wie gern er früher draußen gearbeitet, Blumenzwiebeln gesteckt, Laub geharkt und verblühte Rosen von den stacheligen Büschen geschnitten hatte. Es war eine freudige Genugtuung für ihn, wenn etwas tatsächlich gedieh, was er gepflanzt, gegossen und gedüngt hatte. In jedem Frühjahr wartete er ungeduldig auf das Aufbrechen der Knospen, aber nicht in diesem Jahr. Er sah nur den spindeldürren, kahlen Kirschbaum, den er nach Kathys Beerdigung gepflanzt hatte.

»Was meinst du, Izzy?«, unterbrach Annie das drückende Schweigen. »Wollen wir deinen Dad dazu bringen, uns zu helfen?«

Izzy ergriff ihren Löffel mit den beiden Fingern ihrer rechten Hand und schwenkte ihn einmal durch die Luft.

Annie lächelte ihn an. »Das heißt, dass deine Tochter zusammen mit dir im Garten arbeiten möchte, Nick Delacroix. Kann sie auf dich rechnen?«

Nick hätte nur zu gern geglaubt, dass es so einfach war, mit ein paar freundlichen Worten am Frühstückstisch alles wieder gutmachen zu können. Aber so naiv war er schon lange nicht mehr. Er nickte, wusste aber, dass es nur eine vorübergehende Beschwichtigung war. Nur ein weiteres Versprechen von einem Mann, der seine Zusagen selten einhielt.

12. Kapitel

Nick saß am Ortsrand von Mystic in seinem Streifenwagen. In der Ferne ragte wie ein Berg aus dem Märchen der Mount Olympus auf, sein verschneiter Gipfel schimmerte und glänzte unter der grauen, tief hängenden Wolkendecke. Ein kalter Wind wehte abgestorbenes Laub über die Bürgersteige. Wie immer machte Mystic einen traurigen, verlassenen Eindruck. Aus dem Schornstein des Sägewerks stieg grauweißer Rauch auf, verbreitete den scharfen Geruch nach verbranntem Holz.

Früher war er gern durch die Straßen patrouilliert. Er wusste alles über die Menschen, zu deren Schutz er seinen Amtseid geleistet hatte: Wann ihre Töchter eingeschult wurden, wann ihre Söhne Bar-Mizwa feierten, wann ihre Großeltern in ein Altenpflegeheim zogen, wann ihre Jüngsten in den Kindergarten kamen. Er war immer sehr stolz darauf gewesen, wie gut er seinen Job versah. Indem er täglich nach dem Rechten sah, trug er zu ihrem Gefühl von Geborgenheit und Wohlbefinden bei.

Ihm war bewusst, dass er die wirklich wichtigen Dinge seit kurzem schleifen ließ und vernachlässigte, empfand aber Angst davor, sich wieder so wie früher darum zu kümmern. Wenn er Izzy nun wieder enttäuschte? Sie brauchte ihn dringend, und Nick hatte die Neigung, bei den Menschen, die er am meisten liebte, zu versagen. Selbst wenn er sich intensiv bemühte. Es war seine Schuld, wenn Izzy zu *verschwinden* glaubte, seine Schuld, dass sie sich nicht beschützt und geliebt fühlte. Wäre er ein besserer, stärkerer Mensch gewesen, hätte er Izzy in ihrer

Trauer beigestanden. Aber großer Gott, er konnte ja nicht einmal sich selbst helfen. Und Kathy hatte er schon gar nicht helfen können.

Es würde nicht leicht sein, wieder so zu werden wie früher, aber Annie hatte Recht. Es war höchste Zeit. Zum ersten Mal seit Monaten regte sich in ihm etwas wie Hoffnung.

Nick stieg aus dem Auto und machte die ersten behutsamen Schritte zurück in sein früheres Leben. Um ihn herum herrschte rege Betriebsamkeit, Menschen betraten Geschäfte, kamen mit Einkaufstüten und Paketen wieder heraus. Autotüren klappten auf, Hupen ertönten, Münzen verschwanden scheppernd in Parkuhren.

Jeder, der ihn sah, winkte ihm freundlich zu. Und mit jedem Gruß fühlte er sich lebendiger, mutiger. Es war fast wie früher, wie vor Kathys Tod. Als seine Uniform stets makellos sauber aussah und seine Hände niemals zitterten.

Nick ging an den Geschäften vorbei, nickte den Inhabern zu und winkte. In einem Schaufenster entdeckte er ein rosafarbenes Kleid. Genau das Richtige für Izzy. Er stieß die Ladentür auf.

Susan Frame schoss hinter der Kasse hervor. »Mein Gott, ich wage kaum, meinen Augen zu trauen.«

Er lächelte. »Hi, Susan. Lange nicht gesehen.«

Lachend schlug sie ihm auf die Schulter. »Du bist seit Ewigkeiten nicht mehr hier gewesen.«

»Yeah. Nun …«

»Und wie geht es dir so?«

»Besser. Im Fenster habe ich dieses Mädchenkleid gesehen …«

Sie schlug die molligen Hände zusammen. »O ja, das ist wirklich entzückend. Genau das Richtige für Miss Isabella. Wie alt ist sie denn inzwischen?«

»Sechs.«

»Was sagt man dazu? Ich wette, man kann zusehen, wie sie wächst. Ich habe sie nicht gesehen, seit …« Abrupt brach Susan Frame ab, griff nach seinem Arm und zog ihn in Richtung Auslagen. Sie überschüttete ihn mit einem Schwall von Worten. Nick hörte kaum hin, aber das schien ihr nichts auszumachen. Sie ahnte offenbar, wie wichtig ihm der Besuch in ihrem Geschäft war.

Susan Frame nahm das Kleid aus dem Fenster. Es war aus rosa Batist, hatte einen weißen Spitzenunterrock sowie ein mit pinkfarbenen und weißen Blumen besticktes Mieder. Es erinnerte Nick an Kathys Garten …

Komm doch heraus, Nick. Die Tulpen wollen gerade aufbrechen …

Die Erinnerung traf Nick wie ein Schlag. Er zuckte zusammen und schloss schnell die Augen. Nur nicht an sie denken …

»Nick? Alles in Ordnung?«

Er angelte einen Geldschein aus der Hosentasche und legte ihn auf die Ladentheke. »Das Kleid ist wunderschön, Susan. Packst du es mir ein?«

Sie sagte irgendwas, aber er hörte es nicht. Er dachte an Zoe's Bar und daran, dass ein kleiner Drink dieses verfluchte Zittern seiner Finger beenden würde.

»Hier. Bitte, Nick.« Sie hielt ihm eine lavendelfarbene Einkaufstüte hin. Er befeuchtete seine trockenen Lippen und versuchte zu lächeln.

Besorgt legte ihm Susan Frame eine Hand auf die Schulter. »Geht es dir auch wirklich gut, Nick?«

Er nickte, aber selbst diese kleine Geste fiel ihm unendlich schwer. »Natürlich. Mit geht es blendend. Vielen Dank.« Er nahm die Tüte und verließ den Laden.

Es hatte zu regnen begonnen. Große, dicke Tropfen fielen auf sein Gesicht. Voller Verlangen blickte er zu Zoe's hinüber.

Nein! Er würde jetzt seine Runde beenden und dann nach Hause fahren. Izzy und Annie warteten auf ihn, er wollte sie nicht enttäuschen. Er holte tief Luft, straffte die Schultern und schlenderte die Straße hinunter. Mit jedem Schritt fühlte er sich energiegeladener, besser.

Nick kehrte zu seinem Streifenwagen zurück und suchte in ihm Schutz vor dem prasselnden Regen. Er griff nach dem

Mikro, doch noch bevor er etwas sagen konnte, kam ein Notruf durch.

Ehestreit an der Old Mill Road.

»Verdammt!« Nick bestätigte den Erhalt des Notrufs, schaltete seine Sirene ein und raste los.

Als er die Zufahrt zum Wohnwagen der Weavers erreichte, sah er, dass es diesmal ernst war. Gelbe und rote Lichter schimmerten durch den Regen. Als er die holprige Straße entlangfuhr, klopfte sein Herz so heftig, dass ihm das Atmen schwer fiel.

Vor dem Trailer standen zwei Streifenwagen und eine Ambulanz.

Nick hielt an und sprang aus dem Auto. Der Erste, den er sah, war Captain Joe Nation, der Mann, der Nick vor vielen Jahren bei sich aufgenommen hatte.

Joe kam aus dem Wohnwagen und schüttelte so heftig den Kopf, dass seine langen Zöpfe hin- und herflogen. Als er Nick bemerkte, blieb er stehen.

»Was ist passiert?«, keuchte Nick außer Atem.

Nation legte eine Hand auf Nicks Unterarm. »Geh nicht da hinein, Nicholas.«

»Aber ich …«

»Du kannst nichts mehr tun. Niemand kann etwas tun.«

Nick rannte an ihm vorbei auf den Trailer zu und stieß so heftig gegen die Tür, dass sie gegen die Wand krachte.

Drinnen suchten Polizisten auf dem grünen Teppichboden nach Spuren. Nick drängte an ihnen vorbei und lief ins Schlafzimmer. Sally lag auf dem Bett. Ihr geblümtes Kleid war hoch über die dünnen Beine geschoben. Ihr Gesicht war bis zur Unkenntlichkeit mit Blut verschmiert. Aus einer Brustwunde tropfte Blut auf das zerdrückte, graue Bettzeug.

Entsetzt blickte Nick auf sie hinunter. Er wusste, dass er schwankte wie ein Baum im Sturm, konnte sich aber nicht beherrschen. Er fühlte sich in eine andere Zeit zurückversetzt, an einen anderen Ort, wo er einen ähnlich misshandelten Körper identifizieren musste.

»Verdammt noch mal, Sally«, ächzte er kaum hörbar.

Er kniete sich neben das Bett und strich ihr die verfilzten, blutigen Haare aus dem Gesicht. Ihre Haut fühlte sich noch ganz warm an, und er vermochte fast zu glauben, dass sie jeden Moment aufwachte und erklärte, es wäre alles in Ordnung.

»Rühren Sie sie nicht an, Sir«, rief jemand. »Die Spurensicherung …«

Nick ließ seine Hand sinken und stand unsicher auf. Er hätte ihr gern das Kleid über die Beine gezogen, ihr wenigstens im Tod ein wenig Würde verliehen, aber das durfte er nicht. Jetzt konnte niemand mehr etwas für Sally tun. Es war die Stunde der Kriminalpolizisten, Fotografen und Gerichtsmediziner.

Wie blind lief er durch den unaufgeräumten, schäbigen Wohnwagen und in den Regen hinaus. Draußen sah alles genauso aus wie noch vor zehn Minuten, aber die Welt hatte sich verändert.

Joe Nation trat auf ihn zu und zog ihn vom Wohnwagen fort. Nick kam es vor wie an jenem Tag vor vielen, vielen Jahren, als Nation am Busbahnhof von Port Angeles auf einen mageren, frierenden Fünfzehnjährigen gestoßen war. »Du konntest ihr nicht helfen, Nicholas«, sagte er. »Sie wollte unsere Hilfe nicht.«

Nick fühlte sich wie gelähmt. Vor seinem inneren Auge tauchten Bilder eines anderen, noch nicht so lange zurückliegenden Abends auf, Bilder von einer anderen Tragödie. Acht Monate lang hatte er sie verdrängt, doch nun waren sie wieder da, überwältigten ihn. »Das ist zu viel«, murmelte er kopfschüttelnd. »Einfach zu viel.«

Joe klopfte ihm auf den Rücken. »Fahr nach Hause, Nicholas. Zu deiner kleinen Tochter, die dich liebt und dich braucht.«

Wie erstarrt stand Nick im Regen, umklammerte den Griff seiner Pistole und wusste, dass ihm jetzt nur noch eins helfen konnte.

Wieder war Nick nicht zum Essen gekommen.

Annie hatte sich bemüht, so zu tun, als mache es überhaupt nichts aus. Aber das Kind ließ sich nicht hinters Licht führen. Weder der Spaß am Plätzchenbacken noch das Vorlesen lustiger Geschichten konnten Izzy davon abhalten, immer wieder aus dem Fenster zu blicken.

Jetzt saß Annie mit dem kleinen Mädchen auf dem Schoß in einem Schaukelstuhl auf der Veranda und wiegte es sanft hin und her. Leise summte sie ein Lied und strich Izzy übers Haar.

Annie spürte das leichte Beben des Kindes, und wenn sie ganz genau hinhörte, konnte sie in seinen angestrengten Atemzügen die unausgesprochenen Fragen hören.

»Dein Daddy wird bald hier sein, Izzy«, versicherte sie und hoffte, dass es stimmte. »Er hat dich sehr lieb.«

Izzy reagierte nicht.

»Manchmal sind Erwachsene ein bisschen verwirrt – genau wie Kinder. So geht es deinem Dad im Moment. Er weiß nicht recht, wohin er gehört. Wir müssen Geduld haben, irgendwann kommt er schon wieder zu sich. Aber es fällt nicht leicht, geduldig zu sein, nicht wahr? Besonders, wenn das Warten so wehtut.«

Annie schloss die Augen, lehnte sich im Schaukelstuhl zurück und lauschte dem Pochen des Regens, der auf das Verandadach fiel.

»Er hat dich lieb, Izzy«, wiederholte sie, aber mehr zu sich selbst als zu dem Kind. »Ich *weiß*, dass er dich liebt.«

Es dauerte eine kleine Weile, doch dann hörte Annie die leisen Töne, die über die Lippen des Mädchens kamen. Sie klangen wie »Ping-ping-ping«.

Izzy ahmte das Trommeln des Regens nach.

Annie lächelte.

Nicks Tochter versuchte, in die Normalität zurückzufinden.

Izzy verspürte wieder den Drang zu schreien, ganz tief in ihrem Innern, wo die bösen Träume entstanden. Jedes Mal, wenn sie die Augen schloss, sah sie ihre Mutter vor sich und hörte ihre Worte. *Du kannst mir nicht folgen ... kannst mir nicht folgen ...*

Und wenn das nun stimmte? Wenn sie in diesen dichten Nebel hineinlief, ihre Mommy aber dennoch nicht fand? Ein kaum hörbares Wimmern entrang sich ihrem Mund.

Sie fürchtete sich. Es war wieder eine der Nächte, in denen sie nur Böses träumte. Etwa von diesem Mann, dem Arzt mit seiner spitzen Nase und der dicken Brille, der ihr streng sagte, sie müsse sprechen, sonst würde sie nie über ihre Mommy hinwegkommen. Sie ängstigten Izzy, diese Erwachsenenworte, auch wenn sie sie kaum verstand. »Ich will nicht über meine Mommy hinwegkommen«, hatte sie ihm geantwortet, und seither keinen Ton mehr gesagt.

Ihr ganzer Körper begann zu zittern.

Sie wollte nicht wieder schreien.

Izzy schlug die Decke zurück, verließ das Bett und lief auf nackten Füßen zur Tür. Dort blieb sie stehen und betrachtete ihre rechte Hand. Plötzlich wünschte sie sich, die Hand ausstrecken und den Türknauf umdrehen zu können.

Sie holte tief Luft und legte Daumen und Zeigefinger um den Knauf. Es dauerte eine Weile, doch schließlich ging die Tür auf.

Sie steckte den Kopf hinaus und spähte den dunklen Flur entlang.

Das Zimmer ihres Vaters lag links von ihr, drei Türen weiter. Aber Izzy wusste, dass er dort nicht war. Das hatte Annie vorhin zu Lurlene gesagt. Sie hatte wohl geglaubt, Izzy würde schlafen, aber so war es nicht. Sie hatte sich versteckt, die Ohren gespitzt und gelauscht.

Ihr Daddy war wieder in diesem Lokal, das ihn nach Zigaretten riechen ließ, obwohl er gar nicht rauchte. Aus dem er mit einem komischen Flackern in den Augen zurückkam und die Tür seines Zimmers hinter sich zuschlug.

Izzy schlich den Korridor hinunter und blickte über das Treppengeländer. Annie schlief unten auf der Couch.

Annie, die Izzys Hand hielt, ihr über den Kopf strich und ihr das Gefühl gab, als sei es völlig normal, dass sie nicht sprach. Annie, die im Garten ihrer Mutter wieder Blumen wachsen lassen wollte.

Ganz langsam ging Izzy die Treppe hinunter. Die kalten Stufen ließen sie erschauern, doch das machte ihr nichts aus. Solange sie lief, ging es ihr besser. Sie brauchte überhaupt nicht mehr zu schreien.

Fast hätte sie etwas gesagt, vielleicht Annies Namen gerufen, aber sie hatte so lange nicht mehr gesprochen, dass es ihr jetzt ganz komisch vorgekommen wäre. Izzy konnte sich nicht einmal mehr an den Klang ihrer eigenen Stimme erinnern.

Auf Zehenspitzen schlich sie zur Couch. Annie schlief mit offenem Mund. Ihre kurzen Haare waren an einer Seite platt gedrückt und standen an der anderen in die Höhe.

Izzy wusste nicht, was sie tun sollte. Wenn sie früher einmal Angst bekommen hatte, war sie zu Daddy und Mommy ins Bett gekrochen. Mommy hatte sie eng an sich gezogen, die Bettdecke um sie beide festgestopft, und Izzy war wieder eingeschlafen.

Annie seufzte leise und streckte sich im Schlaf. Plötzlich war da genug Platz für Izzy.

Vorsichtig hob sie die kratzige, blaue Decke an und krabbelte auf die Couch.

Ganz steif lag sie auf der Seite und wagte kaum zu atmen. Sie hatte Angst, Annie könnte wach werden und sie in ihr Bett schicken. Aber Izzy wollte nicht in ihr Zimmer zurück. Sie fürchtete sich vor der Dunkelheit. Trotz Winnie Pu.

Wieder gab Annie ein kleines Geräusch von sich und drehte sich zu Izzy um.

Izzy hielt die Luft an.

Annie legte einen Arm um Izzy und zog sie näher an sich heran.

Izzy wurde ganz warm und wohlig. Zum ersten Mal seit Monaten hatte sie das Gefühl, wieder richtig atmen zu können. Sie drängte sich noch enger an Annies Körper, bis sie sich aneinander schmiegten wie zwei Löffel.

Mit einem leisen, glücklichen Seufzer schloss sie die Augen.

Im Morgengrauen wurde Annie vom Duft nach Babyshampoo wach und dem Gefühl eines kleinen, warmen Körpers in ihren Armen. Eine Flut von Erinnerungen brach über sie herein – an vergangene Tage und ein Kind, das seit langem kein Baby mehr war. Sanft strich sie über Izzys vom Schlaf feuchten Kopf und küsste sie aufs Ohr. »Schlaf gut, Prinzesschen.«

Das kleine Mädchen kuschelte sich noch enger an Annie und antwortete mit einem so leisen Laut, dass Annie ihn fast überhört hätte.

Izzy lachte im Schlaf.

Annie sah zur Kaminuhr hinüber. Es war halb sechs. Behutsam schob sie die Decke fort und kletterte über Izzy hinweg. Fröstelnd schlang sie ihre Arme um sich, trat ans Fenster und blickte auf den See hinaus. Wie mit rosigen Fingern strich die Morgenröte über die dunklen Baumwipfel.

»Verdammt«, flüsterte sie.

Diesmal war Nick überhaupt nicht nach Hause gekommen.

13. Kapitel

Um Viertel vor sechs klingelte das Telefon. Annie griff über die schlafende Izzy hinweg nach dem Hörer.

»Ich möchte bitte mit Annie Bourne sprechen.«

Stirnrunzelnd versuchte Annie, die Männerstimme zu identifizieren. »Am Apparat.«

»Hier Captain Joseph Nation.«

Annies Magen verkrampfte sich. Sie rutschte von der Couch und setzte sich auf den kalten Fußboden. »Ist Nick etwas …«

»Er hatte in der Nacht einen Unfall.«

»O mein Gott! Wie geht es ihm?«

»Gut. Bis auf ein paar Prellungen und einen gewaltigen Kater. Er liegt im Mystic Memorial.«

»Saß er am Steuer?«

»Nein. Er war vernünftig genug, den Wagen stehen zu lassen, aber nicht klug genug, sich einen nüchternen Chauffeur für die Heimfahrt zu suchen.«

»Wurde sonst jemand verletzt?«

Captain Nation seufzte. »Nein. Sie sind auf der Old Mill. Road an einem Baum gelandet. Der Fahrer kam ohne einen Kratzer davon, und Nick hat eine leichte Gehirnerschütterung. Er kann von Glück reden – diesmal. Ich rufe an, weil ihn jemand aus dem Krankenhaus abholen muss.«

Annie blickte auf Izzy, die friedlich auf der Couch schlief, und musste daran denken, wie sehnsüchtig das Kind auf einen Vater gewartet hatte, dem der Alkohol mehr bedeutete als seine kleine Tochter.

Es reichte. »In ein paar Minuten bin ich im Krankenhaus«, sagte sie.

Nick stöhnte und wollte sich umdrehen, aber seine Beine hatten sich in der Decke verfangen, so dass er sich nicht bewegen konnte. Ganz langsam, um seinen dröhnenden Kopf nicht noch mehr zu belasten, stützte er sich auf die Ellbogen und blickte sich um. Grelles Licht tat seinen Augen weh, und irgendwo plärrte ein Radio.

Er lag auf einem schmalen Metallbett. Neonröhren zogen sich über die Zimmerdecke und warfen ihr Licht auf die weiß getünchten Wände. Ein gelber Vorhang hing in Falten von der Decke.

Nick schloss die Augen, ließ sich fallen und bedeckte das Gesicht mit dem Arm. Er fühlte sich grauenhaft. Sein Kopf schmerzte, seine Augen brannten, sein Mund war staubtrocken, und ihm schien, als sei sein Magen mit einem rostigen Skalpell ausgekratzt worden.

»Na, Nicholas? Wieder zurück unter den Lebenden?«

Es war kein besonders gutes Zeichen, in einem Krankenhausbett aufzuwachen, neben dem sein Boss stand. Vor allem, wenn dieser Boss für ihn fast so etwas war wie ein Vater.

Joe hatte Nick sein erstes richtiges Zuhause geschenkt. Nick war damals noch sehr jung und so verschreckt, dass er am liebsten die Flucht ergriffen hätte. Seine Mutter hatte ihm schon früh beigebracht, Polizisten als Feinde zu betrachten. Aber er wusste nicht, wo er sonst unterschlüpfen sollte. Der Tod seiner Mutter und die Fürsorge ließen ihm keine andere Wahl.

»Du musst Nicholas sein«, hatte Joe damals gesagt. »Ich habe da ein Gästezimmer. Vielleicht möchtest du für einige Zeit zu uns ziehen. Meine Töchter sind alle verheiratet, und meine Frau Louise und ich fühlen uns ein bisschen einsam.« Mit diesen wenigen, einfachen Worten hatte Joe ihm die Chance auf ein neues Leben gegeben.

Wieder richtete er sich mühsam auf. Himmel, tat es weh, sich zu bewegen. »Hey, Joe.«

Schweigend stand Joe neben dem Bett. Er musterte Nick traurig und enttäuscht. Tiefe Falten zogen sich über seine Stirn, furchten seine runden, dunkelhäutigen Wangen. Zwei blauschwarze, von grauen Strähnen durchzogene Zöpfe ringelten sich auf seinem blau karierten Polyesterhemd. »Du hattest einen Unfall. Erinnerst du dich? Joel saß am Steuer.«

Nick wurde eiskalt. »Allmächtiger. Ist jemandem was passiert?«

»Nur dir. Diesmal zumindest.«

Erleichtert sank Nick auf die Kissen. Er fuhr sich mit der Hand übers Gesicht und wünschte sich nichts sehnlicher als eine Dusche. Er roch nach Schnaps, Tabakqualm und Erbrochenem. Er konnte sich erinnern, in Zoe's Bar ein Glas getrunken zu haben. Eins? Zig Gläser vermutlich. Aber er wusste nicht mehr, dass er in Joels Auto gestiegen war.

Unter ohrenbetäubendem Quietschen zog Joe einen Stuhl über den Linoleumfußboden und setzte sich neben Nicks Bett. »Erinnerst du dich an den Tag, an dem wir uns kennen gelernt haben?«

»Bitte, Joe. Es ist nicht der richtige …«

»Es *ist* der richtige Zeitpunkt. Bedankst du dich so dafür, dass ich dir alles gegeben hab, was ich zu bieten hatte? Mein Zuhause, meine Familie, meine Freundschaft? Soll ich seelenruhig mit ansehen, wie du zum Alkoholiker wirst? Wäre Louise noch am Leben, der Herr sei ihrer Seele gnädig, würde es ihr das Herz brechen. Du hattest einen Blackout. Ist dir das eigentlich klar?«

Gequält verzog Nick das Gesicht. »Wo?« Es war eine törichte Frage, schien aber ungeheuer wichtig zu sein.

»In Zoe's Bar.«

Nick stöhnte. In der Öffentlichkeit. Er hatte sich in aller Öffentlichkeit bis zur Besinnungslosigkeit betrunken. »O Gott«, ächzte er. Genauso gut hätte es vor Izzy passieren können.

Nick schlug die Bettdecke zurück und setzte sich auf. Die heftige Bewegung ließ seinen Magen revoltieren. Sein Schädel schien zu explodieren. Mit beiden Händen fasste er sich an den Kopf und starrte auf den Fußboden, bis er wieder einigermaßen atmen konnte.

»Alles in Ordnung mit dir, Nicholas?«

Langsam hob er den Kopf. Bruchstückhaft kam seine Erinnerung zurück. Sally Weaver … das ganze Blut … Chucks hilfloses Gestammel. »Es ist nicht meine Schuld …« Nick sah Joe an. »Weißt du noch, wie du mich dazu überredet hast, die Polizeiakademie zu besuchen? Du sagtest, dann könnte ich Menschen wie meiner Mutter helfen …«

Joe seufzte. »Wir können sie nicht alle vor sich selbst bewahren, Nicholas.«

»Ich halte es nicht mehr aus, Joe. Wir helfen den Menschen nicht wirklich. Wir kratzen nur die Reste der Gewalttätigkeit zusammen. Und das … das ertrage ich nicht länger …«

»Du bist ein verdammt guter Cop, aber du musst begreifen, dass du nicht jeden retten kannst.«

»Hast du vergessen, welcher Anblick sich mir bot, als ich im letzten Jahr nach Hause kam? Himmel, Joe, ich kann niemanden retten. Und ich bin es verdammt leid, es immer wieder erfolglos zu versuchen.« Nick stand auf, schwankte hin und her. Am liebsten hätte er sich übergeben, es wäre eine Erleichterung gewesen. Mit schweißnassen Fingern griff er nach dem Fußende des Bettes und hielt sich am Metallgitter fest. »Morgen bekommst du mein Gesuch um Entlassung.«

Joe stand auf und legte Nick eine Hand auf die Schulter. »Ich werde ablehnen.«

»Es bringt mich um, Joe.«

»Du kannst Urlaub nehmen – so lange wie nötig. Ich weiß, was du durchmachst, und du brauchst es nicht allein durchzustehen. Aber du musst mit dem Trinken aufhören.«

Nick seufzte. Jeder versicherte ihm, zu wissen, was er durchmachte. Aber sie hatten doch alle keine Ahnung, wie auch? Keiner von ihnen hatte seine blutüberströmte Frau tot auf dem Bett angetroffen. Selbst Joe, der vor seinem achtzehnten Geburtstag mehr geschluckt hatte, als ihm gut tat, und im Schatten eines alkoholabhängigen Vaters aufgewachsen war, konnte ihn nicht ganz verstehen. »Mach dir nichts vor, Joe. Wenn es darauf ankommt, sind wir alle allein.«

»Das ist genau die Einstellung, die dich in diese Lage gebracht hat. Glaub mir, ich kenne das Motto von Alkoholikerkindern: Sprich mit niemandem drüber, vertraue keinem. Aber du musst jemandem vertrauen, Nicholas. Die ganze Stadt sorgt sich um dich, und du hast eine kleine Tochter, die dich anbetet. Hör auf, über das nachzudenken, was du verloren hast. Mach dir lieber bewusst, was dir geblieben ist. Willst du etwa enden wie deine Mutter? Halb verhungert auf einer Parkbank und nur darauf wartend, ermordet zu werden? Oder wie ich? Ein Mann, dessen beide Töchter an die Ostküste gezogen sind, um ihrem trunksüchtigen Vater zu entkommen?« Er zog eine kleine, weiße Karte aus der Tasche und reichte sie Nick. »Ruf diese Nummer an, wenn du zur Vernunft gekommen bist. Ich werde dir helfen, alle werden dich unterstützen, aber den ersten Schritt dazu musst du selbst tun.«

»Du siehst aus wie dreimal gequirlte Sch …«

Nick blickte Annie nicht an. »Nette Ausdrucksweise. Haben sie euch das in Stanford beigebracht?«

»Nein, aber dort habe ich gelernt, nicht betrunken Auto zu fahren.«

Er fuhr sich mit zitternder Hand durch die Haare. »Wo ist Izzy?«

»Ah, du erinnerst dich an sie.«

»Verdammt noch mal, Annie …«

»Wir – deine Tochter und ich – haben uns große Sorgen um dich gemacht. Aber das scheint dir völlig gleichgültig zu sein, oder?«

Plötzlich fühlte er sich unendlich erschöpft. So müde, dass er glaubte, sich keine Sekunde länger aufrecht halten zu können. Er schwankte an ihr vorbei und verließ das Gebäude. Ihr Mustang parkte gleich neben den hohen Glastüren. Er fiel fast darauf zu, klammerte sich an den kalten Türgriff und konzentrierte sich mit geschlossenen Augen auf jeden Atemzug.

Er hörte, wie sie an ihm vorbeilief. Ihre Tennisschuhe scharrten leise über den Betonboden. Sie riss die Tür zum Fahrersitz auf, stieg ein und zog knallend die Tür hinter sich zu. Wusste sie eigentlich, wie schmerzhaft laut das in den Ohren eines Mannes klingen musste, dessen Kopf jeden Moment explodieren konnte?

Ungeduldig drückte Annie auf die Hupe. Er öffnete die Tür und ließ sich stöhnend auf die roten Kunststoffpolster fallen.

Schlingernd bog das Auto auf die mit Schlaglöchern übersäte Straße ein. Nick war sich sicher, dass Annie mit Absicht jede Unebenheit voll ausfuhr. Verzweifelt klammerte er sich an den Türgriff, bis seine Knöchel weiß hervortraten.

»Ich habe kurz mit deinem Captain gesprochen, diesem Mister Nation. Er erzählte mir, dass du Urlaub nehmen wirst. Und er erwähnte deinen Blackout.«

»Na, wundervoll.«

Sie pfiff leise durch die Zähne. »Und was ist das da vorn auf deinem Hemd? Kotze? Du musst dich ja toll amüsiert haben. Das macht ja auch sehr viel mehr Spaß, als zu Hause bei deiner Tochter zu sein.«

Von Scham überwältigt schloss Nick die Augen. Joes Worte zuckten ihm durch den Kopf. »Willst du enden wie deine Mutter? Oder wie ich? Wie ein Mann, dessen Töchter an die Ostküste gezogen sind?« Er dachte an Izzy und fragte sich, wohin sie vor ihm flüchten würde, wenn sie alt genug war … Und daran, wie einsam sein Leben wäre, wenn sie ihn verließ.

Er warf einen Seitenblick auf Annie. Kerzengerade saß sie hinter dem Steuer, den Blick auf die Fahrbahn gerichtet. »Würdest du mir einen Gefallen tun, Annie?«

»Selbstverständlich.«

»Bring mich zum *Hideaway Motel* an der Route Seven«, sagte er leise. »Und kümmere dich für ein paar Tage um Izzy.«

Sie runzelte die Stirn. »Zum *Hideaway*? Aber das ist eine miese Absteige. Und warum willst du …?«

»Bitte, streite nicht mit mir«, unterbrach er sie schnell. Eine

Auseinandersetzung war das Letzte, was er jetzt brauchte. »Ich muss einige Zeit ... allein sein.«

Sie musterte ihn kurz und besorgt, wandte sich dann wieder der Straße zu. »Aber Izzy ...«

»Bitte!« Das Wort hörte sich ganz sanft an, flehend, unmännlich. »Wirst du für Izzy sorgen, während ich versuche, wieder zu mir zu kommen? Ich weiß, was ich da von dir verlange, aber ...«

Sie antwortete nicht, und zum ersten Mal war ihm das Schweigen unbehaglich. Nach einer Meile schaltete sie das Abbiegelicht ein und verließ den Highway. Wenige Minuten später hielt sie auf dem Parkplatz des *Hideaway Motel*. Im Fenster zuckte eine Neonbeschriftung. »Wir bedauern ... Zimmer frei«, stand darauf. Wie passend.

»Hier wären wir, Nick. Aber ich weiß beim besten Willen nicht ...«

»Eine sehr anheimelnde Zuflucht.« Er lächelte schmallippig.

Endlich drehte sie sich zu ihm um, und ihr Gesichtsausdruck war unerwartet sanft. Sie beugte sich vor und strich ihm eine Haarsträhne aus der Stirn. »Ich werde dir helfen. Aber diesmal solltest du dich wirklich zusammenreißen, Nicky. Deine kleine Tochter braucht nicht auch noch den Vater zu verlieren.«

»Großer Gott, Annie«, stöhnte er heiser.

»Ich weiß, dass du sie liebst, Nick.« Sie beugte sich noch näher zu ihm. »Komm mir ein wenig entgegen. Vertrau mir. Oder noch besser: Vertrau dir selbst.«

Er hörte nicht auf die kleine, innere Stimme, die ihm sagte, er würde wieder versagen. Er wollte die zweite Chance ergreifen, die sie ihm bot. Er war seine Einsamkeit ebenso leid wie seine Ängste. Die Worte »Ich werde mich bemühen« lagen ihm auf der Zunge, aber ihm fehlte die Kraft, sie laut auszusprechen. Er konnte sich an zu viele Gelegenheiten erinnern, bei denen er sich eine zweite Chance gewünscht, die vielen Male, die seine Mutter gesagt hatte: »Vertrau mir, Nicky. Diesmal ist es mir ernst.« Er *wusste* nicht mehr, wie man Menschen vertraute.

Er stieg aus und sah ihr nach, wie sie davonfuhr. Als sie verschwunden war, stieß er die Fäuste in die Hosentaschen und wandte sich dem Motel zu. Er zog seine Kreditkarte hervor, füllte das Anmeldeformular aus und mietete sich ein Zimmer.

Der Raum war klein und dunkel. Es roch nach Urin. Inmitten schmutzig brauner Wände stand ein durchsackendes Doppelbett mit einer grauen Wolldecke. Das vorhanglose Fenster zeigte die trostlose Zementmauer des Nachbargebäudes. Durch die Risse des brüchigen Teppichbelags quoll blauer Schaumstoff hervor.

Nick brauchte das winzige Bad nicht erst zu betreten, um zu wissen, dass es eine Duschkabine aus weißem Kunststoff enthielt, ein beigefarbenes Toilettenbecken und dass die Abflussrohre verrostet waren.

Mit einem Seufzer der Erschöpfung sank er auf das Bett. Wenn er es diesmal nicht schaffte, würde ihm der Rest seines Lebens wie Sand durch die zitternden Finger rinnen. Er wusste, wie verhängnisvoll es gewesen war, zur Flasche zu greifen. Der Alkohol ruinierte ihn, und letzten Endes würde er nichts anderes mehr sein als ein ausgezehrter, frierender alter Mann auf einer Parkbank …

Eine Kakerlake huschte über die gegenüberliegende Wand und verschwand hinter einer Ansicht des Mount Olympus.

Acht Monate lang hatte er sich hemmungslos gehen lassen, war tiefer und tiefer gesunken. Jetzt gab es nur noch eins, was ihm vielleicht helfen konnte. Nick griff in seine Tasche und zog die kleine, weiße Karte hervor, die Joe ihm gegeben hatte.

Annie gab sich große Mühe, Izzy zu beschäftigen, sie abzulenken, aber als es dunkel wurde, ging das nicht mehr. Sie las dem kleinen Mädchen nach dem Abendessen eine Geschichte vor und zog es dann in die Arme. »Ich muss dir etwas sagen, Izzy«, begann sie und suchte nach den richtigen Worten. »Dein Daddy wird … eine Weile nicht nach Hause kommen. Er ist krank. Aber er wird wiederkommen. Er hat dich sehr lieb und wird bestimmt wiederkommen.«

Izzy reagierte nicht. Annie wusste nicht, was sie sagen, wie sie das Kind trösten sollte. Sie hielt Izzy in den Armen, summte ihr leise ein Lied vor, strich ihr über den Kopf. »Nun, es ist Zeit, dass du ins Bett kommst«, seufzte sie schließlich, hob Izzy von ihrem Schoß und stand auf. Sie wollte auf die Tür zugehen, aber Izzy griff nach ihrer Hand.

Die Angst in den großen, braunen Augen brach Annie fast das Herz. »Ich gehe nicht weg, Schätzchen. Ich bleibe bei dir.«

Während des gesamten Weges die Treppe hinauf, über den Flur und ins Bad klammerte sie sich an ihre Hand und wollte sie auch in ihrem Zimmer nicht loslassen.

»Was ist denn, Izzy? Willst du, dass ich bei dir schlafe?«

Ein flüchtiges Lächeln überflog Izzys Gesicht. Sie drückte Annies Hand fester und nickte.

Annie legte sich auf das schmale Bett und zog Izzy an sich. Sie strich dem Kind zärtlich über die Wange und dachte daran, wie sie selbst als kleines Mädchen ihre Mutter vermisst hatte. Nach dem Unfall war sie von niemandem auch nur erwähnt worden. Es schien, als hätte sie nie existiert. Und mit der Zeit, nach und nach, begann Annie sie zu vergessen. Sie fragte sich, ob Izzy ähnliche Ängste empfand.

Sie konzentrierte sich so sehr auf die Erinnerung an Kathy, bis sie die Freundin in dem alten Schaukelstuhl auf ihrer Veranda sitzen sah. »Deine Mom hatte die wunderschönsten blonden Haare, die ich je gesehen habe, golden wie reife Ähren. Als wir klein waren, haben wir einander stundenlang die Haare geflochten. Ihre Augen wirkten ganz dunkel, blauschwarz wie der Nachthimmel, und wenn sie lächelte, wurden sie ganz schmal, wie die einer Katze. Erinnerst du dich?«

Annie musste lächeln. Komisch, woran man sich nach all den Jahren noch erinnerte. »Gelb war ihre Lieblingsfarbe. Auf fast allen Schulfotos ist sie in Gelb zu sehen. Und zu ihrem ersten Ball, in der achten Klasse, trug sie ein gelbes, mit dunkelblauem Satin abgesetztes Baumwollkleid, das sie sich selbst genäht hatte. Sie war das hübscheste Mädchen der ganzen Schule.«

Izzy drehte sich um, damit sie Annie ansehen konnte. In ihren Augen standen Tränen, aber sie lächelte.

»Du wirst sie niemals vergessen, Izzy. Erinnerst du dich an ihr Lachen? Wie es immer lauter wurde, bis sie schließlich prusten musste? Und an das Parfum, das sie immer benutzte? Wie es sich anfühlte, wenn sie deine Hand hielt? Wie wunderbar es war, wenn sie dir eine Gutenachtgeschichte vorlas? All das war deine Mom. Meine Mutter ist schon vor langer, langer Zeit gestorben, aber immer, wenn ich Vanille rieche, denke ich an sie. Manchmal spreche ich nachts mit ihr, und bin ganz sicher, dass sie mich hört.« Sie strich eine dunkle Locke aus Izzys ernstem Gesichtchen. »Und deine Mom hört dich auch, mein Schatz. Sie kann nur nicht antworten. Aber das macht nichts. Du brauchst nur mit Miss Jemmie unter die Bettdecke zu kriechen und mit geschlossenen Augen an deine Mom zu denken, und bald merkst du, dass sie bei dir ist. Du fühlst, wie dir wärmer wird, du siehst, dass das Mondlicht ein bisschen heller scheint oder der Wind eine Spur lauter klingt. Auf ihre Weise antwortet sie dir.« Annie schloss ihre Hände um Izzys Gesicht und lächelte sie an. »Sie ist immer bei dir.«

Sie drückte Izzy fest an sich, redete und lachte hin und wieder, wischte sich verstohlen eine Träne aus den Augen. Sie erzählte von Mädchenstreichen, der ersten Liebe, von Hochzeiten, von Babys und von Natalie. Sie sprach von Nick, wie stark und gut aussehend er gewesen war, wie sehr er Kathy geliebt hatte und dass die Trauer Menschen mitunter in tiefe Verzweiflung stürzen konnte, aus der es kein Entkommen zu geben scheint.

Sie redete auch dann noch, als es draußen längst dunkel war und Izzys regelmäßiges Atmen von einem tiefen, friedlichen Schlaf kündete.

Der Frühling verscheuchte die letzten Überreste des Winters und tauchte den Regenwald in helle, frische Farben. Krokusse,

Hyazinthen und Narzissen erblühten in Gärten, an Wegen und auf sonnenbeschienenen Lichtungen. Die Vögel kehrten zurück, hockten auf den Telefonkabeln und äugten gierig auf die Erde, ob sich da vielleicht ein Wurm zeigte. Schwarze Krähen hüpften über den Rasen, zeterten miteinander und benutzten die Auffahrt als Landebahn.

Gegen den Rat ihres Vaters hatte Annie ein paar Sachen in einen Koffer gepackt und war in Nicks Haus gezogen. Es erwies sich als gute Entscheidung, denn auch wenn die Nächte noch immer lang und einsam waren, hatte sie nun doch jemanden, der ihr darüber hinweghalf. Sie war nicht mehr allein. Wenn sie mitten in der Nacht aus einem Alptraum hochschreckte, kroch sie zu Izzy ins Bett.

Annie und Izzy verbrachten jede Minute miteinander. Sie fuhren in den Ort, buken Kekse und bastelten Schmuckkästchen aus Eierkartons. Sie saßen über Kindergarten- und Erstklässlerbüchern, damit Izzy nicht alles vergaß, was sie in der Schule gelernt hatte. Sie packten alle paar Tage ein Paket für Natalie und brachten es zur Post. Und abends rief Nick an, um gute Nacht zu wünschen.

Heute hatte Annie etwas Besonders vor. Es war an der Zeit, sich endlich um Kathys Garten zu kümmern.

Zusammen mit Izzy lief sie zu dem weißen Lattenzaun, der den Garten umgab. Die Erde zeigte ein tiefes, sattes Braun, und war noch feucht vom Regen der vergangenen Nacht. Hier und da blitzten kleine Lachen im Sonnenlicht.

Annie setzte ihren schweren Pappkarton ab und begann die Werkzeuge auszupacken: Spaten, Schaufeln, Pflanzkeile und eine Schere.

»Ich wünschte, ich hätte den Gärtnern in Malibu mehr auf die Finger geguckt«, sagte sie und beäugte argwöhnisch einen Klumpen vertrockneter Halme. »Das muss eine Gartenstaude sein, oder es ist das üppigste Unkraut, das ich je gesehen habe. Ich glaube, wir sollten es besser zurückschneiden. Jedenfalls hat das Hector im *Feed Store* gesagt. Komm, Izzy.« Sie lief dem Kind voran über die Trittsteine, die kreuz und quer durch den

Garten führten. Vor dem winterwelken Gewächs blieben sie stehen.

Annie ging in die Knie und spürte, wie die Feuchtigkeit des Bodens klamm und kalt den Stoff ihrer Hosen durchdrang. Sie zog Handschuhe an, zerrte an den trockenen Halmen der Pflanze und zog ein Büschel heraus. »Ein Zwiebelgewächs«, lächelte sie triumphierend. »Hab ich's doch gewusst.«

Sie teilte die Zwiebeln und steckte sie wieder in den Boden. Dann griff sie zur Schere und schnitt die Stängel abgestorbener Stauden bis auf Handbreite ab. »Weißt du, was ich an der Gartenarbeit besonders schätze? Dass ich andere dafür bezahlen kann, sie für mich zu erledigen.« Sie lachte über ihren Scherz und arbeitete emsig weiter. Zuletzt wandte sie sich den Rosen zu und schnitt alle toten Zweige ab. Sie wollte ein Lied anstimmen, das auch Izzy kannte, aber ihr fiel nichts anderes ein als der Alphabet-Song. »*A-B-C-D-E-F-G ... H-I-J-K ... L-M-N-O-P*«, sang sie mit unsicherer, nicht ganz tongetreuer Stimme.

Sie verstummte, runzelte die Stirn und sah Izzy an. »Mein Gott, ich habe das Alphabet vergessen. Na ja, macht nichts. Es fällt mir sicher gleich wieder ein. *L-M-N-O-P* ... Was sagt man dazu? Schon wieder bleibe ich beim P stecken.«

Izzy griff nach einer Schaufel. Es kostete sie einige Mühe, sie mit Daumen und Zeigefinger zu packen. Nach zwei vergeblichen Versuchen konnte Annie gar nicht mehr hinsehen.

»*H-I-J-K ... L-M-N-O-P*«, begann sie wieder zu singen. »Verflixt. Schon wieder komme ich nicht weiter. Aber ich finde, wir waren erst einmal fleißig genug. Ich habe einen Bärenhunger. Was sagst du dazu, wenn wir ...«

»Q.«

Die Schere entglitt Annies Hand und prallte dumpf auf dem Boden auf. Sie sah Izzy an, die noch immer auf der Erde kniete und mit ihren beiden »sichtbaren« Fingern die Schaufel hielt, als wäre überhaupt nichts passiert.

Izzy hatte gesprochen.

Langsam atmete Annie tief durch. Ruhig bleiben, Annie! Sie

beschloss, so zu tun, als wäre das Sprechen so normal wie das Nicht-Sprechen. »Nun, ich glaube, du hast Recht. *L-M-N-O-P … Q-R-S …*«

»*T-U-V.*«

»*W-X-Y-Z. My friend you see, now I know the A-B-C.*« Annie hatte das Gefühl, vor Freude und Stolz platzen zu müssen. Am liebsten hätte sie Izzy in die Arme gerissen und laut gejubelt. Doch das wagte sie nicht. Sie wollte das Kind nicht verschrecken.

»Aber jetzt machen wir wirklich eine Pause«, sagte sie schließlich. »Wenn Jean-Claude, das ist mein Fitnesstrainer, mich sehen könnte, wäre er unglaublich stolz auf mich. Ich könnte einfach nicht schwitzen, hat er immer behauptet. Und ich antwortete, wenn ich schwitzen wollte, würde ich mir keinen sündhaft teuren Fitnessanzug kaufen.« Sie wischte sich mit einer schmutzigen Hand über die feuchte Stirn. »Ich habe Limonade im Kühlschrank. Und es ist noch etwas Brathähnchen von gestern Abend da. Was hältst du davon, wenn wir hier draußen ein Picknick veranstalten? Ich könnte uns Milkshakes machen …«

Mit Tränen in den Augen sah Izzy sie an.

Jetzt endlich zog Annie das Kind in die Arme.

14. Kapitel

Zigarettenrauch waberte in bläulichen Schwaden unter der Akustikdecke.

Nick stand vor der geöffneten Tür zu einem langen, schmalen Raum im fensterlosen Untergeschoss der Lutheran Church. Vor der linken Stirnwand sah er zwei graue Kunststofftische mit Kaffeemaschinen, Schaumstoffbechern, Zucker und Milchpulver. Eine Schlange stand vor dem Colaautomaten und eine noch größere vor der Kaffeemaschine. Kaffeeduft mischte sich mit beißendem Tabakgeruch.

Auf metallenen Klappstühlen saßen Leute, manche bequem ausgestreckt, andere verspannt auf der Kante ihres Sitzes hockend. Nahezu alle rauchten.

Nick hatte keine Ahnung, ob er es schaffen würde. Ob er diesen verqualmten Raum betreten und seine Probleme auf den Tisch legen konnte, damit völlig Fremde sich darüber hermachten.

»Das erste Mal fällt am schwersten. Wie der erste Sex, aber ohne das Vergnügen.«

Nick drehte sich um und sah Joe hinter sich stehen.

Ein erleichtertes Lächeln überzog das lederbraune Gesicht des älteren Mannes. »Ich hatte gehofft, dass du kommst. Ein sonderbares Gefühl nach all den Jahren, in denen ich mir gewünscht hatte, du würdest *nie* hier auftauchen.«

»Tut mir Leid, dich enttäuscht zu haben«, antwortete Nick.

Joe legte ihm eine Hand auf die Schulter. »Ich bin stolz auf dich, Nicholas, nicht von dir enttäuscht. Das Leben hat dir

Lasten aufgebürdet, unter denen andere zerbrechen würden. Wenn du mein eigener Sohn wärst, könnte ich nicht stolzer auf dich sein. ›Nimm den Jungen in die Arme, Joseph‹, würde Louise sagen, wenn sie noch unter uns wäre. Und ich glaube, genau das tue ich jetzt.«

Es war das erste Mal, dass Joe ihn umarmte, und Nick wusste nicht recht, wie er darauf reagieren sollte. So lange er zurückdenken konnte, war er überzeugt gewesen, dass etwas mit ihm nicht stimmte, dass ihm etwas Wesentliches fehlte, und war sein Leben lang auf der Hut gewesen, das nicht erkennbar werden zu lassen. Er hatte sich vor den Menschen abgeschirmt, die er liebte – Kathy, Izzy, Louise und Joe. Aus Furcht, sie würden sich von ihm abwenden, wenn sie den wahren Nick erkannten. Aber Joe hatte ihn durchschaut, mit all seinen Fehlern und Schwächen, und hielt dennoch weiterhin zu ihm.

Als Joe einen Schritt zurücktrat, standen Tränen in seinen Augen. »Bevor es bergauf geht, wird es erst einmal noch schlimmer. Du musst den Sprung ins tiefe Wasser wagen, auch wenn du mitunter glaubst, du würdest ertrinken. Aber verlass dich auf mich, ich halte deinen Kopf über Wasser.«

»Danke, Joe.« Er wollte hinzufügen »für alles«, sah aber, dass Joe ihn auch so verstand.

»Komm«, sagte Joe, »setzen wir uns.«

Sie betraten den Raum, und im Verlauf der nächsten Minuten kamen weitere Leute herein. Einige plauderten miteinander, andere waren bemerkenswert zurückhaltend.

Unruhig rutschte Nick auf seinem Stuhl hin und her, klopfte nervös mit dem Fuß auf den Boden.

»Entspanne dich, Nicholas«, sagte Joe leise. »Warum holst du dir nicht einen Kaffee?«

»Keinen Kaffee, aber eine Cola.« Nick sprang auf und durchquerte den Raum. Er angelte einige Quarter aus seiner Tasche, zog eine Dose, riss den Deckel auf und trank gierig ein paar Schlucke.

Er setzte sich wieder, und die Veranstaltung begann.

»Hi, ich bin Jim«, stellte sich ein Mann vor. »Ich bin Alkoholiker.«

»Hi, Jim«, erwiderten die Anwesenden wie aus einem Munde.

Jim sprach das *God grant me*-Gebet und erläuterte dann Details über das jetzt beginnende Gespräch und die zwölf Stufen hin zur Abstinenz.

Plötzlich stand eine junge Frau auf. Sie war groß und dünn wie eine Bohnenstange, hatte weißblond gefärbte Haare und einen wachsbleichen Teint. Sichtbar zitternd trat sie vor und stellte sich in den Stuhlkreis.

Sie sah aus, als hätte sie seit Monaten nicht mehr richtig gegessen, und Nick war lange genug Cop, um die Merkmale jahrelangen Drogenmissbrauchs zu erkennen. Zweifellos zogen sich die Einstiche der Nadeln wie eine Perlenschnur über die Innenseite ihrer kalkweißen Arme. Sie nahm einen tiefen Zug aus ihrer Zigarette.

»Ich heiße Rhonda«, begann sie. »Ich bin Alkoholikerin und drogenabhängig.«

»Hi, Rhonda«, antwortete der Chor der Versammelten.

Wieder sog sie an ihrer Zigarette. »Heute ist mein siebter nüchterner Tag.«

Die Anwesenden applaudierten, einige riefen: »Weiter so, Rhonda!«

Sie lächelte bemüht und drückte die Zigarette im Aschenbecher auf dem Tischchen neben ihr aus. »Ich hab es früher schon versucht, sehr oft. Aber diesmal ist es anders. Wenn ich ein Jahr trocken bleibe, sehe ich meinen Sohn wieder, hat der Richter gesagt.« Sie verstummte, fuhr sich über die Augen und hinterließ einen schwarzen Streifen Wimperntusche auf ihrer Wange. »Ich war ein ganz normales Mädchen, ging zur Junior High und verdiente mir nebenbei ein paar Dollar als Serviererin in einem piekfeinen Restaurant. Dann lernte ich diesen Typ, Chet, kennen, und ehe ich michs versah, schluckte ich Unmengen Tequila und schnupfte Koks.«

Sie seufzte und richtete einen leeren Blick zur offen stehenden Tür. »Ich wurde schwanger, trank aber weiter. Mein Sammy kam abhängig und mit Untergewicht zur Welt. Ich hätte für ihn sorgen müssen, aber ich hatte nichts anderes im Kopf, als möglichst schnell high zu werden. Selbst mein Sohn war für mich kein Grund, mit dem Trinken und Schnupfen aufzuhören.« Ihr Mund begann zu zittern, und sie biss sich schnell auf die Unterlippe. »Nein, ich musste mich erst betrunken ans Steuer setzen. Ich musste erst andere Leute verletzen.« Sie holte tief Luft und gewann ein wenig ihre Beherrschung wieder. »Und jetzt bin ich hier. Und diesmal ist es mir ernst. Ich werde alles tun, um meinen Sohn wiederzusehen. Diesmal bin ich fest entschlossen. Ich werde nie wieder einen Tropfen trinken.«

Nachdem Rhonda geendet hatte, standen nacheinander andere auf und redeten. Sie drückten sich mit unterschiedlichen Worten aus, aber ihre Geschichten waren in den Grundzügen alle gleich: Berichte von Verlusten, Trauer und Zorn. Schicksalsschilderungen von Menschen, die eine Hölle hinter sich hatten.

Ich bin einer von ihnen, erkannte Nick gegen Ende des Treffens, und das Wissen, dass er nicht der Einzige auf der Welt war, der mit der Flasche kämpfte, gab ihm einen eigentümlichen Trost.

Izzy konnte nicht schlafen. Sie stand auf und lief zum Fenster. Draußen sah es dunkel und furchteinflößend aus. Das einzige Helle waren kleine weiße Flecken auf dem See. Vom Himmel gefallene Sterne, hatte Annie sie genannt.

Izzy wandte sich vom Fenster ab. Seit Tagen, seit Annie ihr gesagt hatte, ihr Vater würde nicht nach Hause kommen, fürchtete sie sich. Gestern war sie so lange am Fenster stehen geblieben, bis Annie irgendwann in ihr Zimmer gekommen war.

»Ich weiß nicht, wann er zurückkommt, Izzy. Die Ärzte sagen, er braucht noch ein wenig Zeit ...«

Aber Izzy kannte sich mit Ärzten aus. Ihre Mom war immer

wieder zu ihnen gegangen, und keiner von ihnen hatte etwas für sie tun können.

Sie würden auch ihrem Daddy nicht helfen.

»Aber er *muss* zurückkommen«, hatte sie zu Annie gesagt und alles andere für sich behalten. Dass sie sich schon seit langer Zeit nach ihm sehnte, dass der Mann mit den weißen Haaren nicht ihr richtiger Vater war, weil *ihr* Dad nie krank wurde und immer lachte. Sie erzählte Annie nichts von ihrer Angst, dass ihr Daddy zusammen mit ihrer Mommy gestorben war und nie wieder zurückkommen würde.

Leise lief Izzy die Treppe hinunter und auf die Veranda hinaus. Es nieselte, und über dem Gras war der Nebel so dicht, dass sie ihre Füße kaum erkennen konnte.

»Mommy?«, flüsterte sie und umschlang sich mit ihren kleinen Armen. Izzy schloss die Augen und dachte ganz fest an ihre Mutter. Als sie die Augen wieder aufschlug, sah Izzy sie am Ufer des Sees. Leicht vorgebeugt stand ihre Mommy da und neigte den Kopf zur Seite, als lausche sie auf Schritte oder auf Vogelgezwitscher mitten in der Nacht.

Du solltest längst schlafen, Kleines …

»Daddy ist krank.«

Ihre Mutter antwortete leise, aber vielleicht war das auch nur ein Windhauch über dem Wasser. *Er wird wieder gesund. Das verspreche ich dir …*

»Ich sehne mich nach dir, Mommy.« Izzy streckte die Arme nach ihr aus. Etwas Hauchzartes berührte ihre Fingerspitzen, etwas Weiches, Warmes. Izzy fasste zu, griff aber ins Leere.

Ich kann dich nicht berühren, mein Engel. Diese Tage sind für mich vorüber …

»Mommy! Ich hab dich lieb, Mommy.«

Ich dich auch, Izzy-Bär. Es tut mir alles so Leid, unendlich Leid …

Wieder streckte Izzy die Hände aus, aber zu spät. Ihre Mutter war verschwunden.

Es wurde ungewöhnlich warm in Jefferson County. Blumen blühten auf, reckten sich der Sonne entgegen. Gerade geschlüpfte Vögel piepsten und zwitscherten in ihren Nestern. Noch immer regnete es fast jede Nacht, aber am Morgen funkelte und strahlte die Welt wie frisch gewaschen.

Annie sorgte dafür, dass Izzy nicht zum Nachdenken kam. Sie färbten Ostereier, buken Kekse und malten Bilder für Nick – Geschenke für den Tag seiner Rückkehr. Sie fuhren zur Main Street und kauften Souvenirs für Natalie: Kugelschreiber, in denen kleine Boote schwammen, Schneckenrezepte und Ansichtskarten von Mystic. Sie setzten ihren Privatunterricht fort, bis Annie sicher war, dass Izzy lesen konnte, wenn sie wieder zur Schule ging. Aber als sie das Thema dem Kind gegenüber ansprach, reagierte es ängstlich. »Ich will nicht mehr in die Schule. Alle werden mich auslachen.« Annie wusste, dass es ohnehin nicht ihre Entscheidung war, und redete nicht mehr davon. Sie hoffte darauf, dass Nick Izzy dazu bewegen konnte, wieder zur Schule zu gehen.

Im Moment konnten die Dinge gar nicht besser laufen. Izzy sprach wieder. Es schien ihr keine Mühe zu machen, sich an die Worte zu erinnern. Sie gaben einander gegenseitig Kraft.

Und endlich schaffte Annie es, allein zu schlafen. Das mochte wie eine Lappalie klingen, aber für sie war es ein gewaltiger Fortschritt. Manchmal, wenn sie Izzy verließ und in ihr leeres Bett kroch, dachte sie gar nicht mehr an den Mann, neben dem sie zwei Jahrzehnte lang geschlafen hatte. Manchmal dachte sie tagelang nicht an ihn. Da war wohl noch das Gefühl der Kränkung, der Verlassenheit, aber allmählich begriff sie, dass sie ohne ihn leben konnte. Sie wollte es nicht, aber notfalls könnte sie es.

Jeden Montag rief sie in London an und ließ sich von Natalies Erlebnissen berichten. In der Stimme ihrer Tochter hörte Annie eine neue Reife, die sie mit Stolz erfüllte. Natalie war kein Kind mehr, und wenn sie von der Scheidung erfuhr, würde sie damit auch fertig werden.

Und schließlich erkannte Annie, dass auch sie damit fertig werden würde. Am Abend zuvor hatte Terri angerufen und zunächst wissen wollen, wer dieser Nick eigentlich war und warum Annie in seinem Haus wohnte, doch dann hatte sie Annie zugehört und gegen Ende des Gesprächs gelassen erklärt: »Selbstverständlich kommst du darüber hinweg, Annie. Du warst die Einzige, die daran Zweifel hatte.«

Am Ostersonntag goss es in Strömen, aber Annie ließ sich von dem scheußlichen Wetter die Laune nicht verderben. Sie zog Izzy warm an und fuhr mit ihr zu Hank, wo sie ein üppiges Frühstück verputzten und Ostereier suchten. Danach gingen sie zum Gottesdienst. Als sie nach Hause zurückkehrten, überreichte Annie dem Mädchen ein kleines Geschenk. »Frohe Ostern, Izzy.«

Izzy gab sich große Mühe mit dem Auspacken, und ihre vergeblichen Versuche gingen Annie zu Herzen. »Warte, Izzy, lass mich das machen. Das ist zu schwierig, wenn man nur zwei Finger hat.«

Annie befreite die Schachtel von dem glänzenden Geschenkpapier und stellte sie auf den Tisch.

Aufgeregt atmend öffnete Izzy den Deckel. Auf einer Schicht Seidenpapier lag ein runder Messinggegenstand von der Größe eines Quarter an einer silbernen Kette. Verblüfft runzelte Izzy die Stirn. Annie nahm den Kompass heraus und drückte ihn in Izzys Hand.

»Als kleines Mädchen hatte ich ständig Angst, mich zu verirren. Deshalb schenkte mir mein Dad diesen Kompass und sagte, wenn ich ihn trüge, wüsste ich immer, wohin ich gehöre.« Annie seufzte leise. Irgendwann hatte sie die Kette abgelegt. Sie war nach Kalifornien gegangen und hatte ihren Orientierungssinn verloren. Wenn es doch nur irgendeinen inneren Mechanismus gäbe, der einem die Richtung wies. Es war so verdammt einfach, sich zu verirren. »Soll ich dir zeigen, wie der Kompass funktioniert?«

Izzy nickte.

»Okay, dann hol schnell deine Gummistiefel und deine Regensachen.«

Strahlend lief Izzy in die Diele und kam mit Regenmantel und Hut zurück. Sekunden später steckten sie beide in Regenzeug, Gummistiefeln und breitkrempigen Südwestern. Annie erklärte Izzy schnell, wie man mit dem Kompass umging, und als sie sich sicher war, dass das Kind alles verstanden hatte, legte sie ihr die Kette um den Hals. »Und jetzt lass uns auf Entdeckungstour gehen.«

Das Wetter war schauerlich. Heftige Böen fegten über den See, trieben schaumgekrönte Wellen an den Kiesstrand. Glitzernde Regentropfen hingen an den Blüten der Narzissen und Tulpen, die den Weg säumten und dicht an dicht in den Blumenkästen standen.

Sie kehrten dem Seeufer den Rücken und liefen den breiten, nadelbestreuten Weg entlang, der in den Regenwald führte. Die gewaltigen Bäume zu beiden Seiten schienen sie zu beschirmen, hielten mit ihren Ästen einen großen Teil des Regens ab. Ein klammer Dunst trieb über den Waldboden, an einigen Stellen so dicht, dass Annie kaum ihre Tennisschuhe sehen konnte. An jeder Wegbiegung blieb Izzy stehen und überprüfte ihren Kompass.

Nach einiger Zeit hatte das Kind ein Gespür dafür, wo Norden war, und dieses Wissen schien ihm Sicherheit zu verleihen.

Sie liefen weiter und weiter. Plötzlich wichen die Bäume zurück, und sie fanden sich auf einer Lichtung mitten im ältesten Teil des Regenwaldes wieder, wo sie eine alte, offenbar seit Jahren verlassene Rangerhütte entdeckten. Ein Pelz aus Moos bedeckte die Dachschindeln, in den Spalten zwischen den Wandplanken wuchsen graue Pilze. Die windschiefe Tür trug Spuren von den Klauen eines Schwarzbären.

»Können wir hineingehen und uns umsehen?« Gespannt sah Izzy sie an.

Annie musterte die Hütte skeptisch. Eindeutig war sie mehr Mutter als Entdeckerin. Aber als sie die Aufregung in Izzys

Augen bemerkte, konnte sie nicht nein sagen. »Also gut. Aber sei vorsichtig. Und rühr mir bloß nichts an.«

Jubelnd rannte Izzy auf die Hütte zu. Annie folgte ihr, und gemeinsam zwängten sie sich durch die aus den Angeln geratene Tür.

Im Innern standen zwei von Staubschichten und Spinnweben überzogene Feldbetten, ein wackliger Tisch, zwei Stühle und ein Kanonenofen. Annie kam sich vor wie Daniel Boone. Sie ging zum Ofen, nahm eine eingestaubte Kaffeekanne in die Hand und drehte sie um.

Izzy fiel auf die Knie und holte einen Gegenstand unter dem Bett hervor. »Sieh mal!«

Es war eine Silbermünze mit der Jahreszahl 1899.

»Meine Güte«, sagte Annie und fuhr mit den Fingerspitzen fast ehrfürchtig über die Münze. »Da hast du ja einen echten Schatz gefunden. Du solltest ihn an einem sicheren Ort verwahren.«

Izzy runzelte die Stirn und blickte Annie ernst an. Wortlos drückte sie ihr die Münze in die Hand.

»Nein. Sie gehört dir, Izzy. Du hast sie gefunden.«

»Aber du hast gesagt, dass du immer da sein wirst, Annie. Also ist der Schatz bei dir sicher.«

Annie wusste, dass sie das Geldstück in Izzys kleine Hand zurückschieben sollte, dass sie dem Kind Aufrichtigkeit schuldig war: *Bei mir ist nichts sicher, Izzy. Ganz und gar nicht …*

Doch dann sah sie in Izzys braune Augen und konnte es nicht. »Du wirst mich nicht *immer* brauchen, Izzy, aber wenn du willst, hebe ich die Münze auf, bis du sie deinem Vater geben kannst.«

»Okay. Aber verlier sie bloß nicht.« Nickend und lachend rannte Izzy auf die Tür zu. Auf halbem Weg blieb sie unvermittelt stehen, senkte den Kopf und betrachtete ihre rechte Hand.

»Was ist denn, Izzy?«

Langsam drehte das Mädchen sich um und hob die Hand. »Ich kann wieder alle meine Finger sehen.«

»Oh, Izzy …« Annie lief auf sie zu, kniete neben ihr nieder und schloss sie in die Arme. Aber Izzy war wie erstarrt und schien den Blick nicht von ihrer Hand wenden zu können.

»Sie hat gesagt, dass ich ihr nicht folgen kann«, schluchzte sie.

Lächelnd strich Annie dem Kind über die Wange. »Wer hat das gesagt?«

»Mommy. Ich …« Sie biss sich auf die Lippe und senkte den Kopf.

»Erzähl es mir, Izzy«, sagte Annie leise. »Ich kann Geheimnisse für mich behalten.«

»Versprochen?«

»Versprochen.«

Izzy sah Annie lange Zeit schweigend an. »Ich … ich kann sie manchmal sehen«, begann sie stockend. »Am See … im Nebel. Ich bin verschwunden, um bei ihr zu sein. Aber als ich sie das letzte Mal sah. …« Tränen liefen jetzt über Izzys Gesicht. »Da hat sie mir gesagt, dass ich ihr nicht folgen kann.«

Annies Herz krampfte sich zusammen. Sie ergriff Izzys Hand und führte das Mädchen zur Tür hinaus. Nebeneinander setzten sie sich auf die moosüberzogene Veranda.

»Du kannst deiner Mom wirklich nicht folgen, Izzy. Und weißt du auch, warum nicht?«

»Warum?«

»Weil das deiner Mommy das Herz brechen würde. Sie ist jetzt im Himmel und möchte sehen, wie du groß wirst. Sie möchte, dass du vergnügt bist, Freunde findest und zur Schule gehst … all das tust, was sie als kleines Mädchen auch gemacht hat. Sie möchte dich eines Tages in einem wunderschönen weißen Brautkleid sehen und dass du später dein Baby in den Armen hältst.« Annie seufzte. »Sie wünscht sich, dass du glücklich wirst, Izzy.«

»Woher weißt du, dass sie mich sieht?«

Annie lächelte. »Ich weiß es eben. Und du auch. Ganz tief in deinem Herzen. Deshalb triffst du sie manchmal im Nebel. Du weißt, dass sie über dich wacht. Und wenn es regnet, ist das ein

Zeichen, wie sehr sie dich vermisst. Die Regentropfen sind ihre Tränen, und der Sonnenschein ist ihr Lächeln.«

Stumm und nachdenklich starrte Izzy auf die Bäume. »Ich vermisse sie auch. Sehr.«

Annie legte einen Arm um Izzys schmale Schultern und zog sie an sich. »Ich weiß, mein Schatz.«

Lange saßen sie schweigend auf der Veranda. Die Regenschleier gaben dem Wald vor ihnen die gedämpften, verwaschenen Farben eines Monet-Bildes. Schließlich zeigte Annie lächelnd auf Izzys rechte Hand. »Ich glaube, du hast Recht, Miss Izzy. Auch ich kann deine Finger ganz deutlich sehen. Ich denke, darauf sollten wir einen Toast ausbringen.«

»Ich möchte meinen Toast mit Marmelade.«

Annie lachte. »Toast habe ich leider nicht, aber Limonade. Und wenn wir nicht bald etwas essen, fange ich noch an, deine Münze anzuknabbern. Ich glaube, wir sollten nach Hause gehen.«

Auch Izzy lachte, und das hörte sich so wundervoll an, dass Annie alles darüber vergaß.

Sie hatte Izzy ihre Stimme und ihr Lachen wiedergegeben … und nun waren auch die Finger ihrer rechten Hand sichtbar. Vielleicht würde schon morgen der schwarze Handschuh verschwinden.

Für den Moment war es mehr als genug.

15. Kapitel

Es regnete auch an dem Tag, an dem Nick nach Hause kam.

Er bezahlte den Fahrer, stieg aus und sah zu, wie das einzige Taxi von Mystic davonfuhr.

Nick schlug den Kragen seiner Levi's-Jacke hoch und krümmte die Schultern unter dem strömenden Regen. Unter einem Arm klemmte ein Beutel mit Kleidungsstücken und Toilettensachen, die er gekauft hatte. Gerade neigte sich der Tag einem lavendelfarbenen Abend entgegen, und in der Luft lag eine frische Kühle. Der zum Haus führende Kiesweg verlief gut hundert Meter schnurgerade, dann machte er einen Bogen um ein paar Douglastannen. Dahinter verlor er sich im mauvefarbenen Dunst.

Nick hätte sich vom Taxi auch bis vor die Tür fahren lassen können, aber er wollte sich dem Haus langsam nähern.

Blinzelnd, weil der Regen ihm die Sicht nahm, trat er den langen Heimweg an. Links von ihm spiegelte sich der Abendhimmel im See. Dunkelgrün glänzende Rhododendren, Azaleen und Salal säumten zu beiden Seiten den Weg, schufen einen schattigen Tunnel, der ihn immer näher zum Haus führte.

Er bog um die Kurve. Sanftes, goldenes Licht schimmerte in den Fenstern seines Zuhauses. Aus dem Schornstein stieg eine Rauchwolke zum Himmel empor. Genau so hatte er es sich immer vorgestellt ...

Schon immer hatte dieses Haus seine Phantasie beflügelt. Er erinnerte sich noch gut an den Tag, an dem er mit Annie zum ersten Mal hier gewesen war. Kathy hatte eine Erkältung, daher waren Nick und Annie allein zum Karnevalball gegangen, und danach hatte sie ihn hierher gelockt, zum »verwunschenen« Haus am See.

In dieser Nacht hatte sie ein Feuer in seiner Seele entfacht, und das alte Haus war zu einer Verkörperung seines Traums geworden. Wie geschaffen für einen Jungen, der zwei Jahre lang in einem Auto gelebt und sich sein Essen aus Mülltonnen herausgeklaubt hatte.

Es dauerte Jahre, aber irgendwann hatte er genügend Geld gespart, um das Beauregard House kaufen zu können. Es war Sommer gewesen, August, als er die nötigen Papiere unterzeichnete und den Scheck für die Anzahlung unterschrieb. Doch selbst an diesem heißesten Tag des Jahres war es auf dem Weg hierher kühl und schattig gewesen, und ein leichter Wind wehte über dem See. Er hatte zum Mount Olympus hinübergeblickt, der wie ein gigantisches Granitdreieck in den azurblauen Himmel aufragte, sein zerklüfteter Gipfel von kaum mehr als einem Hauch Schnee bedeckt.

Die Erinnerung durchschnitt ihn wie zerbrochenes Glas. Er war nach Hause gerast, um Izzy und Kathy zu holen, aber inzwischen war es Abend geworden und dunkle Schatten lagen auf der Veranda.

Er hatte Kathy bei der Hand gepackt und sie durch alle Zimmer gezogen.

»Siehst du es nicht schon vor dir, Kathy? In diesem Wintergarten werden wir frühstücken ... und hier, schau mal, die Küche. Solche Herde werden heute gar nicht mehr hergestellt. Und da, der Kamin. Er ist mindestens hundert Jahre alt.«

Er hatte die Möglichkeiten gesehen, den Zauber alter Dinge.

Sie Vernachlässigung, Schmutz und Arbeit.

Warum war ihm das damals nicht aufgefallen? Und warum hatte er sie nicht nach ihrer Meinung gefragt? Warum hatte er gedacht, sie hätte nur wieder eine ihrer melancholischen Stimmungen, und es dabei belassen?

Mit einem müden Seufzer straffte er die Schultern, überquerte die Wiese, stieg die Verandastufen hinauf und klopfte an die Tür. Der nasse Beutel mit seinen neuen Habseligkeiten glitt zu Boden. Er achtete nicht darauf.

Eilige Schritte im Innern, ein gedämpftes »Einen Moment bitte«. Dann ging die Tür auf, und Annie stand vor ihm.

Das Schweigen war ohrenbetäubend. Alle Geräusche schienen tausendfach verstärkt: das rhythmische Prasseln des Regens auf den Blättern, das leise Schwappen der Wellen auf dem Kieselstrand.

Er wollte lächeln, aber Angst ließ seine Lippen erstarren. Er wandte den Blick ab, bevor sie das Verlangen in seinen Augen sehen konnte.

»Nick«, hauchte sie. Er glaubte, die Wärme ihres Atems zu spüren. Langsam, ganz langsam hob er den Kopf.

Sie war ihm so nah, dass er die Sommersprossen auf ihrer Stirn zählen, die winzige Narbe an ihrer Braue sehen konnte. »Ich bin zweimal am Tag zu den Anonymen Alkoholikern gegangen«, sagte er hastig. »Seitdem du mich vor dem Motel abgesetzt hast, habe ich keinen Tropfen mehr getrunken.«

»O Nick, das ist ja wundervoll. Ich …«

Als würde sie erst jetzt bemerken, wie nahe sie einander waren, überzog eine feine Röte ihre Wangen.

Sie räusperte sich und trat einen Schritt zurück. »Izzy ist im Studio. Wir malen gerade. Aber komm doch herein.«

»Ihr malt? Hört sich nach Spaß an. Ich möchte nicht …«

»Sei nicht albern, Nick.« Sie streckte den Arm aus, packte seine Hand – ihr Griff war fest und zuversichtlich – und zog ihn über die Schwelle ins Haus. Die Tür fiel hinter ihnen ins Schloss.

Es roch sauber und aufgeräumt, und irgendwo spielte ein Radio, aber ihm blieb keine Zeit, alle Veränderungen in Augenschein zu nehmen. Sie zog ihn den Korridor entlang.

Ihr Studio entpuppte sich als der Raum, den Nick stets das Kabuff genannt hatte. Vor Jahren, wahrscheinlich in den Fünfzigern, war er mit sparsamsten Mitteln »renoviert« worden. Billige Spanplatten verbargen die eigentlichen Holzwände, und ein senffarbener Teppichbelag bedeckte den Boden. Das

Reizvollste an dem Zimmer war ein alter Backsteinkamin, in dem ein Feuer knisterte.

Die Türen zur hinteren Veranda standen offen. Eine kühle Abendbrise bewegte die weißen, zarten Vorhänge, und der Regen wob silbrige Schleier zwischen dem Haus und der einbrechenden Nacht. Auf einem tragbaren Kartentisch sah Nick Farbtiegel und Pinsel. Große Kleckse bedeckten die Zeitung, die zum Schutz auf dem Teppich ausgebreitet war.

Izzy hatte ihnen den Rücken zugewandt, die linke Hand hing schlaff an ihrer Seite herab. Vor ihr stand eine Staffelei, und er konnte sehen, dass sie etwas malte, aber ihr Körper verdeckte das eigentliche Bild.

Plötzlich bemerkte er, dass Annie nicht mehr da war. Seine Hand fühlte sich kalt und leer an. Er blickte sich suchend um und sah sie im Flur stehen. Sie reckte flüchtig den Daumen und verschwand.

Seufzend drehte er sich wieder um, lief auf die Staffelei zu. Er rechnete damit, das Izzy ihn bemerken würde und erschrak, aber der Teppich dämpfte seine Schritte.

»Izzy«, sagte er kaum hörbar, als könne eine leise Stimme ihre Überraschung mildern.

Sie ließ ihren Pinsel so abrupt fallen, dass er Farbe zu ihren Füßen verspritzte, und drehte sich um.

Sie sah aus wie ein Engel. Sie trug einen gelben Overall voller Farbkleckse. Ihre schwarzen Haare waren zu zwei Zöpfen geflochten, von gelben Schleifen zusammengehalten.

Sie sah aus wie früher.

Seine Knie fühlten sich ganz weich an, und die Angst krampfte seinen Magen zusammen, aber er lief weiter auf seine kleine Tochter zu, die stumm neben der Staffelei stand und ihn mit ihren braunen Augen anstarrte.

Er sank neben ihr auf die Knie. Farbe durchnässte den Stoff seiner Hosen.

Unverwandt und ernst blickte sie ihn an.

Vor Monaten noch wäre sie in seine Arme gesprungen und hätte ihn mit Küssen überschüttet. Selbst wenn er getrunken hatte, oder nach einer Auseinandersetzung mit Kathy konnte das ihre Liebe zu ihm nicht erschüttern. Noch nie hatte sie ihn angeblickt wie jetzt, mit der Wachsamkeit eines kleinen Tieres, das bereit war, beim ersten Anzeichen von Gefahr die Flucht zu ergreifen.

Nick wurde die Kehle eng, und er erkannte, wie sehr ihm ihre Küsse gefehlt hatten, der Geruch ihrer Haare, die Sanftheit ihrer Finger, wenn sie ihre Hand in die seine schob.

»Hey, Sonnenscheinchen«, sagte er und ignorierte den schwarzen Handschuh, diesen Beweis für sein Versagen und ihren Kummer.

Das war sein Kosename für sie, seit dem Tag, an dem sie zum ersten Mal gelächelt hatte. Er hatte sie schon lange nicht mehr so genannt. Seit Kathys Tod und vermutlich schon davor nicht mehr.

Sie erinnerte sich. Ein winziges Lächeln verzog ihre Lippen.

Er hätte vieles zu ihr sagen, manches versprechen können, aber letztlich wären es nur Worte gewesen. Versprechen eines Mannes, der das Vertrauen anderer zu oft missbraucht hatte.

Einen Schritt nach dem anderen ... Mit diesem Rat hatten die AA zweifellos Recht.

Einen Schritt nach dem anderen hatte er seine Tochter verloren, und nur so konnte er sie zurückgewinnen. Er durfte sie nicht um ihr Vertrauen bitten, auch wenn sie es ihm vermutlich bereitwillig geben würde. Er musste es sich *verdienen*. Einen Schritt nach dem anderen.

Und so versprach er ihr gar nichts. »Was malst du denn da?«, fragte er stattdessen.

Sie trat einen Schritt von der Staffelei zurück. Nick sah ein buntes Gewirr von Strichen und Klecksen. Weil er Bilder von ihr kannte, fiel es ihm leicht zu erkennen, dass sie sich selbst gemalt hatte. Sie war die kleine Figur mit dem großen Kopf und den bodenlangen, schwarzen Haaren in der Ecke. Neben ihr stand eine andere Gestalt, den kurzen, braunen Haaren nach zu urteilen, Annie, und zeigte ein breites Lächeln. Über beiden strahlte eine goldgelbe Sonne.

Nick nahm einen sauberen Pinsel vom Kartentisch und tauchte ihn in einen Topf brauner Farbe. »Darf ich etwas hinzufügen?«

Schweigend sah Izzy ihn an, dann nickte sie.

Er malte einen etwas missglückten Kreis neben Annie. Fünf weitere Striche hatten eine vage Ähnlichkeit mit einem Körper. »Das ist Daddy«, sagte er, ohne sie anzusehen. Dann malte er in den Kreis zwei Augen, eine Nase und zwei Lippen. »Die Haare brauche ich nicht zu malen, sie haben fast die gleiche Farbe wie das Papier. Die können wir uns denken.« Er ließ den Pinsel sinken und blickte sie endlich doch an.

Ruhig und gelassen musterte sie ihn. Ihre beiden Vorderzähne, ihre ersten und bisher einzigen bleibenden Zähne, nagten nachdenklich an der Unterlippe.

»Willst du, dass ich wieder nach Hause komme, Izzy?« Er wartete eine Ewigkeit auf ihre Antwort, auf ein Nicken, ein Zwinkern, irgendetwas, aber sie stand nur da und starrte mit ihren traurigen Erwachsenenaugen durch ihn hindurch.

Er strich ihr über die samtweiche Wange. »Ich verstehe, Sonnenscheinchen.«

Er wollte aufstehen.

Sie griff nach seiner Hand.

Langsam ging er wieder in die Knie, verlor sich in den schokoladenbraunen Augen, die einmal seine ganze Welt ausmachten, und erinnerte sich. Wie er mit ihr zum Anlegesteg hinuntergegangen war, um sich die Boote anzusehen, wie sie gemeinsam davon geträumt hatten, irgendwann einmal um die Welt zu segeln … Er erinnerte sich, wie gut es gewesen war, ihre Hand zu halten, mit ihr zu lachen, sie an einem sonnigen Frühlingstag auf die Arme zu heben und durch die Luft zu schwenken.

»Ich habe dich sehr lieb, Izzy«, sagte er und erinnerte sich daran, wie einfach das früher einmal war.

Breitbeinig und mit verschränkten Armen stand Nick auf der Veranda und dachte über den dünnen Faden nach, der ihn mit seiner Welt verband. Trotz Annies munteren Geplauders war das Abendessen anstrengend gewesen, immer wieder waren verlegene Pausen entstanden. Aber er hatte bemerkt, dass Izzy wieder alle Finger ihrer rechten Hand benutzte.

Immer, wenn er seine Tochter ansah, überwältigte ihn Scham, und er brauchte seine ganze Kraft, um den Blick nicht abzuwenden. Aber er hatte seine Feigheit überwunden, und das war ein kleiner Triumph. Er hatte Izzys Blicken standgehalten, und wenn er unter ihrem wachsamen Misstrauen auch zusammenzuckte, ließ er sich zumindest nichts davon anmerken.

Die Gazetür hinter ihm quietschte und fiel gleich darauf wieder zu.

Er brauchte eine Sekunde, um sich umdrehen zu können. Als er es tat, stand Annie neben dem Schaukelstuhl, den er Kathy zu Izzys Geburt geschenkt hatte.

Annies Finger wanderten über das Verandageländer, und ihr Ehering blitzte im Schein der von der Decke hängenden Lampe auf. Die Größe des Diamanten erinnerte Nick daran, in welch unterschiedlichen Welten sie lebten. Als hätte er das vergessen können ...

Sie hielt einen kleinen Koffer in der anderen Hand.

»Izzy hat sich bereits die Zähne geputzt. Sie wartet darauf, dass du sie ins Bett bringst.« Ihre Stimme war sanft und kühl wie Frühlingsregen, und sie nahm seinen Ängsten etwas von ihrer Heftigkeit.

Sie stand dicht vor ihm, ihre Arme hingen herab. Selbst mit ihrem militärisch kurzen Haarschnitt war sie wunderschön. Sie trug ein ausladendes, graues Sweatshirt zu übergroßen Jeans, aber plötzlich erinnerte er sich an ihre Nacktheit und daran, wie er sie in die Arme gerissen, ihr das Shirt ausgezogen hatte ... An das Mondlicht auf ihren Brüsten ...

»Nick?« Sie kam noch näher. »Geht es dir auch gut?«

Er zwang sich zu einem heiseren Lachen. »So gut, wie es einem Trinker gehen kann, der dem Alkohol abgeschworen hat, nehme ich an.«

»Du schaffst es. Ganz bestimmt.« Es hatte den Anschein, als wollte sie die Hand nach ihm ausstrecken, und er beugte sich ihr ein wenig entgegen, aber in letzter Sekunde zog sie sich wieder zurück. »Ich weiß, es ist nicht leicht, ganz neu anzufangen …«

Er sah den verzweifelten Ausdruck in ihren Augen und dachte darüber nach, was er ihr angetan haben konnte, der Mann, der ihr einen kieselsteingroßen Diamanten an den Finger gesteckt hatte. Er wollte sie schon fragen, doch es kam ihm anmaßend und aufdringlich vor, an ihre Wunden zu rühren. »Du hast mir das Leben gerettet, Annie. Ich weiß nicht, wie ich dir danken soll.«

Sie lächelte. »Ich habe immer gewusst, dass du ihretwegen zur Vernunft kommen würdest. Ich konnte sehen, wie sehr du Izzy liebst.«

»Woher kommt dein Optimismus?« Nick blickte auf den dunklen See hinaus. »Kathy habe ich auch geliebt, aber hat es ihr geholfen?« Seufzend lehnte er sich gegen das Verandageländer. »Willst du wissen, was mir keine Ruhe lässt? Dass ich meine Frau nie wirklich verstanden habe. Das Traurige ist, dass ich sie jetzt verstehe. Jetzt weiß ich, was Hoffnungslosigkeit ist. Sie könne die Sonne nicht mehr fühlen, hat Kathy mir oft gesagt, nicht einmal, wenn sie von ihr beschienen werde, nicht einmal, wenn sie heiß auf ihren Wangen brenne.« Nick war überrascht, wie leicht es ihm plötzlich fiel, über seine Frau zu sprechen. Zum ersten Mal erinnerte er sich an *sie,* nicht an die Krankheit oder an das Auseinanderbrechen ihrer Ehe in den letzten paar Jahren, sondern an Kathy, an das unbeschwerte und großherzige Mädchen, in das er sich einmal verliebt hatte. »Sie wollte nicht mehr in der Dunkelheit leben …«

Er blickte Annie an und sah, dass sie weinte. »Entschuldige, ich wollte dich nicht traurig machen.«

Sie wich seinem Blick nicht aus. »Im Grunde seid ihr doch sehr glücklich gewesen.«

»Wie …?«

»Es macht nichts, was du in den letzten Monaten für Kathy empfunden hast oder seit ihrem Tod. Du hast sie geliebt. Und das muss sie gespürt haben.« Ihre Stimme wurde zu einem heiseren Flüstern. »Die meisten Menschen werden in ihrem ganzen Leben nie wirklich geliebt.«

Jetzt musste Nick die Frage doch stellen, obwohl er wusste, es würde schwer für sie werden. Er trat auf sie zu, einen Schritt näher, als ihm gut tat. »Wie ist es mit dir? Hast du die wahre Liebe kennen gelernt?«

Traurig lächelte Annie ihn an. »Nein. Ich habe wirklich geliebt, aber er? Nein, ich glaube nicht.«

»Du hättest es verdient.«

Sie wischte sich resolut über die Augen. »Hätten wir das nicht alle verdient?«

Ein verlegenes, unbehagliches Schweigen entstand zwischen ihnen. »Annie ...«

»Ja?«

»Es wäre schön, wenn du morgen wiederkommen würdest ... Um den Tag mit uns zu verbringen.«

»Gern«, erwiderte Annie sofort und wandte dann den Blick ab.

»Danke, Annie.« Seine Stimme klang zart und innig wie ein Kuss.

»Keine Ursache, Nicky.« Wieder entstand ein Augenblick der Verlegenheit. »Ich bin unendlich froh, dass Izzy wieder spricht.«

Nick runzelte die Stirn. »Mit mir hat sie nicht gesprochen.«

Sie legte kurz eine Hand auf seinen Arm. »Sie wird es tun. Lass ihr ein wenig Zeit.«

Er konnte, wollte Annie nicht ansehen. Blickte stattdessen über den See.

Nervös trat sie von einem Fuß auf den anderen. »Nun, ich sollte losfahren ...«

»Dann bis morgen.«

Annie nickte und lief die Verandastufen hinab. Sie winkte ihm zu, kletterte in ihren Mustang und fuhr los.

Nick sah dem Auto nach, bis die roten Rücklichter hinter der Kurve verschwanden. Zögernd ging er ins Haus und lief die Treppe hinauf. Vor Izzys Tür blieb er stehen und klopfte.

Sag etwas, Baby … Ich weiß, dass du es kannst …

Aber sie reagierte nicht. Langsam drehte er den Knauf und schob die Tür auf.

Izzy saß aufrecht im Bett und hatte den rechten Arm um Miss Jemmie geschlungen. Wie ein schwarzer Fleck lag ihre linke Hand auf der lavendelfarbenen Steppdecke.

Nick ging zum Bett und setzte sich neben sie.

Die Stille schien unerträglich zu sein, jeder Herzschlag zerrte an Nicks Selbstsicherheit. »Ich dachte, ich könnte dir vielleicht eine Geschichte vorlesen.«

Sie ließ Miss Jemmie los, holte ein Buch unter der Bettdecke hervor und gab es ihm.

»Ah, *Where the Wild Things Are*. Ich frage mich, wie es Max geht. Vermutlich hat er sich in ein Warzenschwein verwandelt.«

Izzy gluckste leise. Ganz so, als wolle sie ein Lachen unterdrücken.

Nick legte einen Arm um ihre schmalen Schultern und zog sie an sich. Mit der anderen Hand schlug er das Buch auf und begann zu lesen.

Und als er in die vertraute Geschichte eintauchte, hatte er zum ersten Mal das Gefühl, er könnte vielleicht doch noch eine Chance haben.

Doch so einfach war es nicht. In der ersten Woche fühlte sich Nick nervös, unsicher und hatte Angst, beim ersten falschen Schritt wieder in Zoe's Bar zu landen. Seine Willenskraft wurde täglich tausendmal auf eine harte Probe gestellt.

Er erwachte früh und mit dem brennenden Wunsch nach einem Drink, verließ das Haus, um Holz zu hacken, aber das Verlangen wollte nicht nachlassen. Verbissen und schwitzend hackte er stundenlang Holz und fragte sich, ob heute der Tag war, an dem er rückfällig werden würde.

Annie erschien jeden Morgen mit strahlendem Lächeln und irgendeinem Vorschlag, wie sie den Tag verbringen könnten. Sie wirkte fest entschlossen, aus ihnen eine kleine Familie zu machen, und ihr Beispiel sorgte dafür, dass Nick täglich zu den AA-Versammlungen ging. Er würde Annie und Izzy nicht enttäuschen.

Jetzt fuhr er zum Vieruhrtreffen. Im Schritttempo kroch er über die Main Street, die Hände um das Lenkrad verkrampft. Fünf Minuten zuvor hatte es so heftig zu regnen begonnen, dass Passanten und Kauflustige eiligst die Flucht ergriffen hatten. Nur sehr wenige Autos standen auf den Parkstreifen am Straßenrand.

Nur vor Zoe's Bar parkten Wagen dicht an dicht. Aus Erfahrung wusste Nick, dass jeder Barhocker besetzt sein würde. Er blickte zu den Fenstern des Lokals hinüber, hörte förmlich das Klingen der Gläser, das Klirren der Eiswürfel.

Nick leckte sich die trockenen Lippen und schluckte, wehrte sich verzweifelt gegen die Vorstellung, wie gut ein Schluck Scotch gerade jetzt schmecken würde. Er konnte sich noch immer nicht vorstellen, den Rest seines Lebens ohne Alkohol zu verbringen, aber einen Tag, heute, konnte er es schaffen.

Nick trat aufs Gaspedal. Als er an der Bar vorbeifuhr, spürte er in allen Knochen jeden Zentimeter der Straße, und als er die Lutheran Church erreichte, hatte das Zittern ein bisschen nachgelassen. Kalter Schweiß rann ihm den Nacken hinunter.

Er fuhr auf den Stellplatz hinter der Kirche und parkte direkt unter einer Plakatwerbung für Rainier Beer. Er blieb noch einen Moment sitzen, um sich zu sammeln, zog den Zündschlüssel ab und stieg aus.

Inzwischen kannte er alle Teilnehmer, und es war ein eigentümlich beruhigendes Gefühl, den Raum im Untergeschoß zu betreten.

Nick zog eine Cola aus dem Automaten und setzte sich auf den leeren Stuhl neben Joe.

»Alles in Ordnung mit dir, Nicholas? Du siehst blass aus.«

»Nicht unbedingt«, antwortete er und empfand so etwas wie Dankbarkeit dafür, dass ihm die AA die Fähigkeit gegeben hatten, zum ersten Mal im Leben aufrichtig zu sein. Hier in diesem Raum, unter fast Fremden, die ihm Freunde sein wollten, konnte er sich ganz offen zu seinen Problemen bekennen. Das gab eine gewisse Sicherheit, wie er inzwischen wusste. Offenheit und Ehrlichkeit halfen. Und noch mehr half das Eingeständnis, dass die Abhängigkeit stärker war als er selbst.

Zu Hause hatte er das Gefühl, dass sein Leben an einem seidenen Faden hing. Was er dort auch tat – immer spürte er Izzys Blicke auf sich. Sie wartete darauf, dass er scheiterte.

Bisher hatte sie kein Wort mit ihm gesprochen, und jetzt war ihr Schweigen für ihn noch schlimmer als zuvor, weil sie ja offenbar mit Annie redete – auch wenn er es noch nie gehört hatte.

Die gemeinsamen Mahlzeiten waren ebenfalls eine Qual. Mitunter zitterten seine Hände so heftig, dass er Kopfschmerzen vorschützte und in sein Zimmer flüchtete.

Zögernd lächelte er Joe an. »Sich selbst zu überwinden ist verdammt schwer.«

»Das ist immer so, Nicholas. Du weißt, dass ich für dich da bin. Wir alle sind für dich da.«

Nick nickte. »Ich weiß.«

Das Treffen begann. Nacheinander standen Anwesende auf, um ihre Schwierigkeiten und Probleme aufrichtig auszusprechen, ihre Hoffnungen und Träume. Und wie immer richteten sich am Ende alle Augen erwartungsvoll auf Nick.

Er hatte vorgehabt, etwas zu sagen. Vielleicht: Hi, ich bin Nick. Ich bin Alkoholiker. Seit dreiundzwanzig Tagen habe ich keinen Schluck mehr getrunken …

Aber dann brachte er es doch nicht über sich.

16. Kapitel

Ihre Tage verliefen ebenso angenehm wie gleichmäßig. Wenn Annie erschien, hatte Nick ein Frühstück mit Eiern und Pfannkuchen zubereitet, und danach unternahmen sie irgendetwas. Meistens im Freien: Sie angelten am Fluss, radelten um den See oder bummelten über die Main Street und sahen sich die Schaufenster an. Heute hatten sie eine Radtour ins Enchanted Valley unternommen und waren bei der Rückkehr total erschöpft. Die arme Izzy schlief schon, bevor sie im Bett lag.

Annie beugte sich vor und küsste sie auf die Stirn.

»Gute Nacht«, murmelte Izzy und schloss die Augen.

Annie stand auf. Der Freitag war der Wochentag, den sie am meisten hasste. Sie würde Nick und Izzy erst Montag wiedersehen, und obwohl sie gern mit Hank zusammen war, konnte sie es doch kaum abwarten, am Montag ins Beauregard House zurückzukehren. Sie dachte nur selten darüber nach, wie sehr sie Nick und Izzy eigentlich mochte und ob es richtig war, so viel Zeit mit ihnen zu verbringen. Das hätte zwangsläufig zu weiteren Überlegungen geführt, die ihr Angst einflößten, und so verdrängte sie diese Gedanken ebenso wie alle ihre anderen Unsicherheiten. Annie war zu der traurigen Erkenntnis gelangt, dass Blake sich nicht besinnen, dass der Anruf, von dem sie wochenlang geträumt hatte, nie kommen würde. Der Verlust dieser, wenn auch sehr kleinen, Hoffnung gab ihr das Gefühl, ziel- und orientierungslos dahinzutreiben. Manchmal, selbst an einem herrlichen Frühlingstag, meldeten sich ihre

Ängste und Befürchtungen mit einer Heftigkeit, die sie schockierte und erschreckte.

In solchen Momenten suchte sie Zuflucht bei Hank. Aber seine tröstenden Worte – »Er wird zurückkommen, Honey. Sorg dich nicht, er kommt bestimmt zurück« – beruhigten Annie nicht mehr. Sie glaubte ihnen nicht mehr. Terri schien die Einzige zu sein, die sie verstand, und die Telefongespräche mit ihrer Freundin, oft mitten in der Nacht, waren ihr eine große Hilfe.

Annie war gerade dabei, Izzys Zimmer zu verlassen, als eine Bewegung draußen ihre Aufmerksamkeit erregte. Sie ging zum Fenster und schob den Spitzenvorhang zur Seite.

Nick stand am Seeufer. Seine Gestalt warf einen langen Schatten auf das mondbeschienene Wasser. Wie üblich hatte er beim Abwaschen geholfen, Izzy eine Geschichte vorgelesen, dann aber hastig das Haus verlassen.

Er war so einsam wie sie selbst. In seinen Augen, sogar in seinem Lächeln lag Traurigkeit.

Er gab sich unendliche Mühe. Gestern hatte er mit Izzy fast zwei Stunden lang *Candy Land* gespielt. Jedes Mal, wenn Izzy gelächelt hatte, schien er gleich in Tränen auszubrechen.

Noch nie war Annie auf einen Menschen so stolz gewesen wie auf Nick. Er bemühte sich verzweifelt, alles richtig zu machen. Nicht zu trinken, nicht aus der Haut zu fahren und seine Versprechen zu halten. Sanft und gelassen zu sein und Geduld für seine kleine Tochter aufzubringen, die ihn noch immer aufmerksam beobachtete und kein Wort mit ihm sprach.

Häufig musste sie an Blake denken. Wie selten er wirklich für seine Tochter da gewesen war, wie viel in seinem Leben er für selbstverständlich gehalten hatte. Natürlich war das, wie sie jetzt einsah, zum Teil ihre eigene Schuld. Sie hatte blindlings getan, was er von ihr verlangte. Widerspruchslos. Sie hatte ihm sich selbst und ihre Träume geopfert – weil sie ihn liebte.

Sie war buchstäblich in ihm aufgegangen, hatte seine Einstellungen und Überzeugungen für sich übernommen. Selbst in ganz kleinen, banalen Dingen …

Sie ließ sich die Haare nicht schneiden, weil Blake lange Haare liebte. Sie kaufte ein Kleid nicht, obwohl es ihr gefiel, weil er Rot für eine »ordinäre« Farbe hielt.

Sie tat, worauf sie sich »verständigt« hatten. Sie blieb zu Hause und wurde die perfekte Ehefrau und Mutter, und damit ließ sie zu, dass Blake zu einem schlechten Ehemann und Vater wurde. Und während der ganzen Zeit hatte sie ernsthaft geglaubt, die perfekte Ehefrau zu sein. Erst jetzt begriff sie, welchem Irrtum sie erlegen war: Sie hatte alle diese Opfer nicht aus Stärke und Liebe gebracht, sondern aus Schwäche. Weil das einfacher war, bequemer. Sie hatte ihre Rolle selbst gewählt, und nun empfand sie Scham über ihre Entscheidung. Doch noch immer wusste sie nicht, wie es mit ihr weitergehen sollte.

Das Einzige, was sie wusste, war, dass sie allein war. Alles, was sie künftig tat, würde sie als nicht mehr junge, allein stehende Frau unternehmen.

Sie wünschte sich, Nicks Stärke zu haben, seine Willenskraft, die Vergangenheit hinter sich zu lassen und neu anzufangen.

Annie legte die Fingerspitzen gegen die Fensterscheibe, fühlte ihre kühle Glätte. Du schaffst es, Nick …

Davon war sie fest überzeugt.

Sie verließ Izzys Zimmer und lief die Treppe hinunter. Dann nahm sie ihre Tasche von der Couch und ging zur Haustür. Die kühle Abendluft kühlte ihre Wangen.

Über die Wiese hinweg sah sie zu Nick. In Augenblicken wie diesem, am Ende des Tages, meldete sich die Erinnerung an den Abend, an dem sie einander geliebt hatten.

Sie schloss die Augen und dachte an seine Hände auf ihrer nackten Haut, die Zartheit seiner Lippen …

»Annie?«

Sie schlug die Augen auf. Er stand direkt vor ihr, und sie war sicher, dass ihr Blick sie verriet: ihre verzweifelte Sehnsucht nach Geborgenheit und Zärtlichkeit. Wenn sie jetzt etwas sagte und seine leise, weiche Stimme hörte, wäre sie verloren. Sie war ungeschützt, verletzlich und wünschte sich, von einem

Mann umarmt und liebkost zu werden – obwohl er vielleicht der falsche Mann war, selbst wenn sie nicht die Frau war, die er sich wünschte.

Annie zwang sich zu einem nervösen Lächeln. »Hi, Nick ... Ich muss los.«

Bevor er antworten konnte, lief sie zu ihrem Auto.

Aber als sie wenig später die Straße entlangfuhr und hörte, wie Rod Stewarts raue Stimme von einer Faszination sang, die rein physisch war, erinnerte sie sich wieder ...

Am Sonntagmorgen stand Izzy in ihrer neuen Latzhose und in Regenstiefeln auf der Veranda und beobachtete ihren Vater. Er kniete neben dem kleinen Baum, den sie am Tag der Beerdigung ihrer Mutter gepflanzt hatten. Der dürre Kirschbaum wollte einfach nicht ausschlagen, obwohl alles um ihn herum grünte und sprosste. Er war tot, genau wie ihre Mommy.

Ihr Vater beugte sich weit vor und trug Handschuhe, die seine Hände aussehen ließen wir Bärenpranken. Er zupfte das Unkraut rund um den kleinen Baum aus und summte ein Lied, das Izzy lange nicht mehr gehört hatte.

Plötzlich hob Nick den Kopf und entdeckte sie. Lächelnd strich er sich eine Haarsträhne aus dem Gesicht. Sein Handschuh hinterließ einen braunen Erdstreifen auf seiner Stirn. »Heya, Izzy-Bär«, rief er. »Willst du mir nicht ein bisschen helfen?«

Langsam lief sie zu ihm, vorbei an den Primeln, die Annie in der letzten Woche gepflanzt hatte. Als sie neben ihm stand, lächelte er noch immer.

Ihr Vater war wieder da und wünschte sich nichts sehnlicher als eine Umarmung, aber die Angst ließ sie zögern. Und wenn er nun wieder verschwand? Fast hätte sie etwas zu ihm gesagt, sie öffnete sogar den Mund und versuchte es.

»Was ist, Izzy?«

Die Worte wollten einfach nicht heraus. Sie steckten in ihrer Kehle fest. Mach schon, Izzy, redete sie sich gut zu. Du brauchst nur zu sagen: Ich habe dich vermisst, Daddy ...

Aber sie schaffte es nicht. Stattdessen streckte sie die Hand aus und zeigte auf die kleine Hacke, die neben ihm im Gras lag. Er hob sie auf und hielt sie ihr hin. »Ist schon gut, Sonnenscheinchen«, sagte er leise. »Ich verstehe dich.«

Ich hab dich lieb, Daddy ... Tränen brannten in Izzys Augen. Sie war traurig und beschämt darüber, dass sie die Worte nicht aussprechen konnte. Sie kniff die Augen fest zu, damit er die dummen Babytränen nicht sah. Dann nahm sie die Hacke und kniete sich neben ihn.

Er begann über Blumen zu sprechen, über das Wetter, die Vögel, die jetzt überall ihre Nester bauten. Er erzählte so viel, dass sie ganz vergaß, wie sehr sie sich schämte, vergaß, dass sie nur ein dummes kleines Mädchen war, das nicht mehr mit seinem Daddy sprechen konnte.

Sonntag war der Tag, der die Menschen in die feuchte, nach Tannennadeln und frischem Laub duftende Waldeinsamkeit lockte. Der Tag, an dem Pflastermüde in den Regenwald zogen, um endlich einmal richtig durchatmen zu können, und sich dann dabei ertappten, wie sie das Tempo ihrer Mietwagen vor den Immobilienbüros verlangsamten. Wie von selbst griffen ihre Finger nach Beschreibungen der zum Kauf angebotenen Ferienhäuser und Blockhütten und riefen bei ihren fernen Familien an, um ihnen zu berichten, dass sie den wundervollsten Fleck auf Erden entdeckt hatten.

Als Nick im Wohnzimmer die Vorhänge aufzog, war er ebenso fasziniert wie die Touristen. Über den Baumwipfeln war gerade eine goldfarbene Sonne aufgegangen. Zitronengelbe Lichtbündel durchdrangen den Wald und verliehen ihm einen durchscheinenden, unirdischen Schimmer. Im unbewegten Lake Mystic spiegelte sich ein klarblauer Himmel. Am anderen Ufer stand ein Graureiher auf einem Bein und überblickte stolz sein Reich.

Genau der richtige Tag für einen Vater-Tochter-Ausflug. Nick eilte die Treppe hinauf und weckte Izzy. Er schickte sie ins Bad und legte ihr warme Sachen zum Anziehen hin. Während sie ihr Bett machte, lief er hinunter und stellte ein Lunchpaket zusammen: Räucherlachs, Frischkäse und Cracker für ihn, Sandwiches mit Erdnussbutter und Jelly sowie Streichkäse für Izzy. Von Annies Limonade war noch ein guter Liter da, den goss er in eine Thermoskanne und stellte alles in einen Picknickkorb.

Eine Stunde später fuhren sie die gewundene Küstenstraße entlang, die die Welt in zwei Hälften zu teilen schien. Auf der einen Seite reichte der dunkle, dichte Wald bis an die Fahrbahn heran, auf der anderen krachten die Wogen des Pazifik gegen die zerklüfteten Klippen. Die immergrünen Gewächse auf der Meerseite hatten im Laufe der Jahre den Stürmen nachgegeben. Ihre Zweige und Äste duckten sich förmlich an den Boden. Windflüchter.

Nick parkte in einer der Ausweichbuchten, die einen besonders guten Ausblick auf das grandiose Panorama boten. Er ergriff Izzys Hand und lief mit ihr über den Klippenpfad zum Strand hinunter. Unter ihnen donnerten gewaltige, schaumgekrönte Brecher gegen die Felsen. Als sie schließlich auf den harten, festen Sand sprangen, lächelte Izzy ihn an.

So weit das Auge reichte, erstreckte sich vor ihnen der stahlblaue Ozean. Manchmal heulte der Wind hier so laut, dass man sein eigenes Wort nicht verstehen konnte, aber heute herrschte eine nahezu unnatürliche Ruhe. Die Luft war frisch und roch nach Tang. Kormorane, Sturmschwalben und Möwen schossen über ihnen durch die Luft und ließen sich gelegentlich auf den windverkrüppelten Bäumen nieder, die auf hausgroßen Felsen in der Brandung wuchsen.

Nick stellte den Korb auf einen Felsbrocken nahe am Wasser. »Komm, Izzy.«

Lachend rannten sie über den Strand, verursachten die einzigen Fußspuren weit und breit und suchten nach verborgenen Schätzen: Sanddollars, Quarzkristallen und winzigen, schwarzen Krebsen. Hinter einem Felsvorsprung traten sie fast in eine Masse winziger, blauer Quallen, die vom Wind an Land getrieben worden waren: Für Eingeweihte ein sicheres Zei-

chen, dass im Sommer der Thunfisch in Küstennähe vorbei-
ziehen würde.

Als die Sonne ihren höchsten Stand erreicht hatte, lief Nick
mit Izzy zum Ausgangspunkt zurück. Er breitete eine rotweiße
Decke über den harten Sand und packte den Picknickkorb
aus. Mit überkreuzten Beinen setzten sie sich auf die Decke
und aßen ihren Lunch.

Nick erzählte Izzy von den amerikanischen Ureinwoh-
nern, die Hunderte von Jahren vor den ersten weißen Siedlern
hier gelebt, von den wilden Partys, die sie während ihrer High-
School-Zeit an diesem Strand gefeiert hatten, und davon,
dass er einmal mit Kathy während ihrer Schwangerschaft hier
war.

Einmal glaubte er, Izzy wolle etwas sagen. Mit funkelnden
Augen und bebenden Lippen beugte sie sich ein wenig vor.

Gespannt stellte Nick sein Limonadenglas ab. *Komm, Izzy-
Bär, streng dich an. Sprich endlich mit mir, bitte!* Aber sie blieb
stumm. Was immer ihr auf der Zunge lag, es kam nicht über
ihre Lippen.

Diesmal traf ihn ihr Schweigen noch härter als sonst. Es
bohrte in ihn wie ein Stachel und machte ihm das Atmen
schwer. Aber er rang sich ein Lächeln ab und begann eine neue
Geschichte, erzählte von der längst vergangenen Nacht, in der
Annie und er auf den Wasserturm geklettert waren und »*Go
Panthers*!« an die Seite gepinselt hatten.

Als sie mit Essen fertig waren, packten sie die Reste in den
Korb und begannen ihren langsamen Aufstieg zum Auto. Unter den letzten Strahlen der untergehenden Sonne fuhren sie
nach Hause. Es war nicht leicht für Nick, gegen Izzys uner-
bittliches Schweigen anzureden, doch er zwang sich dazu. Als
Zoe's in Sicht kam, wurde das Verlangen nach einem Drink in
ihm geradezu übermächtig. Entschlossen trat er auf das Gaspedal, und sie fuhren an der Bar vorbei.

Als Nick auf den Zufahrtsweg einbog, war der Tag in einen
purpurgoldenen Abend übergegangen. Hand in Hand mit
Izzy lief er auf das Haus zu.

»Was hältst du davon, wenn wir etwas spielen?«, fragte er und zog die Tür ins Schloss.

Wortlos lief Izzy los und kam wenige Minuten später mit dem *Candy Land*-Karton zurück.

»O nein!«, stöhnte Nick. »Nicht schon wieder. Alles, nur nicht das. Wie wäre es mit *Mikado*?«

Ihre Lippen verzogen sich zu einem Lächeln. Sie schüttelte den Kopf.

»Du glaubst vielleicht, ich möchte es nicht spielen, weil ich nie gewinne, aber das stimmt nicht. Bei *Candy Land* sterbe ich vor Langeweile. Komm schon, lass uns *Mikado* spielen. Bitte.«

Sie grinste durchtrieben. Ihr Zeigefinger pochte auf den *Candy Land*-Karton.

»Also gut. Eine Partie *Candy Land,* aber dann *Mikado*.«

Izzy kicherte glucksend, ein Geräusch, bei dem Nick ganz warm wurde. Er machte schnell ein Feuer im Kamin, dann bauten sie das Brett auf dem Wohnzimmerteppich auf.

Es blieb natürlich nicht bei einer Partie. Irgendwann begann es in Nicks Fingern zu kribbeln, und er warf die blauen und gelben Spielsteine in den Karton. »Ich gebe mich geschlagen. Du bist die *Candy Land*-Königin. Niemand kann dich besiegen. Komm, Izzy, Zeit fürs Abendessen. Selbst *Kochen* ist besser als dieses Spiel.« Mühsam und schwankend stand er auf.

Izzy sprang hoch, griff nach seiner Hand und runzelte besorgt die Stirn.

Er lächelte sie an. »Keine Angst, mein Schatz. Ich bin nur alt, und alte Leute sind nicht mehr so sicher auf den Beinen. Erinnerst du dich an Grandma Myrtle? Sie schwankte herum wie ein Rohr im Wind.«

Izzy kicherte.

In der Küche setzten sie sich an den Tisch und aßen Makkaroni mit Tomatensauce, bis ihre Gesichter rot getüpfelt waren. Izzy half Nick beim Abwaschen, dann gingen sie die Treppe hinauf. Er half ihr, sich die Zähne zu putzen und ihr Nachthemd anzuziehen. Dann legten sie sich beide in Izzys Bett.

Nick griff sich *Alice im Wunderland* vom Nachttisch, legte einen Arm um seine Tochter und begann zu lesen.

Als er das Buch zumachte, konnte Izzy die Augen kaum noch offen halten. »Schlaf gut, Sonnenscheinchen«, sagte er leise und gab ihr einen Kuss. Behutsam ließ er sie auf die Kissen gleiten und stand auf.

Unerwartet streckte sie den Arm aus und griff nach seiner Hand. Nick drehte sich zu ihr um. »Ja, Izzy?«

»Daddy?«

Atemlos sah er sie an. Fast ein Jahr lang hatte er die Stimme seiner kleinen Tochter nicht mehr gehört. Langsam, ganz langsam setzte er sich wieder aufs Bett. Mit Tränen in den Augen suchte er nach Worten, brachte aber nicht mehr heraus als: »Oh, Izzy …«

»Ich hab dich so lieb, Daddy.« Sie begann leise zu schluchzen.

Nick zog sie an sich und verbarg sein Gesicht an ihrem Hals, damit sie nicht sah, wie er weinte. »Ich liebe dich auch, Izzy-Bär«, flüsterte er immer wieder und strich ihr übers Haar. Er hielt sie ganz fest und fragte sich, ob er jemals die Kraft fand, sie wieder loszulassen.

Izzy schlief in seinen Armen ein, aber noch immer drückte er sie an sich. Schließlich legte Nick ihren Kopf sanft auf das Kissen, zog die Decke bis unter ihr Kinn und stopfte sie an den Seiten fest. Als er sein schlafendes Kind betrachtete, erfasste ihn ein Gefühl unsagbaren Glücks, unendlicher Liebe.

Es erfüllte ihn mit einer so triumphierenden Seligkeit, dass er am liebsten laut gelacht hätte. Weil sein Kind sechs Worte zu ihm gesagt hatte. Sechs kleine Worte, die er nie wieder für selbstverständlich halten würde.

Seine Emotionen wollten ihn überwältigen, wurden so übermächtig, dass er sich unbedingt jemandem mitteilen musste.

Annie.

Nick wusste, dass dieses plötzliche Verlangen, mit ihr zu sprechen, ihr seine Empfindungen mitzuteilen, gefährlich war. Er wusste es, aber es kümmerte ihn nicht.

Er ging in sein Zimmer und griff zum Telefon.

Sobald am Montag die Sonne die Wolken vom Himmel vertrieben hatte, bestiegen Nick, Annie und Izzy ihre Räder und unternahmen einen Ausflug in den National Park. Sie pflückten rosa und weiße Blumen und wanden sie zu Kränzen.

Annie konnte sich nicht erinnern, jemals so unbeschwert und vergnügt gewesen zu sein. Blake hatte nie einen ganzen Tag nur mit Natalie und ihr verbracht. Selbst wenn er einmal zu Hause blieb, hing er ständig am Telefon oder am Faxgerät. Erst jetzt begann Annie zu begreifen, wie einsam ihr Leben doch gewesen war.

Während sie durch den National Park radelte, erinnerte sie sich an das Telefongespräch mit Nick am Abend zuvor. »Sie hat mit mir gesprochen, Annie. Hat mir gesagt, dass sie mich liebt.« Die ehrfürchtige Dankbarkeit in seiner Stimme hatte Annie zu Tränen gerührt. Und als er dann von ihrer Fahrt an den Strand berichtete, konnte sie nicht anders, als bei aller Freude fast so etwas wie Bedauern zu empfinden, an diesem offenbar perfekten Sonntag nicht mit ihnen zusammen gewesen zu sein.

Obwohl keiner von ihnen das Telefongespräch erwähnte, schwebte es doch zwischen ihnen wie Staubteilchen, die hin und wieder von einem Sonnenstrahl sichtbar gemacht wurden. Irgendwie hatte ihre Unterhaltung sie näher gebracht. Was möglicherweise durch die räumliche Ferne zwischen ihnen erleichtert wurde.

Irgendwann während des Gesprächs erinnerte sich Annie an den jungen Nick und daran, wie sehr sie ihn geliebt hatte. Sie schloss die Augen und sah den Jungen vor sich, der sie unter einem Sternenhimmel geküsst hatte. Den Jungen, dessen zärtlicher, tastender Kuss sie zum Weinen gebracht hatte.

Annie spürte, dass sie in gefährliche Bereiche vordrang. Vieles an Nick zog sie an, aber es war vor allem seine Liebe zu Izzy, die sie zutiefst berührte. Obwohl Annie sich bemühte, ihr Leben in Kalifornien zu vergessen, ließ Nick alles wieder aufbrechen. Annie hatte eine Tochter aufgezogen, die niemals die aufrichtige, umfassende Liebe eines Vaters erfahren würde.

Und sie war zu lange eine Frau gewesen, deren Liebe nicht wirklich erwidert wurde.

Als sie das endlich begriff, war sie sich ganz klein und erbärmlich vorgekommen. Jahrelang hatte sie Zuneigung und Gewohnheit mit wahrer Liebe verwechselt. Hatte ihre Liebe zu ihrem Mann für ein Spiegelbild seiner Liebe zu ihr gehalten, und nun war sie allein – eine Frau von neununddreißig, die ihre »besten« Jahre ohne ein Kind im Haus oder einen Mann im Bett verbringen musste.

In diesem Moment hatten sie Meilen von Nick getrennt, und dafür war Annie dankbar. Sonst hätte sie die Hände ausgestreckt und ihn angefleht, sie zu umarmen, zu küssen und ihr zu sagen, dass sie schön war – auch auf die Gefahr hin, dass er log.

Jetzt, auf der Rückfahrt von ihrer Radtour, hoffte Annie sehnlichst, dass Nick den Schmerz und die Einsamkeit in ihrer Stimme nicht bemerkt hatte. Jedes Mal, wenn er sie ansah, wandte sie schnell den Blick ab.

Als sie im Beauregard House ankamen, war sie ein nervliches Wrack. Beim Abendessen sagte sie kaum ein Wort und konzentrierte sich auf ihren Teller. Fast unbewusst pochte ihr Fuß ein Stakkato auf den Boden.

Sofort nach dem Essen sprang sie auf, überließ Nick das Abräumen und den Abwasch und brachte Izzy ins Bett.

»Gute Nacht, Izzy«, sagte sie und stopfte die Decke um das Kind fest. »Dein Daddy wird in einer Minute bei dir sein.«

»Nacht, Annie«, murmelte Izzy und drehte sich auf die Seite.

Annie schloss die Tür und lief die Treppe hinunter. Nick stand im Wohnzimmer und blickte auf den See hinaus. Selbst aus der Entfernung sah sie, dass seine Hände zitterten. Neben seinen Füßen lag ein zerknülltes Geschirrtuch.

Die letzte Stufe knarrte. Annie erstarrte.

Nick fuhr herum. Sein Gesicht wirkte ganz blass, Schweiß stand auf seiner Stirn.

»Du würdest gerne etwas trinken«, stellte sie fest.

»Ich *würde gern*?«, lachte er heiser. »Das ist glatt untertrieben.«

Annie wusste nicht recht, wie sie sich verhalten sollte. Es war möglicherweise unklug, sich ihm zu nähern. Vorsichtig ging sie auf ihn zu. Er streckte den Arm aus, seine schweißfeuchten Finger schlossen sich um ihre Hand und drückten fest zu.

»Wie wäre es stattdessen mit einem Becher Chocolate-Chip-Mint-Eis?«, fragte sie nach einer Weile.

»Wunderbar. Ich laufe nur schnell zu Izzy, um ihr gute Nacht zu sagen. Bin gleich wieder da.« Mit einem erleichterten Lächeln rannte er die Treppe hinauf.

Annie ging in die Küche und verteilte das Eis auf zwei Schalen. Kein Grund, nervös zu werden, sagte sie sich. Wir essen nur Eis wie zwei Freunde, mehr nicht. Als sie wieder ins Wohnzimmer kam, war Nick bereits da.

Sie setzten sich nebeneinander auf die Couch und aßen schweigend. Das leise Klirren der Löffel auf dem Porzellan hörte sich absurd laut an. Nicks innere Unruhe entging Annie nicht. Rhythmisch klopfte sein Fuß auf den Boden, immer wieder strich er sich Haarsträhnen hinter sein rechtes Ohr.

Plötzlich wandte er sich ihr zu. »Wie lange wirst du noch hier bleiben?«

Annie seufzte. »Etwa anderthalb Monate. Am fünfzehnten Juni kommt Natalie zurück.«

Nick sah sie direkt an, und sie verlor sich in seinen Augen.

Annie blieb fast die Luft weg. Angespannt wartete sie darauf, was er als Nächstes sagen würde, hatte keine Ahnung, was das sein könnte.

»Und was hältst du jetzt, heute, von Mystic?« Unverwandt blickte er sie an. »Nach der High-School konntest du gar nicht schnell genug flüchten.«

»Das lag nicht an Mystic.«

Es dauerte lange, bis er antwortete. »Ich wollte dir nicht wehtun.«

»Ich weiß.«

»Du hast mich verunsichert, mir Angst gemacht.«

Annie spürte wieder etwas von der Intimität, die sie gestern Abend während ihres Gesprächs am Telefon verbunden hatte. Doch jetzt waren sie einander nahe. Jetzt empfand sie Furcht, die sie mit einem Auflachen zu verdrängen suchte. »Das ist doch ein Witz, oder?«

Nick stellte seine Schüssel auf den Tisch. Dann lehnte er sich wieder zurück, legte einen Arm hinter ihr auf die Rückenlehne und sah sie an. Annie widerstand dem Bedürfnis, sich an ihn zu schmiegen. »Ich glaube, der Verlauf unserer Leben wird festgelegt, bevor wir überhaupt wissen, was geschieht. Meines wurde an dem Tag entschieden, an dem mein Vater meine Mutter verließ. Sie … kam mit dem Leben nicht klar. Bevor ich michs versah, war ich ihr Fürsorger. Ich lernte, was die Kinder aller Alkoholiker lernen: Rede mit niemandem darüber, vertraue keinem, lass dich nicht von den abfälligen Blicken anderer verunsichern. Großer Gott, ich war schon vor meinem zehnten Geburtstag erwachsen. Ich kaufte ein, ich kochte, ich putzte. Aber ich liebte sie, und wenn sie mich schlug oder beschimpfte, glaubte ich ihr aufs Wort, dass ich eine unnütze Last sei, dumm und unfähig, und mich glücklich schätzen konnte, dass sie bei mir blieb.« Er legte den Kopf gegen die Rücklehne der Couch.

Annie spürte, dass seine Fingerspitzen ihre Schulter berührten. Sie sah ihn an und erinnerte sich daran, wie gut er ausgesehen hatte, als sie ihn zum ersten Mal sah. So gut, dass sie noch immer ganz überwältigt war.

»Als Joe mich bei sich aufnahm, kam ich mir vor wie im Traum. Saubere Kleidung, saubere Bettwäsche, immer etwas zu essen. Niemand schlug mich, und ich konnte jeden Tag zur Schule gehen.« Nick lächelte sie an, und die zärtliche Vertrautheit ließ ihr Blut schneller pulsieren. »Dann lernte ich dich und Kath kennen. Erinnerst du dich?«

»Im *A and W* nach einem Footballspiel. Wir fragten dich, ob du dich nicht an unseren Tisch setzen wolltest. Im Hintergrund lief irgendetwas von K-Tel.«

»*Du* hast mich gefragt. Ich konnte es kaum glauben. Ebenso wenig wie die Tatsache, dass wir dann Freunde wurden. In diesem ersten Jahr war alles absolut neu und wunderbar für mich.« Wieder lächelte er, aber jetzt versonnen, traurig. »Du warst das erste Mädchen, das ich jemals geküsst habe. Wusstest du das?«

Annies Kehle wurde eng. »Ich bin in Tränen ausgebrochen.«

Er nickte. »Aus Enttäuschung, nahm ich an. Weil dir mein Kuss vielleicht irgendwie gesagt hat, dass ich nicht gut genug bin.«

Annie ballte die Hände zu Fäusten, um ihre Finger davon abzuhalten, ihn zu berühren. »Ich habe keine Ahnung, warum ich damals geweint habe. Ich weiß es bis heute nicht.«

Er lächelte. »Siehst du? Unsere Wege sind von vornherein vorgezeichnet. Kathy war sehr viel unkomplizierter. Sie konnte ich verstehen. Sie brauchte mich, schon damals. Und für mich war das gleichbedeutend mit Liebe. Ich habe das getan, was ich gut konnte: den Beschützer spielen. Was hätte ich denn tun sollen? Vielleicht dich bitten, auf Stanford zu verzichten? Oder auf dich warten, obwohl du mich darum gar nicht gebeten hattest?«

Schweigend sah Annie Nick an. Wie er hatte auch sie sich widerspruchslos in eine vertraute Rolle gefügt. Sie hatte getan, was man von ihr erwartete. Sie begann ein Studium und verliebte sich in einen netten Jungen mit glänzenden Zukunftsaussichten – sich selbst hatte sie dabei jedoch verloren.

»Ich war immer fest davon überzeugt, dass du eines Tages berühmt werden würdest«, sagte er schließlich. »Du warst so verdammt klug. Die Einzige aus Mystic, die jemals ein Unistipendium bekommen hat, und dann auch noch für Stanford.«

»Ich berühmt?«, lachte sie auf. »Auf welchem Gebiet denn?«

»Mach dich nicht kleiner, als du bist, Annie.« Seine Stimme klang zärtlich wie eine Berührung, und sie musste ihn jetzt einfach ansehen. Die Traurigkeit in seinen Augen ließ sie erbeben. »Das rächt sich. Glaub mir, ich weiß, wovon ich rede. Du könntest auf jedem Gebiet erfolgreich sein. Ganz gleich, was du auch anfängst.«

Sein Vertrauen in sie war Balsam für ihr gekränktes Selbstbewusstsein. »Ich habe mir neulich sogar schon etwas überlegt ...«

»Was?«

Sie rutschte ein wenig von ihm fort. »Du würdest mich auslachen.«

»Niemals.«

Sie war mutig genug, ihm zu glauben. »Ich würde gern eine kleine Buchhandlung eröffnen. Eine Art Literaturcafé mit bequemen Sesseln, einer Kaffeemaschine und Angestellten, die sich wirklich mit Büchern auskennen.«

Er fuhr ihr ganz leicht mit dem Zeigefinger über ihren Wangenknochen, berührte sie erstmals seit dem Abend am See. »Wenn du dich jetzt sehen könntest, Annie ...«

Röte stieg ihr in die Wangen. »Du hältst mich wahrscheinlich für verrückt.«

»Nein. Natürlich nicht. Aber mir ist das Leuchten in deinen Augen nicht entgangen. Ich halte es sogar für eine großartige Idee. Kennst du das alte viktorianische Haus an der Main Street? Bis vor ein paar Monaten wurde es als Souvenirgeschäft genutzt, aber seit dem Tod des Inhabers ist es geschlossen. Soweit ich weiß, sucht man einen Mieter. Mit ein wenig Geld und Energie ließe sich bestimmt etwas daraus machen.« Nick schwieg einen Moment und musterte sie. »Das heißt, wenn du wirklich ein Literaturcafé in Mystic eröffnen möchtest.«

Der Traum zerbrach. Sie wussten beide, dass Mystic nicht mehr ihre Welt war. Sie gehörte in einen anderen Staat, unter eine andere Sonne, in ein weißes Haus am Meer. Annie betrachtete den Diamantring an ihrem Finger und suchte verzweifelt nach irgendeiner Bemerkung, mit der sie den unsinnigen Tagtraum verdrängen und so tun konnte, als hätte sie nie von ihm gesprochen.

»Kennst du eigentlich *Nächstes Jahr, selbe Zeit?*«, fragte er unvermittelt.

Annie runzelte die Stirn. »Diesen Film mit Alan Alda? Über ein Paar, das jahrelang eine Affäre miteinander hat, sich aber nur alle zwölf Monate einmal trifft?«

»Ja.«

Sie hielt den Atem an. Das Wort »Affäre« schien die Luft geradezu elektrisch aufzuladen. »Ich ... ich habe ihn schon mehrmals gesehen. Er hat mir immer sehr gefallen.«

»Er läuft in zehn Minuten im Fernsehen. Willst du ihn noch mal sehen?«

Annie atmete erleichtert auf und kam sich ziemlich töricht vor, in eine kleine, belanglose Frage zu einem Film etwas hineingeheimnist zu haben. »Gern.«

Sie machten es sich auf der Couch bequem und sahen sich den Film an, aber während der ganzen Zeit hatte Annie das eigentümliche Gefühl, den Halt zu verlieren, in etwas zu stürzen. Dann und wann sah sie Nick an und bemerkte, dass auch er sie verstohlen musterte. Sie wollte nicht darüber nachdenken, wie viel er ihr inzwischen schon bedeutete, konnte das Offensichtliche aber auch nicht verdrängen.

Bei ihrem Telefonat hatte sie erfahren, dass er Chocolate-Chip-Eis mochte und Rote Bete verabscheute, dass Blau seine Lieblingsfarbe war und Profisport todlangweilig fand, dass er Backkartoffeln gern mit Butter und Bacon aß, aber ohne Salz und Pfeffer und dass es ihn zu Tränen rühren konnte, wenn sich Izzy abends an ihn schmiegte und ihm einen Kuss gab.

Annie wusste, dass sein Verlangen nach Alkohol mitunter so übermächtig wurde, dass er sich kaum noch beherrschen konnte. Dann kehrte er Annie und Izzy den Rücken und lief allein in den Wald. Irgendwann kehrte er mit kalkweißem Gesicht, schweißfeuchten Haaren und zitternden Händen zurück, und sie erkannte an seinem kleinen, traurigen Lächeln, dass er den Drang wieder einmal besiegt hatte. Und manchmal konnte sie in diesen Momenten die Gefahr fast mit Händen greifen, die unter der Oberfläche schwelte.

Annie wollte keine allzu tiefe Zuneigung zu Nick Delacroix empfinden, spürte jedoch sehr genau, dass jeder Tag sie einander näher brachte.

Als der Film endete, sah sie ihn nicht an – aus Furcht, was er in ihren Augen lesen könnte. Daher murmelte sie nur einen flüchtigen Abschiedsgruß, griff nach ihrer Tasche und lief zur Tür hinaus.

17. Kapitel

Voller Angst fuhr Izzy aus dem Schlaf hoch. Sie hatte von ihrer Mutter geträumt. Ihre Mommy hatte unten am See gestanden, nach ihr gerufen – und geweint.

Sie schlug die Decke zurück und verließ das Bett. Nur im Nachthemd und barfuß lief sie über den Korridor. Vor dem Zimmer ihres Vaters blieb sie kurz stehen, rannte dann aber die Treppe hinunter und in die dunkle Nacht hinaus.

Sie starrte zum See hinüber. Zunächst war er nichts als ein pechschwarzer Schatten zwischen Berghängen, aber nach einer Weile konnte sie Wellen glitzern sehen und hören, wie sie leise auf den Kiesstrand schwappten. Dichter grauer Dunst über dem Wasser.

Izzy-Bär, bist du da ...?

Izzy zuckte zusammen. »Mommy?«

Etwas Weißes schimmerte am Ufer auf.

Sie blickte zum Haus zurück und sah, dass im Zimmer ihres Vaters alles dunkel war. Sie wusste, dass sie ihrem Vater sagen sollte, wohin sie ging, aber dann sah sie es am See wieder weiß blitzen, hörte das Weinen einer Frau. Izzy raffte ihr Nachthemd und rannte durch das nasse Gras auf das Ufer zu.

Die Nacht war voller Geräusche. Krähen krächzten im Schlaf, eine einsame Eule ließ ihren unheimlichen Ruf hören, Ochsenfrösche quakten, aber obwohl Izzy sich fürchtete, hielt sie nicht inne, bis sie den See erreicht hatte.

»Mommy?«, wisperte sie.

Ein feiner Nebel stieg vom Wasser auf. Und in diesem schleierartigen Dunst sah Izzy ihre Mutter. Sie stand auf dem See, die Hände in die Hüften gestemmt, und ihre blonden Haare lagen wie ein Heiligenschein um ihr Gesicht. Izzy glaubte, weiße Flügel erkennen zu können, war sich aber nicht ganz sicher und hörte ein rhythmisches Geräusch wie das Surren eines Rasenmähers. Von ihrer Mutter ging ein Strahlen aus, das ihre Augen brennen ließ, als würde sie direkt in die Sonne blicken. Sie blinzelte und versuchte sich zu konzentrieren, sah aber nur schwarze Pünktchen und Sterne.

Warum hast du mich gerufen, Izzy-Bär …?

Wieder zwinkerte Izzy und bemühte sich, in Mommys hübsche, dunkelblaue Augen zu blicken. »Dieses Mal habe ich dich nicht gerufen.«

Ich habe gehört, wie du im Schlaf nach mir gerufen hast …

Izzy versuchte sich an ihren Traum zu erinnern, aber es gelang ihr nicht. Da waren nur wirre Bilder und Gefühle von Angst, die sie sich nicht erklären konnte. »Ich weiß nicht mehr, was ich wollte.«

Izzy fühlte, wie ihre Mutter leicht ihre Stirn berührte, ihr das Haar aus dem Gesicht strich und einen Kuss gab, der nach Dunst, Regen und dem Lieblingsparfum ihrer Mommy roch. »Ich vermisse dich, Mommy.«

Dein Daddy ist wieder bei dir …

»Und wenn er nun wieder fortgeht?«

Wieder eine sanfte Berührung, noch zärtlicher. *Das wird er nicht, Izzy-Bär …*

Izzy hob den Kopf und bemerkte, dass ihre Mutter ein wenig näher gekommen war, und jetzt konnte sie die weißen Schwingen ganz klar erkennen. »Ich kann dir nicht folgen, oder?«

Der Nebel hob sich ganz kurz, und Izzy sah ihre Mutter deutlich. Aber da waren keine weißen Flügel, kein blendendes Strahlen. Da war nur eine Frau mit traurigen Augen und blonden Haaren in einem pinkfarbenen Flanellmorgenrock, die ihre kleine Tochter wehmütig ansah. *Ich werde immer bei dir sein, Izzy. Du brauchst nicht zu verschwinden, mir zu folgen oder*

*nach mir zu rufen. Du musst nur die Augen schließen und an
mich denken, dann bin ich bei dir. Erinnerst du dich an unseren
Zirkusbesuch? Als ich so laut lachen musste, dass die Clowns von
ihrer Wippe fielen? Wenn du darüber lächeln musst, dann bin
ich dir ganz nahe ...*

Tränen liefen über Izzys Wangen, fielen auf ihre Hände.
Blinzelnd blickte sie ihre Mutter an. »Ich hab dich sehr lieb,
Mommy.«

Und dann, ganz plötzlich, war ihre Mutter verschwunden.

»Izzy!«

Die ängstliche Stimme ihres Vaters drang in ihre Gedanken.
Sie drehte sich um und sah, dass er auf sie zugelaufen kam.
»Daddy?«

Er riss sie in die Arme und hielt sie ganz fest. Immer wieder
sagte er ihren Namen, mit einer Stimme, als wäre er ganz lange
und weit gerannt. »Oh, Izzy. Du hast mir einen großen
Schreck eingejagt. Ich wusste nicht, wo du bist ...«

»Ich habe nichts Unartiges getan, Daddy.«

Er lächelte irgendwie zittrig. »Ich weiß, mein Schatz.«

Er trug sie ins Haus und legte sie wieder ins Bett. Izzy kuschelte sich in die Kissen, wollte aber noch nicht allein gelassen
werden. Sie streckte die Hand aus und zog *Cinderella* vom
Nachttisch. Ein Buch, das bereits Grandma Myrtle gehört hatte
und danach Izzys Mutter. »Liest du mir etwas vor, Daddy?«

Nick kroch neben sie ins Bett, schlug das Buch auf und begann zu lesen. Mit dieser aufgeregten, komischen Betonung in
der Stimme, bei der Izzy sonst immer lachen musste.

Aber diesmal lachte Izzy nicht. Sie stützte sich auf das goldgelbe Big-Bird-Kissen und betrachtete die bunten Bilder auf
jeder Seite. Als er zu Ende gelesen hatte, sah sie ihn ernst an.
»Was ist mit Cinderellas Mommy passiert?«

Es dauerte eine Weile, bis Nick antwortete. »Ich glaube, Cinderellas Mommy ist in den Himmel gekommen«, sagte er
leise.

»Oh.«

»Und weißt du, was ich noch glaube?«

Izzy schüttelte den Kopf. »Nein.«

»Ich glaube, dass sie und deine Mommy da oben Freundinnen geworden sind. Zusammen sehen sie auf uns herab und passen auf, dass es uns auch gut geht.«

Izzy überlegte. So in etwa hatte sie es sich auch schon gedacht. »Wenn es regnet, weinen Mommy und die Engel, hat Annie gesagt.«

Nick strich ihr eine Haarsträhne aus dem Gesicht. »Annie ist sehr klug. Sie weiß eine Menge.«

Izzy senkte den Kopf und versuchte, ihre Tränen vor Nick zu verbergen. »Ich fange an, sie zu vergessen, Daddy.«

Er legte einen Arm um die Schulter seiner Tochter und zog sie an sich. »Mommy hatte die allerschönsten Augen auf der Welt. Wenn sie einen ansah, bekam man das Gefühl, als würde die Sonne strahlen. Und sie hatte einen etwas schief stehenden Vorderzahn und einen winzigen Leberfleck neben ihrem Ohr. Und sie liebte dich mehr als ihr eigenes Leben.«

»Uns beide, Daddy.«

Schweigend küsste Nick sie auf die Nasenspitze, und Izzy erinnerte sich, dass er das früher auch immer getan hatte. Zum ersten Mal seit dem Tod ihrer Mutter fürchtete sich Izzy nicht mehr. Dieses Gefühl, schreien zu müssen, das sie seit Monaten gequält hatte, war wie weggeblasen. Endlich konnte sie glauben, dass alles gut werden würde.

Ihr Daddy hatte sie wieder lieb.

Sie kniff die Augen zu, ganz fest, damit sie nicht weinen musste wie ein Baby. Als sie wieder atmen konnte, schlug sie die Lider auf.

Und konnte nicht glauben, was sie sah. »Daddy?«

»Ja, Sonnenscheinchen?«

Izzy hob den linken Arm, betrachtete verblüfft den schwarzen Handschuh und die helle Haut zwischen ihm und ihrem Ärmel. Aus Angst, sie könnte sich irren, biss sie sich auf die zitternde Unterlippe. Ganz langsam zog sie den Handschuh aus – und da war ihre Hand. »Siehst du sie auch, Daddy?«

Ihr Vater blickte ihre Hand an, aber er lächelte nicht. Stattdessen sah er sie an. »Was soll ich denn sehen?«

Izzy schluckte. »Ich kann meine Hand sehen. Du auch?«

Ihr Daddy atmete ganz komisch. Es klang, als würde er seufzen. »Yeah. Ich kann deine Hand sehen.« Ganz behutsam, als befürchtete er, sie könnte ihn daran hindern, nahm er ihr den Handschuh ab.

Lachend zupfte sie an ihren Fingern. »Ich schätze, ich bleibe doch hier bei dir, Daddy.«

»Ja, Izzy-Bär. Das will ich auch hoffen.«

Wieder seufzte er so komisch. Izzy hob den Kopf und sah etwas ganz Seltsames. Ihr großer, starker Daddy weinte.

Sie hat uns beide geliebt...

Erst sehr viel später, als er mit im Nacken verschränkten Händen in seinem eigenen Bett lag, dachte Nick darüber nach, was Izzy zu ihm gesagt hatte.

Uns beide, Daddy.

Mit der Bestimmtheit eines Kindes gesagte Worte, an die er lange nicht mehr zu glauben gewagt hatte.

Die seit langen Monaten verdrängten Tränen liefen ihm ungehemmt über die Wangen. Er hatte seine Frau vom ersten Augenblick an geliebt, das aber im Laufe der Jahre irgendwie vergessen, nur das Bedrückende gesehen, nicht mehr das Gute. Und in ihrer hilflosen Verzweiflung hatte auch sie ihn geliebt.

»Ich habe dich geliebt, Kath«, flüsterte er in die Dunkelheit seines Schlafzimmers. »Ich habe dich geliebt...«

Am ersten Sonnabend im Mai begann das Mystic Rain Festival, so planmäßig wie in den letzten hundert Jahren. Graue Wolken hingen tief über dem Ort. Regen strömte auf die Markisen der Geschäfte und Läden. Im Rinnstein trieben grüne Blätter und wurden in die Gullys geschwemmt.

Annie trug eine gelbe Regenjacke und hatte die Hosenbeine ihrer Levi's in schwarze Gummistiefel gestopft. Auf ihrem Kopf saß eine Seattle-Mariners-Basecap. Hank stand neben ihr und knabberte an einem Scone, das er sich am Rotary-Stand gekauft hatte.

Langsam bewegte sich die Parade über die Main Street. Zuerst kamen die Feuerwehrzüge, die Polizeiautos, die Pfadfindergruppen und sechs kleine Mädchen aus Esmeralda's Dance Bar in pinkfarbenen Ballettröckchen.

Annie reagierte auf diese Kleinstadt-Idylle wie verzaubert. Aus Erfahrung wusste sie, dass die Parade die ganze Länge der Main Street abmarschieren würde, um dann zurückzukehren.

Es hatte ihr gefehlt, dieses provinzielle Spektakel. Aber warum merkte sie das erst jetzt? Sie war nach Kalifornien gegangen und hatte ihre Tochter hinter eisernen Türen und in klimatisierten Räumen aufgezogen, in einer Stadt, in der Umzüge von Prominenten angeführt und von hochkarätigen Sponsoren finanziert wurden.

Sie wollte nicht mehr dorthin zurück.

Die plötzliche Gewissheit ihres Entschlusses überraschte sie. Zum ersten Mal in ihrem Leben hatte sie eine Entscheidung getroffen, ohne die Gefühle anderer Menschen in Betracht zu ziehen. Das erfüllte sie mit Genugtuung.

Sie wollte nicht mehr in Kalifornien leben, und das brauchte sie auch nicht. Nach der Scheidung und wenn Natalie ihr Studium begonnen hatte, konnte sie nach Mystic zurückkommen, vielleicht sogar ihr Literaturcafé eröffnen …

Träume. Sie waren so notwendig wie die Luft zum Atmen, aber sie hatte zwei Jahrzehnte lang freiwillig darauf verzichtet. Nie wieder.

Sie wandte sich Hank zu. »Sag mal, Dad, könnte Mystic nicht eine Buchhandlung gebrauchen?«

Er lächelte. »Sicher. Seit Jahren schon. Deine Mom hat immer davon geträumt, eine zu eröffnen.«

Annie erschauerte. Eine Minute hatte sie das merkwürdige Gefühl, ihre Mutter stünde direkt neben ihr. »Tatsächlich? Mir kam vor kurzem die gleiche Idee.«

Ihr Vater sah sie lange und durchdringend an. »Dir wurde Unrecht getan, Annie, und du suchst einen neuen Anfang, aber vergiss nicht, wohin du gehörst. Du kannst nicht wieder in Mystic leben, und abgesehen davon bist du keine Geschäftsfrau.« Er legte einen Arm um sie und zog sie an sich.

Dass er ihr so wenig zutraute, verletzte sie. Zum ersten Mal fragte sie sich, seit wann ihr Vater in ihr Selbstzweifel nährte. Wann hatte das angefangen? Als sie noch ein Kind war? Als er ihr erstmals riet, sich nicht ihren hübschen Kopf zu zerbrechen? Oder als er ihr immer wieder versicherte, Blake würde schon für sie sorgen?

Eine andere Frau hätte vielleicht zornig reagiert, aber Annie empfand nicht mehr als eine gewisse traurige Resignation. Ihr Vater gehörte einer anderen Generation an, und er hatte sich mit seinem einzigen Kind wirklich große Mühe gegeben. Ohne den frühen Tod seiner Frau wäre alles anders verlaufen …

Aber seine Frau war gestorben, und nach ihrem Tod sah Hank sich mit einer Aufgabe konfrontiert, die ihn überforderte. Sein Wissen über Frauen stammte von seiner Mutter, einer durch Arbeit vorzeitig erschöpften Frau, die im Alter von siebenundvierzig Jahren gestorben war. Wie sein Vater nach der Einwanderung war Hank aus Mystic selten herausgekommen und hatte nur wenig von der Welt gesehen. Er hatte fest geglaubt, das Beste für seine Tochter zu tun, wenn er sie studieren ließ, damit sie einen jungen, erfolgreichen Mann kennen lernte, der ihr etwas Besseres bieten konnte als das Leben, in dem sie aufgewachsen war.

Zu ihrem Unglück hatte sich Annie seinen Wünschen gefügt. Sie war nach Stanford gezogen – wo ihr die ganze Welt offen stand, wenn sie nur die Augen aufgemacht hätte – und hatte sich auf das Naheliegende konzentriert. Sie hatte sich selbst zu wenig abverlangt und genau das bekommen, was sie wollte.

Aber das war nicht die Schuld ihres Vaters, ebenso wenig wie die von Blake oder Annie. Es war einfach so. Und sie konnte sich glücklich schätzen, rechtzeitig geweckt worden zu sein. Ohne Blakes Treuebruch hätte sie auch den Rest ihres Lebens in den eingefahrenen Gleisen verbracht, erst eine Frau in mittleren Jahren, dann eine alte Frau mit den Scheuklappen, die von Generation zu Generation weitergegeben wurden.

Annie umfasste die Finger ihres Vaters und drückte sie. Als letzte Teilnehmer der Parade ritten die Mitglieder des Bits and Spurs 4-H Club hoch zu Ross vorbei, und als sie um die Ecke verschwanden, brandete Beifall auf. Nachdem er verrauscht war, begann sich die Zuschauermenge zu zerstreuen.

Arm in Arm schlenderten Annie und Hank über den Bürgersteig, vorbei an den Ständen mit Kunstgewerbe, den Hot-Dog-Ständen und dem viktorianischen Haus mit dem Schild »Zu vermieten« im Fenster.

Hank blieb vor der Lutheran Church stehen, kaufte zwei Becher Kaffee und hielt Annie einen hin. Der Kaffee dampfte aromatisch zwischen ihnen, und seine Wärme verbrannte Annie fast die Lippen. Keiner von beiden bemerkte, dass es zu nieseln begonnen hatte. Das hatte Annie noch nie etwas ausgemacht – früher jedenfalls. In Kalifornien suchte sie schon beim ersten Anzeichen von Regen nach einem Schirm. Hier waren die einzigen Menschen mit Schirmen Touristen.

»In sechs Wochen kommt also Natalie aus England zurück.«

Annie trank vorsichtig einen Schluck Kaffee und nickte. »Am fünfzehnten Juni. Ich kann es kaum erwarten.«

»Und was wirst du Blake sagen, wenn du ihn triffst?«

Überrascht sah Annie ihn an. Das war etwas, über das sie nicht nachdenken wollte, und es war ungewöhnlich für ihren Vater, diese Frage zu stellen. Sie zuckte mit den Schultern. »Keine Ahnung. Wochenlang habe ich mir sehnlichst gewünscht, er möge zu mir zurückkehren, aber jetzt kann ich mich kaum noch erinnern, was uns eigentlich wirklich miteinander verbunden hat.«

»Seinetwegen?«

Annie wollte fragen, was er damit meinte, aber in diesem Augenblick sah sie Nick. Mit Izzy auf den Schultern stand er auf der gegenüberliegenden Straßenseite. Beide lutschten ein Eis. Er sah sich um, entdeckte sie, und für einen Moment kreuzten sich ihre Blicke. Er winkte ihr lächelnd zu und ging weiter. Annie suchte nach einer Antwort für ihren Vater, wusste aber nicht recht, wie Nick in das Bild passte. »Wer kann schon sagen, aus welchen Gründen wir etwas empfinden oder tun? Ich weiß nur, dass ich nicht mehr die Frau bin, die ich einmal war.«

»Nimm dich in Acht, Annie.«

Sie blickte über die Straße, aber Nick war fort. Sie verspürte so etwas wie Enttäuschung. »Wenn ich ehrlich sein soll, bin ich es langsam leid, ständig vorsichtig zu sein.«

»Wer mit dem Feuer spielt, verbrennt sich leicht die Finger.«

»Hast du noch weitere so gute Sprüche, Dad?«, lachte sie.

Er stimmte in ihr Lachen ein. »Manches bleibt wahr, auch wenn man es bis zum Überdruss gehört hat.«

18. Kapitel

Am Montag fuhren Annie, Nick und Izzy nach Sol Duc Hot Springs und unternahmen von dort aus eine Wanderung in den Olympia National Forrest. Danach schwammen sie im Swimmingpool der Ferienanlage und entspannten sich in den dampfenden Schwefelquellen. Als die Dämmerung sank, kletterten sie wieder ins Auto und kehrten nach Hause zurück.

Als sie alle Sachen aus dem Wagen geholt und verstaut hatten, war es fast Mitternacht. Nick bot Annie das von ihm als Schlafraum genutzte Gästezimmer an, und sie war einverstanden. Sie rief ihren Vater an und sagte ihm, sie würde erst am nächsten Morgen nach Hause kommen.

»Findest du das klug, Annie Virginia?«, fragte er ruhig.

Er brauche sich keine Sorgen zu machen, erwiderte Annie und legte auf. Später war sie sich nicht mehr sicher, ob sie die richtige Entscheidung getroffen hatte, aber es ging ihr nun einmal nicht besonders gut. Sie hatte nur einen Wunsch: in ein bequemes Bett fallen und zehn Stunden schlafen. Ihr Rücken schmerzte, der Kopf tat ihr weh, und fast während der gesamten Heimfahrt hatte sie gegen Übelkeit ankämpfen müssen. Für Geländemärsche war sie eindeutig nicht geschaffen.

Annie vermied jeden Blick auf Nick, lief nach oben, putzte sich schnell die Zähne und zog sich die Decke über den Kopf.

Am nächsten Morgen ging es ihr noch schlechter. Sie hatte stechende Kopfschmerzen und musste absolut ruhig liegen und sich auf jeden Atemzug konzentrieren, weil sie sich sonst mit Sicherheit übergeben hätte.

Annie zählte bis zehn, richtete sich behutsam auf und stützte sich auf die Ellbogen. Sonnenstrahlen drangen schräg in den Raum. Die Helligkeit ließ sie die Augen zukneifen und verstärkte die Kopfschmerzen noch. Annie seufzte. Ein Maitag wie aus dem Bilderbuch, aber sie konnte ihn nicht genießen.

Stöhnend warf sie die Decke zurück und stolperte ins angrenzende Bad. Ein Blick in den Spiegel zeigte ein verschwollenes Gesicht und tiefe Schatten unter den Augen. Sie bewegte sich wie eine hinfällige Greisin und brauchte eine halbe Ewigkeit, um sich zu waschen und die Zähne zu putzen. Als sie fertig war, konnte sie sich kaum noch auf den Beinen halten.

Sie legte sich wieder ins Bett und zog die Decke bis unter das Kinn. Schüttelfrost überfiel sie, und sie schloss die Augen.

Einige Zeit später klopfte es an die Tür. Mühsam richtete Annie sich auf. »Ja, bitte?«

Izzy steckte den Kopf ins Zimmer. »Annie? Ich habe Hunger.«

»Hi, Kleine.« Annie zwang sich zu einem Lächeln. »Komm doch herein, aber nicht zu nahe. Ich glaube, ich bin erkältet.«

Izzy kam herein und schloss die Tür hinter sich. »Ich habe unten stundenlang aus dem Fenster geguckt und dachte schon, du würdest gar nicht mehr kommen, aber dann sagte mir Daddy, dass du hier geblieben bist.«

Annie verspürte zärtliches Mitgefühl mit dem kleinen Mädchen, das sie mit großen Augen besorgt ansah. »Das würde ich doch nie tun, Izzy. Ich würde nicht verschwinden, ohne mich zu verabschieden.«

»Erwachsene machen das manchmal.«

»Oh, Izzy …« Ein plötzliches Schwindelgefühl überkam Annie, und sie kniff schnell die Augen zu. »Leider tun sie es.« Sie wollte noch etwas hinzufügen, musste aber niesen. Schnell hob sie die Hand vor den Mund und nieste schon wieder. Sie sank ins Bett zurück und versuchte sich zu erinnern, wann sie sich das letzte Mal so elend gefühlt hatte.

Izzys Augen wurden noch größer. »Bist du krank?«

Kläglich lächelte Annie sie an. »Nicht wirklich. Ich habe mich nur erkältet. Ich wette, das geht dir häufig so.«

»Ja.« Izzy wirkte erleichtert. »Erst ist meine Nase mit glibbrigem Schleim verstopft, und dann läuft sie wie ein Wasserhahn.«

»Hübsch ausgedrückt. Lass mich noch ein paar Minuten schlafen, dann stehe ich auf. Okay?«

Izzy nickte ergeben. »Okay.«

Nachdem Izzy das Zimmer verlassen hatte, griff Annie nach dem Telefon auf dem Nachttisch. Sie ließ sich von der Auskunft die Nummer nennen und rief in Dr. Burtons Praxis an.

»Mystic Family Clinic«, antwortete eine weibliche Stimme nach dem ersten Klingeln. »Madge am Apparat, was kann ich für Sie tun?«

»Hi, Madge. Hier Annie Colwater. Ich hätte gern einen Termin bei Doktor Burton.«

»Handelt es sich um einen Notfall, Sweetie?«

Kopfschmerzen und eine laufende Nase? Wohl kaum. »Nein.«

»Nun, der Doktor verbringt ein paar Urlaubstage auf Orcas Island. Aber er rechnete damit, dass Sie anrufen würden, und bat mich, Ihnen Doktor Hawkins in Port Angeles zu empfehlen.« Sie dämpfte ihre Stimme zu einem vertraulichen Flüstern. »Er ist Psychiater.«

Trotz ihres jämmerlichen Zustands musste Annie lächeln. »Oh, ich glaube, das ist nicht nötig.«

»Wenn Sie meinen. Ich habe hier noch einen Termin für den ersten Juni eingetragen. Bleibt es dabei?«

Annie hatte es ganz vergessen. Ihre depressive Stimmung im März war inzwischen zu einer verschwommenen, faden Erinnerung verblichen. Vermutlich brauchte sie den Termin gar nicht, aber Doc Burton würde es beruhigen, zu sehen, wie gut sie sich erholt hatte. »Ja, selbstverständlich. Vielen Dank, Madge.«

»In Ordnung. Um halb elf. Vergessen Sie es nicht.«

Annie legte den Hörer auf und schloss die Augen.

Annie träumte. Sie war in einem kühlen, dunklen Wald, hörte einen Wasserfall plätschern und das Surren einer Libelle. Im tiefen Schatten schien jemand auf sie zu warten. Sie konnte sogar regelmäßiges Atmen hören. Annie wollte schon die Hand ausstrecken, besann sich jedoch anders. Im Moment fühlte sie sich sicher, aber dieser Jemand wartete in einer fremden, unbekannten Welt, deren Regeln sie nicht kannte. Wenn sie ihrem ersten Instinkt folgte, würde sie vielleicht in die Irre geführt.

»Annie?«

Sie schreckte hoch und sah Nick am Fußende des Bettes sitzen. Mühselig rappelte sie sich auf die Ellbogen. »Hi.«

»Izzy hat erzählt, dass du krank bist.« Er beugte sich vor und legte ihr eine Hand auf die Stirn. »Du fühlst dich heiß an.«

»Tatsächlich?«

Er rutschte näher und förderte ein Thermometer zutage. »Mund auf.«

Folgsam wie ein Kind öffnete Annie die Lippen. Das kalte, glatte Thermometer glitt unter ihre Zunge. Annie schloss den Mund wieder, konnte ihre Augen aber nicht von Nick abwenden.

»Ich habe dir ein Glas Orangensaft und eine kleine Portion Rührei gebracht. O ja, und Tylenol und einen Krug Eiswasser.«

Erstaunt sah Annie ihm nach, als er im Bad verschwand. Er kam mit einem nassen Waschlappen zurück und faltete ihn zu einer Kompresse zusammen. Er setzte sich wieder auf ihre Bettkante und legte ihr den eiskalten Lappen auf die Stirn. Dann hielt er ihr zwei Tylenol hin. »Hier, nimm.«

Annie starrte die beiden Tabletten auf seiner Handfläche an.

Nick runzelte die Stirn. »Was ist, Annie? Weinst du?«

Hastig schloss sie die Augen. Verdammt! »Ehrlich? Aber mach dir keine Sorgen. Wahrscheinlich habe ich mich nur verkühlt. Oder vielleicht ist es eine Allergie. Und dann glaube ich, mir steht eine hundsgemeine …« Annie biss sich auf die Unterlippe. Weibliche Perioden waren kaum das richtige Thema für eine Unterhaltung, schon gar nicht mit Nick, er war schließlich nicht ihr Mann. Dass sie dieses eine kleine Wort nicht über die Lippen brachte, machte Annie bewusst, wie isoliert sie war, wie allein. In ihrer Ehe hatte sie es als selbstverständlich empfunden, jederzeit alles auszusprechen. Jetzt gab es niemanden mehr, dem gegenüber sie so offen sein konnte.

»Was ist denn nur, Annie?«

Die Sanftheit seiner Stimme ließ sie nur noch heftiger schluchzen. Obwohl sie wusste, wie grotesk es war, derart hemmungslos zu heulen, schien sie sich nicht zusammenreißen zu können.

»Annie?«

Sie konnte ihm nicht in die Augen sehen. »Du musst mich für eine komplette Idiotin halten.«

Nick lachte leise. »Du machst dir Gedanken darüber, was ein ortsbekannter Trunkenbold von dir hält?«

Annie holte tief Luft. »Rede nicht so abfällig über dich.«

»Entschuldige, aber ist das in den feinen Kreisen in Kalifornien so üblich? Soll ich so tun, als würde ich deine Tränen nicht sehen? Erzähl mir endlich, was eigentlich los ist.«

Annie schloss die Augen. Es schien eine Ewigkeit zu dauern, bis sie ihre Stimme wiederfand. »Noch nie hat mir jemand Kopfschmerztabletten gegeben. Ohne dass ich darum gebeten hätte, meine ich.« Großer Gott, sie hörte sich ja genauso jämmerlich an, wie sie sich fühlte. Verlegen suchte sie nach einer Erklärung. »Als Ehefrau und Mutter war immer ich diejenige, die die anderen versorgte, wenn sie krank waren.«

»Aber um dich hat sich niemand gekümmert.« Es war eine ruhige Feststellung, und obwohl sie widersprechen wollte, konnte sie es nicht.

Sein schlichter, simpler Satz drückte aus, was in ihrer Ehe schief gelaufen war. Annie hatte alles getan, um Blakes Leben so perfekt wie möglich zu machen, ihn geliebt, verhätschelt und umsorgt. Immer wieder hatte sie seinen Egoismus entschuldigt: Er war müde, abgespannt, musste an Wichtigeres denken. Aber das waren nur Bemäntelungen der grausamen Wahrheit gewesen.

Aber um dich hat sich niemand gekümmert …

Plötzlich musste sie über die Trostlosigkeit ihrer Ehe weinen, jede verpasste Gelegenheit, jeden ungeträumten Traum. Ihre Ehe hatte sich als Fehlschlag erwiesen. Sie war nie wirklich geliebt worden – jedenfalls nicht so, wie sie es verdient hätte.

Annie atmete tief durch, wischte sich über die Augen und lächelte Nick an. »Tut mir Leid, eine solche Heulsuse zu sein.«

Sie hob den Kopf und betrachtete das, was er ihr auf den Nachttisch gestellt hatte. Orangensaft, Tabletten, kaltes Wasser, einen Teller mit Rührei und einer Scheibe Zimttoast. Prompt kamen ihr schon wieder die Tränen. Annie wusste nicht, was sie zu ihm sagen sollte, zu dem Mann, der unabsichtlich eine Tür zu ihrem früheren Leben geöffnet und ihr die Wahrheit gezeigt hatte.

»Du solltest etwas trinken.«

Sie lächelte verschmitzt. »Nun, du musst es ja wissen.«

Nick sah sie einen Moment lang verdutzt an und brach dann in schallendes Lachen aus.

Zwei Tage später hatte Annie die Erkältung überstanden. Sie fühlte sich noch etwas erschöpft und schwach, und ihr Magen machte ein paar kleine Probleme, aber sie achtete nicht weiter darauf.

Am Freitag fuhren Nick, Izzy und sie nach Kalaloch und verbrachten den Tag am Strand. Jedes Mal, wenn sie einen Sanddollar oder einen Krebs fand, jauchzte Izzy vor Vergnügen. Sie veranstalteten Wettrennen über den Strand und stöberten auf der Suche nach verborgenen Schätzen unter Treibgut und Felsbrocken, und als die Sonne im Zenit stand, machten sie ein Picknick in einer verschwiegenen, kleinen Felsbucht. Schließlich, als sich die Sonne dem Westen zuneigte, kehrten sie zu ihrem Auto zurück und fuhren nach Hause.

Mit einem Eimer voller Muscheln und Schneckenhäuser auf dem Schoß saß Annie auf dem Beifahrersitz ihres Mustang.

»Daddy, können wir nicht unterwegs anhalten und Eis kaufen, Daddy?«

»Aber klar, Izzy-Bär«, lachte Nick.

Annie warf ihm einen verstohlenen Seitenblick zu. In den vergangenen Wochen war er ein ganz anderer Mann geworden. Er lächelte häufig, war zu jedem Spaß aufgelegt und spielte stundenlang mit seiner Tochter. Und manchmal, wenn die Sonne sein Profil in ein goldenes Licht hüllte wie gerade jetzt, sah er so gut aus, dass es Annie sprachlos machte.

Aber das war es nicht allein, was sie an Nick faszinierte. Seine Empfindsamkeit und seine Stärke beeindruckten sie tief, und seine Zuwendung während ihrer Krankheit hatte sie zu Tränen gerührt. Sie kannte niemanden, der so sanft und gütig war wie Nick. Deshalb hatte das Leben ihm auch so grausam mitspielen können. Mit Idealisten hatte das Schicksal ein leichtes Spiel.

Auch später noch, nachdem sie den letzten abgewaschenen Teller fortgeräumt und Izzys Buntstifte aufgesammelt hatte, beobachtete sie Nick. Er stand wieder unten am See, ein Schatten im Abenddunkel, aber Annie konnte die feinen Nuancen sehr wohl unterscheiden, den schwachen Schimmer seiner Haare, seine breiten Schultern, die Reflexion des Mondlichts auf den Nieten seiner Jeans.

Annie warf das feuchte Geschirrtuch auf den Küchentisch und lief aus dem Haus. Sie wollte in seiner Nähe sein, und obwohl diese Erkenntnis ihr leichtes Unbehagen verursachte, begann ihr Herz doch voller Vorfreude zu klopfen. Im Zusammensein mit Nick war sie eine andere Frau. Etwas von seinem Glanz fiel auf sie, gab ihr das Gefühl, schön, unbeschwert, einfach lebendiger zu sein.

Der Himmel war voller Sterne. Das Stakkato der Frösche und Grillen verstummte, als sie sich näherte. Das Gras unter ihren nackten Füßen fühlte sich feucht und kühl an.

Mit hängenden Schultern und gesenktem Kopf stand Nick am Ufer.

»Hallo, Nick«, sagte sie leise.

Er drehte sich um, und sie sah die Qual in seinen Augen.

»Hi, Annie.« Seine Stimme klang dunkel und rau. Ein leichter Abendwind kühlte ihr Gesicht und glitt durch die Knopfleiste ihrer Bluse auf ihre Haut wie die kalten Finger eines Mannes. Inzwischen kannte sie Nick so gut, dass offensichtlich war, womit er sich herumschlug. »Du brennst darauf, einen Schluck zu trinken.«

Er lachte bitter, griff nach ihrer Hand und drückte sie.

Annie wusste aus Erfahrung, dass sie ihm jetzt helfen konnte, wenn sie mit ihm sprach. Egal, worüber, schon der Klang ihrer Stimme konnte ihn ablenken. »Erinnerst du dich an die Senior-Party am Lake Crescent, bei der Kath für etwa eine halbe Stunde verschwand?«, fragte sie. »Du und ich saßen am Ufer vor unserer Unterkunft und redeten und redeten. Damals hast du mir erzählt, dass du Polizist werden willst.«

»Und du hast mir von deinem Wunsch erzählt, Schriftstellerin zu werden.«

Es überraschte Annie, dass er sich daran erinnerte, und unwillkürlich dachte sie an das Mädchen, das einst hatte schreiben wollen. Ihr alter Traum kam ihr geradezu verwegen vor. »Das war, bevor ich begriff …« Sie verstummte.

Er wandte ihr sein Gesicht zu. »Was?«

Annie zuckte mit den Schultern. »Ich weiß auch nicht recht. Wie einem das Leben entgleitet, während man im Supermarkt an der Kasse ansteht, um einen Liter Milch zu bezahlen … Wie die Zeit vergeht und alles mit sich nimmt: Jugend, Hoffnungen, Träume. Vor allem die Träume.«

Sie spürte seinen Blick, erwiderte ihn aber nicht. Aus Furcht vor dem, was sie möglicherweise in seinen Augen entdeckte.

»Manchmal erkenne ich dich nicht wieder«, sagte er leise und zwang sie dazu, ihn anzusehen, indem er ihr Kinn mit zwei Fingern sanft anhob. »Ich höre dich Worte wie die letzten sagen, kenne aber die Frau nicht, die sie ausspricht.«

Sie lachte zittrig. »Das geht nicht nur dir so.«

»Was hat man dir angetan, Annie?«

Annie empfand die Frage als schockierend intim. Nichts rührte sich in der Dunkelheit; es war so still, dass sie ihre eigenen, abgehackten Atemzüge hören konnte. Hastig brachte sie die Worte über die Lippen. »Mein Mann liebt eine andere Frau. Er will sich scheiden lassen.«

»Annie ...«

»Keine Angst, ich komme schon darüber hinweg.« Sie wollte noch etwas hinzufügen, etwas, was sie beide zum Lachen brachte, aber in seinen Augen stand ein so tief empfundenes Mitgefühl, dass sie die Fassung verlor. Die Ruhe und Beherrschung der letzten Wochen war dahin. Eine Träne lief über ihre Wange. »Wie konnte es nur dazu kommen? Ich habe Blake aus ganzem Herzen geliebt, aber es war nicht genug ...«

Nick seufzte. Sie sah, wie er versuchte, tröstende Worte zu finden, bemerkte seine Frustration, als es ihm nicht gelang.

»Das Schlimmste ist, dass man es nicht kommen sieht«, sagte Annie. »Man hat nicht die leiseste Ahnung, dass es das letzte Mal sein wird, dass er hinter einen tritt und einen zärtlich auf den Nacken küsst ... Oder das letzte Mal, dass man gemeinsam fernsieht und dabei sanft seinen Knöchel massiert. Und man sollte doch meinen, dass man sich daran erinnert, wann man sich das letzte Mal geliebt hat, aber man kann es nicht. Es ist wie ausgelöscht.«

Überrascht stellte Annie fest, wie leicht es ihr fiel, darüber zu sprechen. In den Wochen nach Blakes Geständnis hatte sie ihre Verzweiflung in sich verschlossen und ihr Brennen mit Sehnsüchten, Alpträumen und Erinnerungen weiter angefacht. Doch jetzt, ganz plötzlich, war die Glut erloschen und an ihre Stelle ein dumpfer Schmerz getreten.

Mit dem sie vermutlich für immer leben musste. Wie ein mangelhaft gerichteter Bruch würde auch diese Verletzung nie ganz heilen. Wenn das Wetter umschlug oder sie sich an ein besonderes Ereignis erinnerte, würde sie an ihre Liebe zu Blake denken müssen und um sie trauern. Aber die Heftigkeit ihrer Gefühle war zu kalter, grauer Asche verglommen.

Nick hatte keine Ahnung, wann genau es geschah oder wer

den ersten Schritt tat. Er wusste nur, dass er Annie brauchte, wollte. Seine Hand glitt in den Ausschnitt ihres Hemdes, legte sich um ihren Nacken. Langsam, sie nicht aus den Augen lassend, senkte er den Kopf und küsste sie. Ganz sanft zunächst, tastend. Annie schob sich ihm entgegen, schmiegte sich in seine Arme. Nick fühlte ihre Hände über seinen Rücken wandern.

Sein Kuss wurde heftiger, drängender. Er küsste sie, bis ihn sein Verlangen schwindlig werden ließ. Schwer atmend trat er einen Schritt zurück.

Annie blickte ihn an, und er sah Traurigkeit in ihren Augen, aber noch etwas anderes, vielleicht die gleiche Verwunderung wie die, die er empfand. »Tut mir Leid«, sagte er leise. »Das hätte ich nicht …«

»Nein«, flüsterte Annie. »Bitte sag nicht, dass es dir Leid tut. Ich wollte, dass du mich küsst. Ich glaube, ich wünsche es mir schon sehr lange.«

Nick schob eine Hand um ihren Nacken und zog sie an sich, so nahe, dass er ihren Atem auf seinen Lippen spürte. »Ich will dich, Annie Bourne. Wahrscheinlich habe ich mich mein ganzes Leben lang nach dir gesehnt.«

Eine Träne lief über ihre Wange, und in ihr sah er die Jahre ihrer Trennung widergespiegelt. Auf gewisse Weise wirkte sie noch immer wie das sechzehnjährige Mädchen, in das er sich einst verliebt hatte, aber das Leben, das sie geführt, die Entscheidungen, die sie getroffen hatte, zeichneten sich als Netz feiner Linien auf ihrem schönen Gesicht ab.

»Ich weiß.« Mehr sagte Annie nicht, doch in ihren zwei einfachen Worten hörte er die Wahrheit: dass Verlangen mitunter nicht genug war.

Nick streckte den Arm aus und hob ihre Hand. Im Schein des Mondes versprühte der Diamantring ein kaltes Feuer. Schweigend sah er den Ring lange Zeit an. Dann wandte er sich ab. »Gute Nacht, Annie«, sagte er leise und ging davon, bevor er sich zum Narren machte.

Oben in seinem Zimmer zog sich Nick aus und kroch in sein ungemachtes Bett. Überrascht stellte er fest, dass er zitterte. Und zum ersten Mal war daran nicht sein Verlangen nach Alkohol schuld. Sondern eine Frau.

Denk nicht an sie, sagte er sich. Denk an die AA und ihren Rat. Keine neue Beziehung, bevor du wirklich trocken bist ...

Aber es half nicht, an die Zwölf Schritte zu denken. Nick schloss die Augen und sah Annie vor sich. Inzwischen musste sie fast zu Hause sein. Und er fragte sich, welchen Song sie in ihrem Mustang hörte, an was sie dachte.

Sie zu verlassen, hatte seine ganze Kraft und Energie gekostet. Am liebsten hätte er sie in die Arme gerissen, sich und seine Vergangenheit vergessen. Doch es wäre nicht richtig gewesen, und er hatte es nicht gewagt – aus vielen Gründen. Und deshalb lag er jetzt allein in seinem Zimmer.

Natürlich wäre es ein Gebot der Klugheit gewesen, unverzüglich nach Hause zu fahren. Aber Annie fühlte sich wie gebannt von Nick und der Art, wie er sie geküsst hatte. Und als sie seine Worte hörte, dieses »Ich will dich, Annie Bourne«, war sie verloren.

Sie blickte zum Fenster seines Zimmers hinauf. Ein Schatten tauchte hinter der Scheibe auf und verschwand. Er nahm an, sie wäre nach Hause gefahren.

Annie betrachtete den Ring an ihrer linken Hand. Den Diamantreif, den ihr Blake unter Beteuerungen von Liebe und Zuneigung an ihrem zehnten Hochzeitstag an den Finger gesteckt hatte.

Langsam drehte Annie den Ring, zog ihn ab. »Leb wohl, Blake.« Es schmerzte, diese Worte auszusprechen, sie auch nur zu denken, aber es gab ihr auch ein überraschendes Gefühl von Freiheit. Annie fühlte sich ungegängelt, selbstständig, vielleicht zum ersten Mal in ihrem Leben. Es gab niemanden mehr, der ihre Entscheidungen bestimmte, ihr Schicksal lenkte. Nur sie.

Bevor sie es sich überlegen konnte, lief sie ins Haus und die Treppe hinauf. Vor Nicks Tür blieb sie stehen. Und in der kurzen Spanne, die nötig war, um Atem zu holen, verließ sie ihr Mut.

Plötzlich fühlte sie sich nicht mehr begehrenswert, sondern verzweifelt einsam. Eine alternde Frau, die einen alten Freund um Sex anbettelte …

Annie wollte gerade wieder umdrehen, als sie Musik hörte. Hinter der geschlossenen Tür sang Nat King Cole sein »Unforgettable«.

Der Song beruhigte sie ein wenig, aber noch mehr die Tatsache, dass Nick ihn sich anhörte. Er war kein unreifer Halbwüchsiger, sondern ein Mann in ihrem Alter, vom Leben und der Liebe ebenso enttäuscht wie sie. Er musste verstehen, warum sie gekommen war. Er würde von ihr nichts anderes erwarten als den simplen Akt physischer Vereinigung.

Annie klopfte an die Tür.

Stille. Dann verstummte die Musik. »Komm rein, Izzy.«

Sie räusperte sich. »Ich bin es, Annie …«

Wieder Stille, dann ein raues: »Ja, bitte?«

Anny drehte am Knauf, und die Tür öffnete sich knarrend. Nick lag im Bett.

Sie musste schlucken. Zögernd machte sie ein paar Schritte auf ihn zu, unsicher und linkisch wie ein Teenager. Sie dachte daran, dass sie nicht mehr so dünn war wie noch vor Wochen, und fragte sich, ob er sie überhaupt attraktiv fand. Blake hatte stets verletzende Bemerkungen gemacht, wenn sie auch nur ein Pfund zunahm …

Er sah sie an, und die Intensität ließ Annie erschauern.

»Bist du dir auch sicher?«, wollte er wissen. Es war die einzige Frage, die zählte.

Und sie war sich sicher. Absolut. Sie ging auf ihn zu, streckte die Arme aus. Später konnte sie sich nicht mehr erinnern, wer wen zuerst berührt hatte oder wie es kam, dass sie plötzlich nackt auf dem breiten Himmelbett lagen. Aber nie würde sie die Zärtlichkeit in seiner Stimme vergessen, mit der er ihren

Namen flüsterte, als er sie küsste, oder sie so verlangend an sich zog, dass sie manchmal glaubte, nicht mehr atmen zu können, oder die verzehrende Glut ihrer Leidenschaft. Und ganz bestimmt nicht, dass sie irgendwann *seinen* Namen schrie. Nicht Blakes.

19. Kapitel

Die Petroleumlampe neben dem Bett flackerte leicht. Blauer Rauch kräuselte sich träge zur Decke.

Annie schmiegte sich in Nicks Arme und hatte ein nacktes Bein über seine Hüfte geschlungen. Seit Stunden lagen sie beieinander, tauschten Erinnerungen und Gefühle aus und liebten sich. Gegen Mitternacht hatte sie ihren Vater angerufen, um ihm zu sagen, dass sie nicht nach Hause kommen würde. Izzy sei erkältet, und sie wolle sie nicht allein lassen. Aber ihr Vater ließ sich nicht täuschen. Er stellte dann auch die schon vertraute Frage: »Hältst du das wirklich für klug, Annie Virginia?«

Lachend sagte sie ihm, er brauche sich keine Sorgen zu machen. Sie wollte nicht darüber nachdenken, ob sie sich *klug* verhielt. Zum ersten Mal in ihrem Leben kam sie sich verwegen und ausgelassen vor, und aufregend lebendig. Sie war viel zu lange brav und vernünftig gewesen …

Innerhalb weniger Stunden und mit dem Ablegen ihres Eherings hatte sich alles für sie verändert. *Sie* war anders geworden, jünger, mutiger, kühner. Sie hatte nicht gewusst, dass Sex so viel … Spaß machen konnte. In Nicks Armen lernte sich Annie ganz neu kennen.

Zunächst hatte sie mit Schuld- und Schamgefühlen *danach* gerechnet und hatte hastig im Vorfeld nach Erklärungen für ihr zügelloses Verhalten gesucht, aber es bedurfte nur eines Wortes von Nick, eines Lächelns, eines Kusses, und ihre Befürchtungen schwanden dahin.

»Bitte, bleib so. Ich möchte dich ganz nah spüren.« Mehr brauchte er nicht zu sagen.

Jetzt lagen sie nebeneinander in den Kissen. Vor etwa einer Stunde war er in die Küche gegangen und mit Käse, Cracker und Obst zurückgekehrt. Keiner von ihnen wollte das Bett verlassen, die Welt draußen wirkte irgendwie bedrohlich.

Nick legte einen Arm um Annie und zog sie an sich. Zum ersten Mal sah sie Traurigkeit in seinen blauen Augen. »Am fünfzehnten Juni also?«

Annie hielt den Atem an. Ihre Blicke trafen sich, und sie fühlte, wie ihr Lächeln verblich.

In weniger als einem Monat würde Annie nach Hause fahren. Nick, Izzy und Mystic verlassen, um in ihr wirkliches Leben zurückzukehren – oder das, was davon noch übrig war.

Zärtlich strich Nick über ihre Wange. »Ich hätte dich nicht daran erinnern dürfen.«

»Wir wollen glücklich sein über das, was wir haben, Nicky. Die Zukunft ist etwas, worüber ich jetzt nicht nachdenken möchte.«

Seine Finger glitten über ihren nackten Arm und verharrten auf ihrer linken Hand. Sie wusste, dass er an den Ring dachte, den sie nicht mehr trug, und an den schmalen, weißen Streifen, der stattdessen auf ihrer Haut zurückgeblieben war. Als er sie endlich wieder anblickte, lächelte er. »Ich bin dankbar für alles, was du mir zu geben bereit bist, und …«

»Und was?«

Er ließ sich Zeit mit der Antwort, so lange, dass sie schon befürchtete, er würde den Satz nicht beenden. »Und die Hoffnung ist etwas, was nie stirbt«, fügte er schließlich leise hinzu.

Mit jedem Tag kamen sie einander näher. In der letzten Maiwoche warf der Sommer sein vielfarbiges Netz über den Wald. Es vergingen Tage, an denen kein Tropfen Regen fiel und die Temperaturen zwanzig Grad und mehr erreichten. Alle in Mystic freuten sich über die sommerliche Wärme. Kinder kramten die kurzen Hosen vom letzten Jahr hervor und holten ihre Fahrräder vom Speicher. Scharen von Vögeln saßen zwitschernd auf den Telefonkabeln und schwebten auf die Erde herab, um nach Würmern und Larven zu picken.

Annie verbrachte immer weniger Zeit bei ihrem Vater und immer mehr in Nicks Bett. Sie wusste, dass sie mit dem Feuer spielte, aber es war ihr egal. Sie fühlte sich wie ein Teenager, der zum ersten Mal verliebt ist. Jedes Mal, wenn sie Nick ansah, und das geschah ungefähr alle fünfzehn Sekunden, musste sie an ihre Liebesstunden denken. Sie konnte kaum glauben, wie hemmungslos sie geworden war.

Tagsüber waren sie sorgsam darauf bedacht, einander nicht zu berühren, aber diese Zurückhaltung steigerte nur ihr Verlangen. Annie konnte den Abend kaum erwarten, um sich endlich wieder in seine Arme zu stürzen.

Heute lag ein wundervoller Tag am Lake Crescent hinter ihnen. Sie hatten am Strand Volleyball gespielt, sich ein Paddelboot gemietet und auf der Heimfahrt die Lieder aus dem Radio laut mitgesungen. Zu Hause hatte Annie einen großen Topf Spaghetti gekocht, und nach dem Abendessen blieben sie am Küchentisch sitzen und übten mit Izzy Lesen.

Jetzt lagen sie alle nebeneinander in Izzys Bett, um ihr eine Gutenacht-Geschichte vorzulesen.

Annie wollte nicht darüber nachdenken, wie gut und richtig ihr das alles vorkam, wie intensiv sie begann, sich Nick und Izzy zugehörig zu fühlen. Sie griff hinter Izzy vorbei nach Nicks Schulter und drückte sie so heftig, dass er den Kopf hob und sie ansah. Er lächelte. Doch als sein Lächeln nach einigen Sekunden verging, wusste sie, dass er die plötzliche Angst in ihren Augen bemerkt hatte, die Furcht vor dem Verlangen, das ihnen nichts anderes bringen konnte als Leid.

Schnell wandte sie den Blick ab und konzentrierte sich auf das Buch.

Als Nick am Ende der ersten Seite angekommen war, klingelte das Telefon. »Ich sollte vielleicht schnell mal hinunterlaufen«, sagte er.

»Ich warte auf dich, Daddy«, murmelte Izzy und kuschelte sich an Annie.

Nick drückte Izzy das Buch in die Hände und verließ das Zimmer. Als er wenige Minuten später wiederkam, wirkte seine Miene ernst.

Annie verspürte eine Art Beklemmung und richtete sich gespannt auf. »Was ist, Nick?«

Er kletterte wieder ins Bett. »Das war deine Lehrerin, Izzy-Bär. Am Freitag feiert deine Klasse eine Party, und alle Kinder wollen, dass du auch dabei bist.«

Mit großen, angsterfüllten Augen sah Izzy ihn an. »Oh.«

Nick lächelte. »Wenn ich richtig gehört habe, sagte sie etwas von Napfkuchen.«

Izzy runzelte die Stirn. »Ich *mag* Napfkuchen.«

»Das weiß ich doch, Sonnenscheinchen.« Er gab ihr einen Kuss auf die Nase. »Und Angst ist nichts Schlimmes, Izzy. Wir haben alle hin und wieder Angst. Schlimm wäre es, etwas nicht zu tun, nur weil man sich fürchtet. Man kann den Dingen, die einem Angst machen, nicht immer ausweichen.«

In seiner Stimme hörte Annie den Nachhall der harten Lektionen, die er im Laufe seines Lebens hatte lernen müssen. Unwillkürlich empfand sie Stolz auf ihn und fragte sich, wie sie diesen Mann jemals verlassen, wie sie in ihr altes, trostloses Leben zurückkehren konnte, um im Spiegel wieder nach Beweisen für ihre Existenz zu suchen.

Izzy seufzte abgrundtief. »Ich glaube, eine Party würde mir nichts ausmachen. Bringt ihr beide mich hin?«

»Aber natürlich.«

»Okay.« Fast beschwörend lächelte sie ihn an. »Daddy, liest du mir noch eine Geschichte vor, Daddy?«

Nick griff neben das Bett und hob schmunzelnd ein weiteres Buch hoch. »Ich habe schon vermutet, dass du mich darum bitten würdest.«

Er las wie ein Schauspieler, gab Ungeheuern und Monstern eine tiefe Bassstimme, knurrte wie ein Hund, piepste wie ein kleines Mädchen. Izzy rührte sich nicht, wie gebannt hingen ihre Blicke an ihrem Vater. Wenn er lächelte, lächelte sie eben-falls. Runzelte er die Stirn, hoben sich auch ihre Brauen.

Als er die Seite umblätterte, sah er Annie an. Über den dunklen Kopf des Kindes hinweg trafen sich ihre Augen. In seinem Blick war absolut nichts von leidenschaftlichem Verlangen, nur das stille Vergnügen eines Mannes, der seiner Tochter eine Geschichte vorlas, so, als wäre dieser Moment die Erfüllung all seiner Hoffnungen und Träume. Der Ausdruck in seinen Augen ging Annie nahe und weckte in ihr den Wunsch, in Tränen auszubrechen.

Nachdem sie beide Izzy einen Gutenachtkuss gegeben hatten, ging Nick in sein Zimmer und wartete. Zweimal steckte er den Kopf zur Tür hinaus und blickte den Korridor entlang. Zweimal sah er nichts als den leeren, von Wandlampen schwach beleuchteten Flur.

Ungeduldig lief er in dem kleinen Raum auf und ab und stieß sich jedes Mal, wenn er sich umdrehte den Kopf an der abgeschrägten Wand.

Dann hörte er ein Klopfen.

Er rannte zur Tür, riss sie auf. Vor ihm stand Annie in einem übergroßen T-Shirt und marineblauen Kniestrümpfen.

Küssend, lachend, sich umschlingend fielen sie auf die zerdrückten Laken. Die Matratze ächzte und stöhnte unter ihrem Gewicht.

Noch nie hatte Nick eine Frau so heftig, fast schmerzlich begehrt, und Annie schien sein Verlangen zu teilen. Er zog sie in die Arme, küsste, streichelte und liebkoste sie, und sie erwiderte seine Küsse mit einer Leidenschaft, die ihn schwindlig werden ließ. Sie liebten sich, schliefen ein, erwachten und liebten sich erneut.

Schließlich streckte sich Nick erschöpft aus, einen Arm angewinkelt an der Wand emporgereckt, der andere lag auf Annies nackter Hüfte. Wohlig kuschelte sie sich an ihn und strich zärtlich mit dem Fuß über sein Bein, ihre Brüste drückten gegen seine Rippen.

Der zarte Schweißfilm auf ihrer Haut, der leichte Geruch in der Luft erinnerten ihn an ihre Leidenschaft. Ihr Kopf ruhte in seiner Achselbeuge, ihr Atem streichelte seine Haut.

Plötzlich packte ihn die Furcht, sie könnte sich ihm entziehen, nach Hause fahren und ihm nichts zurücklassen als den Nachklang ihres Geruchs und die kalte Leere neben sich im Bett. »Rede mit mir, Annie«, flüsterte er und strich sanft über ihren samtweichen Rücken.

»Das ist aber nicht ungefährlich«, lachte sie leise. »Die meisten Leute wollen eher, dass ich den Mund halte.«

»Ich bin nicht Blake.«

»Entschuldige.« Sie hob die Hand und ließ ihre Fingerspitzen hauchzart über seine Brust wandern. »Du … hast etwas in mir geweckt. Etwas, von dem ich gar nicht wusste, dass es in mir ist.«

»So? Und was?«

Sie drehte sich, legte sich halb auf ihn. Ihre wundervollen Brüste schwangen verlockend vor seinen Augen, und es war verdammt schwer, sich auf ihre Worte zu konzentrieren. »Früher war ich so … organisiert. Effizient. Ich kochte für meine Familie, hielt ihre Kleidung in Ordnung, ging einkaufen und hielt meine Termine pünktlich ein. Freitagabends um Viertel vor zwölf hatten Blake und ich Sex, zwischen Jay Lenos erstem und zweitem Gast. Es war immer sehr … angenehm, und ich kam zum Orgasmus. Aber ganz anders als mit dir. Nie hatte ich das Gefühl, mich vor Verlangen zu verzehren, vor Seligkeit zu vergehen.« Sie lachte, dieses hallende, ansteckende Lachen, das ganz tief aus ihrem Innern zu kommen schien. Bei Kathy hatte er nie diese Gewissheit verspürt, als stünde ihm die ganze Welt offen, als brauche er nur die Hand auszustrecken, um seine Träume zu erfüllen.

Seine Träume. Nick schloss die Augen. Sie kamen ihm jetzt oft, diese Träume, die er vor langer Zeit aufgegeben hatte. Er dachte daran, wie wichtig ihm immer eine Familie gewesen war, wie klar und gerade er sich seinen Lebensweg vorgestellt hatte, gesäumt von lachenden Kindern.

Hätte er sich vor vielen Jahren für Annie entschieden, wäre vieles, vielleicht alles anders verlaufen ...

»Warum ist Izzy ein Einzelkind? Warum habt ihr nicht mehr Kinder bekommen?«, wollte Annie plötzlich wissen.

Nick fragte sich unwillkürlich, ob sie vielleicht Gedanken lesen konnte. »Ich habe es mir immer gewünscht. Himmel, am liebsten sechs Kinder oder mehr. Aber nach Izzys Geburt wurde schnell klar, dass Kinder Kathy überforderten. Als Izzy etwa zwei Jahre alt war, habe ich eine Vasektomie vornehmen lassen.« Lächelnd drückte er sie an sich. »Und wie ist es mit dir? Du bist doch eine großartige Mutter.«

Es dauerte eine Weile, bis sie antwortete. »In diesem Jahr würde Adrian vierzehn werden. Mein Sohn.«

»Annie ...«

Sie sah ihn nicht an. »Er kam zu früh zur Welt und hat nur vier Tage gelebt. Danach haben wir alles versucht, aber ich wurde nicht wieder schwanger. Wenn ich an ihn denke, dann mit zärtlicher Resignation, aber manchmal ... ist es auch härter. Ich habe mir immer mehr Kinder gewünscht.«

Nick schwieg. Er wusste, wie hohl Worte klingen konnten. Stattdessen zog er Annie an sich, so fest, dass er ihr Herz gegen seine Brust klopfen hörte.

Und er wusste in diesem Moment, dass seine ganze Vorsicht nichts genutzt hatte. Es war zu spät. Er liebte Annie, umfassend und bedingungslos.

Inmitten uralter Fichten stand die Jefferson R. Smithwood Elementary School auf einer grasbewachsenen Anhöhe. Ein langer, zementierter Weg führte vom Parkplatz zum Schuleingang.

Am Rand dieses Weges stand Nick, neben sich Izzy und Annie. Seine kleine Tochter fürchtete sich, und es war seine Aufgabe, ihr diese Angst zu nehmen, aber er hatte keine Ahnung, wie. Über Izzys Kopf hinweg sah er Annie hilflos an.

Du schaffst das schon, gab sie ihm mit einem aufmunternden Blick zu verstehen.

Nick ging vor Izzy in die Hocke. Das Kind versuchte zu lächeln, verzog aber nur die Lippen. Er streckte die Hand aus und zupfte an der gelben Satinschleife ihres Zopfes.

Ihr Mund begann verdächtig zu zittern. »Sie werden mich auslachen.«

»Dann nehme ich mir die ...«

Annie legte ihm schnell eine Hand auf die Schulter, und er verstummte. »Sie werden dich *nicht* auslachen«, sagte er stattdessen.

»Ich bin ... anders als sie.«

Nick schüttelte den Kopf. »Nein. Du warst nur ... traurig. Und das macht Menschen manchmal ... seltsam. Aber diesmal wird alles gut gehen. Ganz bestimmt.«

»Holt ihr mich nach der Party wieder ab?«

»Großes Ehrenwort.«

»Gleich danach?«

»Sofort danach.«

»Okay«, wisperte Izzy schließlich.

»Mein *großes,* mutiges Mädchen«, lächelte Nick.

Langsam, mit wackligen Knien stand er auf. Er sah Annie an. Sie lächelte, aber ihre Augen schimmerten sonderbar feucht.

Gemeinsam gingen sie über den Zementweg auf die Schule zu.

»*Lions and tigers and bears, oh my*«, begann Annie plötzlich zu singen.

Verdutzt blickte Nick sie an, und um ein Haar hätte er schallend gelacht. Es kam ihm absurd vor, schien im Moment aber genau das Richtige zu sein. Er öffnete den Mund und fiel in ihren Gesang ein. »*Lions and tigers and bears, oh my!*«

Anfangs hörte sich Izzys Stimme ganz leise und zögernd an, gewann aber mit jedem Refrain an Sicherheit, bis sie alle drei aus vollen Kehlen singend über den Zementweg auf den Eingang der Schule zumarschierten.

Nick drückte die schwere, dunkle Holztür auf, und sie betraten den stillen Schulflur. Links stand ein Tisch mit Jacken,

Pullovern und Lunchpaketen, die die Kinder dort zurückgelassen hatten.

Izzy blieb stehen. »Ich möchte allein hineingehen«, sagte sie leise. »Dann halten sie mich wenigstens nicht für ein Baby.« Sie warf Nick und Annie einen letzten Blick zu und ging den Flur hinunter.

Nick kämpfte mit dem überwältigenden Wunsch, ihr nachzulaufen.

Annie drückte seine Hand. Seufzend blickte Nick seiner Tochter nach. Er sah das Zögern ihrer Schritte und wusste, wie sehr sie sich bemühte, tapfer zu sein. Er kannte die Überwindung, die es kostete, unbeirrt vorwärts zu gehen, obwohl alles in einem danach verlangte, sich irgendwo im Dunkel zu verstecken. Schließlich musste er den Blick abwenden. Nichts hatte ihn darauf vorbereitet, wie schwer es war zuzusehen, wie das eigene Kind gegen Angst ankämpfte.

»Sie wird es schaffen«, sagte Annie. »Vertrau mir.«

Er sah sie an. Und die Gewissheit in ihren Augen ließ ihm die Kehle eng werden. »Das tue ich, Annie«, sagte er leise. »Das tue ich.«

Am Ende des Flurs ging eine Tür auf. »Izzy!«, rief eine Frauenstimme. »Wie schön, dich endlich wiederzusehen.« Lachen und Klatschen drang aus der geöffneten Tür. Izzy drehte sich zu Nick und Annie um, grinste sie breit an und rannte in die Klasse.

20. Kapitel

»Eine wundervollere Art, mich von Izzy abzulenken, konntest du dir nicht ausdenken«, keuchte Nick, als er endlich wieder sprechen konnte. Mit Annie fest im Arm lehnte er sich an die Wand, stützte seine Wange in die Hand und betrachtete sie hingerissen.

Sie sah unglaublich schön aus, das Gesicht von der Sonne bestrahlt, die kurzen Haare wirr und in allen Richtungen abstehend. Sie atmete schwer, und jedes Luftholen erinnerte Nick daran, dass sie ihm gehörte – für den Moment zumindest. Seine Hand glitt unter die dünne Decke und umfasste ihre Brust.

Er wünschte sich sehnlich, stundenlang so liegen zu bleiben, mit ihr über alles und nichts zu reden, mehr miteinander zu teilen als die Glut der Leidenschaft. Aber er war gefährlich, dieser Wunsch, von Annie mehr zu verlangen, als ihren Körper, den sie ihm so bereitwillig schenkte. Obwohl er es zu vermeiden suchte, musste er daran denken, dass sie ihn bald verlassen würde. In weniger als drei Wochen kehrte sie in ihre Realität zurück.

Er zog sie eng an sich, war sich bewusst, dass er den Mund halten sollte. Aber es gelang ihm nicht. »Wie war deine Ehe?«

»Von welchem Standpunkt aus betrachtet? Neunzehn Jahre lang glaubte ich, mit dem einzigen Mann verbunden zu sein, den ich je geliebt habe. Dann, eines Tages, parkte er unser Auto auf der Zufahrt zum Haus und sagte zu mir: ›Ich liebe eine andere Frau. Bitte zwinge mich nicht dazu, es zu wiederholen.‹«

Annie lachte bitter auf. »Als hätte ich es zweimal hören wollen.«

»Und du fühlst dich ihm noch immer verbunden?«

»*Verbunden?* Wie wäre das möglich?« Sie seufzte, und er spürte, wie sich ihre Brust leicht hob und senkte. »Ob ich ihn noch liebe, ist jedoch eine andere Frage. Er ist … war fast zwanzig Jahre lang mein bester Freund, mein Geliebter, meine Familie. Wie schafft man es, seine Familie nicht mehr zu lieben?«

»Und was ist … Was ist, wenn er möchte, dass du zu ihm zurückkommst?«

»Das würde Blake nie tun. Dann müsste er ja zugeben, dass er einen Irrtum, einen Fehler begangen hat. In all den Jahren unserer Ehe habe ich nie ein Wort der Entschuldigung von ihm gehört. Niemandem gegenüber.«

Die traurige Gewissheit in ihrer Stimme entging Nick nicht.

Annie lächelte ihn flüchtig an, starrte dann über seine Schulter hinweg auf einen Punkt an der Wand.

Nick nahm sie so fest in die Arme, dass er sich nicht in ihren grünen Augen verlieren konnte. »Ich erinnere mich an eine Geschichte, die du im Englischunterricht unseres letzten Schuljahrs geschrieben hast. Sie handelte von einem Hund, der einem Jungen half, wieder nach Hause zu finden. Sie hat mich so begeistert, dass ich überzeugt war, du würdest eine große Schriftstellerin werden.«

»Sie hieß ›Die Suche nach Joey‹. Unglaublich, dass du dich an sie erinnerst.«

»Es war eine gute Geschichte.«

Annie schwieg lange, und als sie endlich den Mund öffnete, klang ihre Stimme rau. »Ich hätte mehr Zutrauen zu mir haben müssen, aber Blake hielt meine Schreibversuche für ein unbedeutendes kleines Hobby, daher habe ich es gelassen. Es war meine Schuld, nicht seine. Ich gab zu schnell auf. Danach gab es nichts, was ich nicht versuchte: Judo, Malerei, Kalligraphie, Töpferei, Wohnraumgestaltung, Ikebana.« Sie schnaubte verächtlich. »Kein Wunder, dass sich Blake über mich lustig machte. Ich war das Paradebeispiel für Wankelmut.«

»Unsinn.«

»Nein, wirklich. Ich packte meine beiden angefangenen Romane in hübsche Schachteln und versteckte sie unter meiner Wäsche. Ich ließ mich von Blakes beißenden Bemerkungen über ›Moms augenblickliches Hobby‹ entmutigen. Nach ein paar Jahren konnte ich mich nicht einmal erinnern, vom Schreiben geträumt zu haben. Ich wurde Mistress Blake Colewater, und ohne ihn kam ich mir vor wie ein Niemand, ein Nichts. Bis jetzt. Du und Izzy … Ihr habt mir meine Identität wiedergegeben.«

Er strich ihr über die Wange. »Nein, Annie. Du selbst hast sie dir zurückerobert. Um sie gekämpft.«

»Ich habe mich einmal verloren, Nick. Und habe schreckliche Angst davor, dass es noch einmal passiert.«

Er brauchte sie nicht zu fragen, was sie damit meinte. Er wusste es. Irgendwie war sie hinter sein Geheimnis gekommen. Er hatte sich in sie verliebt, und ihnen blieb nicht viel Zeit miteinander. So war es nun einmal, wenn man mit einer verheirateten Frau schlief, selbst wenn sie vor ihrer Scheidung stand. Sie hatte immer noch Natalie und ein ganzes Leben, in dem Nick nicht vorkam. »In Ordnung, Annie«, sagte er leise. »Für den Moment.«

Aber es war nicht in Ordnung. Er wusste es, und sie begann es auch zu begreifen.

Annie stand auf der Veranda ihres Vaters und blickte zum silbern plätschernden kleinen Fluss hinüber. Himmelblaue Hasenglöckchen reckten sich aus dem Ufergras. Irgendwo hämmerte ein Specht Löcher in einen Baumstamm.

Sie hörte, wie hinter ihr die Tür geöffnet wurde, dann das Zuklappen der Gazetür.

»Willst du mir nicht endlich erzählen, was eigentlich los ist, Annie Virginia?«

Der ernste Ton seiner Stimme sagte ihr, dass er ihr dieser Frage wegen aus dem Haus gefolgt war. »Was meinst du damit?«, wich sie aus.

»Du weißt genau, was ich meine. Sobald du Nicks Namen sagst, errötest du wie ein Backfisch, und in den letzten beiden Wochen habe ich dich kaum zu Gesicht bekommen. Ich wette, du tust da oben im Beauregard House sehr viel mehr, als auf das Kind aufzupassen. Gestern Abend hörte ich, wie du zu Terri am Telefon sagtest, Nick wäre nur ein guter Freund. Also ist nicht nur mir etwas aufgefallen, schätze ich.«

»Ich habe mich nicht in ihn verliebt, falls du das wissen willst.« Aber noch während Annie das aussprach, wurde sie nachdenklich. In Nicks Gesellschaft fühlte sie sich jung, sprühend vor Energie und Lebensfreude. Träume schienen wieder zum Greifen nah. Ganz anders als während ihrer Ehe. Da waren Träume für sie etwas, womit man sich in der Kindheit beschäftigte, aber doch nicht im »richtigen« Leben.

»Willst du dich an Blake rächen?«

»Nein. Zum ersten Mal denke ich nicht an Blake oder Natalie. Sondern an mich.«

»Ist das fair?«

Sie drehte sich zu ihrem Vater um. »Warum müssen eigentlich immer nur Frauen fair sein?«

»Mir geht es dabei mehr um Nick. Ich kenne den Jungen seit einer halben Ewigkeit. Schon als Junge hatte er Augen, die mehr Schlechtes als Gutes gesehen hatten. Und als er etwas mit Kathy anfing, dankte ich Gott, dass du es nicht warst. Aber dann wurde er der beste Cop, den diese Stadt jemals hatte. Keinem von uns blieb verborgen, wie sehr er Kathy und seine kleine Tochter liebte. Und dann passierte … diese Sache mit Kathy, und er … verfiel. Er bekam über Nacht graue Haare, und jedes Mal, wenn ich ihn sah, wurde ich an das schreckliche Ereignis erinnert. Es war, als müsste sich seine Trauer auch physisch ausdrücken. Natürlich gab ihm niemand auch nur die geringste Schuld, aber man sah, dass er sich selbst Vorwürfe machte. Es war verdammt hart, das mit ansehen zu müssen.«

»Warum erzählst du mir das eigentlich alles?«

»Du bist eine Kämpferin, Annie, und …«

»Ha! Ich bitte dich, Dad. Ich bin doch der personifizierte Fußabtreter.«

»Nein. Du konntest dich noch nie richtig einschätzen. Du bist unglaublich stark, Annie, das warst du schon immer. Und du siehst die Dinge positiv. Für dich ist das Glas immer halb voll.«

»Als Blake mich verließ, war ich total verzweifelt«, erinnerte sie ihn.

»Aber für wie lange? Einen Monat?« Hank schüttelte den Kopf. »Das ist nichts. Nach dem Tod deiner Mutter habe ich mich nicht lediglich ein paar Wochen verkrochen, um dann wie Phönix aus der Asche wieder aufzutauchen.« Er hob die Schultern. »Vielleicht kann ich mich nicht richtig ausdrücken. Aber ich möchte dir begreiflich machen, dass du echte Verzweiflung oder Hoffnungslosigkeit nicht kennst, Honey, nicht wirklich.«

Annie blickte über den Fluss. »Vermutlich hast du Recht.«

»Du bist noch immer verheiratet, und wenn du glaubst, Blake würde dich wirklich für ein Flittchen verlassen, hast du den Verstand verloren. Er kommt zurück. Sobald er wieder bei Vernunft ist.«

»Ich fühle mich aber nicht mehr verheiratet.«

»Doch.«

Annie schwieg. Es stimmte, und es stimmte auch wieder nicht. Trotz ihrer Veränderungen in den letzten Monaten hatte Hank Recht: Sie fühlte sich noch immer mit Blake verheiratet. Immerhin war sie fast zwanzig Jahre lang seine Frau gewesen. Eine so lange, emotionale Bindung endete nicht mit ein paar hastig hingeworfenen Worten, nicht einmal mit dem Satz: *Ich möchte die Scheidung.*

Hank trat neben sie und strich ihr über die Wange. »Du wirst Nick wehtun. Und er ist nicht der Mann, der Schicksalsschläge leicht verkraftet. Ich will dir wirklich keine Vorschriften machen, Annie. Das habe ich nie getan und werde jetzt nicht damit anfangen. Aber ... diese Sache wird böse enden, Annie. Für euch alle.«

Am nächsten Abend saß Annie auf der Veranda, lange nachdem das Geschirr abgewaschen und Izzy zu Bett gegangen war. Sie beobachtete, wie eine kleine, schwarze Spinne ihr Netz in einem Rhododendronstrauch wob. Nur das leise Geräusch ihres Schaukelstuhls unterbrach die Stille. Nick wartete oben in seinem Zimmer, und sie sollte endlich ins Haus gehen. Aber hier draußen schien alles so ruhig und friedlich, und die Worte ihres Vaters kamen ihr weniger nachdrücklich vor, wenn sie allein war. Aber wenn sie hineinging und in Nicks blaue Augen blickte, würden sich Hanks Mahnungen deutlicher bemerkbar machen und wären schwerer zu ignorieren.

Nick und Izzy hatten bereits mehr als genug Leid erfahren, und Annie wollte nichts weniger, als ihnen weitere Schmerzen zufügen, aber genau dazu würde es vermutlich kommen. Sie hatte ein anderes Leben in einer anderen Stadt, ein anderes Kind würde ebenso nötig eine Mutter brauchen wie Izzy noch vor wenigen Monaten. Annies wahres Leben wartete auf sie im heißen Klima des kalifornischen Südens, wartete auf ihre Rückkehr in wenigen Wochen. Und dann würde sich zeigen, ob Annies Veränderung Bestand hatte, ob die hier oben im Norden getroffenen Entscheidungen von Dauer waren.

Hinter ihr öffnete sich die Gazetür. »Annie?«

Sie machte kurz die Augen zu, um Kraft zu sammeln. »Hey, Nick«, antwortete sie ruhig.

Langsam, knarrend schloss sich die Tür. Nick hockte sich neben sie und legte ihr eine Hand auf die Schulter. »Was machst du denn ganz allein hier draußen?«

Annie sah ihn an und verspürte einen Anflug von Panik. Die Vorstellung, ihn aufzugeben, nahm ihr den Atem.

Aber es ging um Nick, nicht um sie. »Ich möchte dir nicht wehtun, Nicky.«

Er hob ihre linke Hand und zeichnete den schmalen, weißen Streifen an ihrem vierten Finger mit der Fingerspitze nach. »Glaub mir, Annie. Ich weiß, dass es nicht leicht ist, einen solchen Ring abzustreifen.«

Schweigend sah sie ihn an, verspürte den Wunsch, ihm das

Unmögliche zu versprechen, ihm zu sagen, dass sie ihn liebte, aber so grausam konnte sie nicht sein. In zwei Wochen würde sie Mystic verlassen. Es wäre unendlich viel besser, diese Worte für sich zu behalten, sie mitzunehmen ...

»Wir haben einander nicht für ewig, Annie. Das ist mir bewusst.«

Annie hörte, wie seine Stimme, als er das Wort »ewig« aussprach, leicht zitterte, aber er lächelte sie an, und sie wollte über seine Empfindungen jetzt nicht nachdenken. »Ja«, flüsterte sie.

Er hob sie hoch und trug sie hinauf in sein Bett. Und wie immer in seinen Armen, dachte sie nicht mehr an die Zukunft, sondern gab sich ganz der Gegenwart hin.

Am Dienstagvormittag hatten sie vor, zum Strand zu fahren. Annie überprüfte zum zehnten Mal den Inhalt des Picknickkorbes und blickte auf ihre Uhr. Schon kurz vor halb elf. Sie ging zur Treppe und rief Nick und Izzy zu, sich bitte ein wenig zu beeilen. Leise vor sich hin summend, kehrte sie in die Küche zurück.

Als sie am Telefon vorbeikam, klingelte es. Nach dem zweiten Rufzeichen nahm Annie den Hörer ab. »Ja, bitte?«

»Einen Augenblick bitte, ich verbinde mit Blake Colwater.«

Einen verwirrenden Moment lang konnte Annie keinen Bezug zwischen dem Namen und sich herstellen. Nick kam die Treppe herunter. Sie warf ihm einen bestürzten Blick zu. »Es ist Blake.«

Abrupt blieb Nick stehen. »Ich ... lasse dich besser allein.«

»Nein. Komm her. Bitte.«

Nick lief die letzten Stufen hinunter und trat neben sie. Annie griff nach seiner Hand.

»Annie? Bist du das?«

Beim Klang seiner Stimme stürmten die Erinnerungen auf sie ein. Wie erstarrt stand sie da. »Hallo, Blake.«

»Wie geht es dir, Annalise?«

»Gut.« Sie machte eine winzige Pause. »Und dir?«

»Auch ... gut. Hank hat mir deine Nummer gegeben. Wie du weißt, kommt Natalie bald nach Hause.«

»Am fünfzehnten Juni. Sie möchte, dass wir sie vom Flughafen abholen«, erwiderte Annie mit leichter Betonung des »wir«.

»Selbstverständlich. Ihre Maschine landet um ...«

Es erbitterte Annie, dass er offenbar keine Ahnung hatte. »Um siebzehn Uhr zehn.«

»Das weiß ich doch.«

Blake lachte so unbekümmert, als hätten sie vor drei Stunden das letzte Mal miteinander gesprochen und nicht vor fast drei Monaten. »Bevor wir Natalie abholen, müssen wir miteinander reden. Ich möchte, dass du am Wochenende nach Los Angeles kommst.«

»Möchtest du?« Typisch Blake. Er wollte mit ihr reden, also hatte sie sich in ein Flugzeug zu setzen.

»Ich schicke dir ein Ticket mit FedEx.«

Annie holte tief Luft. »Ich bin noch nicht bereit, mich mit dir zu treffen.«

»Wie bitte? Ich habe gedacht ...«

»Das bezweifle ich. Im Moment wüsste ich nicht, worüber ich mit dir sprechen sollte.«

»Ich schon.«

»Tatsächlich? Das bin ich von dir gar nicht gewöhnt.«

»Annalise«, seufzte er. »Ich möchte, dass du am Wochenende nach Hause kommst. Wir müssen miteinander reden.«

»Tut mir Leid, Blake. Wir hatten vereinbart, im Juni über unsere Trennung zu sprechen. Also belassen wir es auch dabei, okay? Ich werde am Dreizehnten nach Hause kommen, nicht vorher.«

»Verdammt noch mal, Annalise. Ich möchte ...«

»Leb wohl, Blake. Wir sehen uns in zwei Wochen.« Annie legte auf und starrte den Apparat gedankenverloren an.

»Alles in Ordnung, Annie?« Nicks Stimme ließ sie zusammenzucken. Sie hob den Kopf und zwang sich zu einem Lächeln. »Aber ja.«

Er musterte sie schweigend. Einen Augenblick glaubte sie, er würde sie küssen, und reckte sich ihm sogar ein wenig entgegen. Aber er stand nur da und sah sie so intensiv an, als wollte er sich jede Einzelheit ihres Gesichtes einprägen. »Es wird schneller vorbei sein, als ich befürchtet habe.«

21. Kapitel

Als Blake über die holperige Main Street von Mystic fuhr, dachte er daran, wie gründlich er den kleinen, schäbigen Holzfällerort schon immer verabscheut hatte. Er erinnerte ihn an das Nest, in dem er selbst aufgewachsen war, eine hinterwäldlerische bäuerliche Gemeinde in Iowa, die er am liebsten vergessen hätte.

Blake steuerte den gemieteten Cadillac zu einer Tankstelle und parkte. Er schlug den Mantelkragen hoch und hastete durch den strömenden Regen auf die Telefonzelle zu. Wer zum Teufel wollte eigentlich in einer Gegend leben, in der man Ende Mai noch einen Mantel brauchte? Die Tropfen trommelten so laut auf das Dach der Zelle, dass man sein eigenes Wort nicht verstehen konnte.

Er brauchte eine Weile, um sich an Hanks Telefonnummer zu erinnern. Blake steckte einen Quarter in den Schlitz, tippte die Zahlen ein und lauschte.

Nach dem dritten Klingeln meldete sich Hank. »Hallo?«

»Hi, Hank. Hier Blake. Ich möchte mit meiner ... mit Annie sprechen.«

»Wirklich? Wieso hast du's plötzlich so eilig?«

Blake seufzte. »Ruf sie bitte an den Apparat, Hank.«

»Sie ist nicht hier. Tagsüber ist sie *nie* hier.«

»Was soll das heißen?«

»Neulich habe ich dir eine Nummer genannt. Dort kannst du sie erreichen.«

»Wo ist sie, Hank?«

»Sie besucht … Freunde in dem alten Beauregard House.«

»Im alten Beauregard House. Nun, dann weiß ich ja genau Bescheid.«

»Erinnerst du dich an das alte viktorianische Haus am Ende der Uferstraße? Es gehört inzwischen einem alten Freund von Annie.«

Blake spürte ein sonderbares Gefühl in der Magengegend. »Was geht da vor, Hank?«

Es entstand eine kleine Pause. »Das wirst du schon selbst herausfinden müssen, Blake«, entgegnete Hank schließlich. »Viel Glück!«

Viel Glück. Was zum Teufel hatte das zu bedeuten?

Als sich Blake nach der Richtung erkundigt hatte und wieder hinter dem Steuer saß, runzelte er verärgert die Stirn. Irgendetwas stimmte nicht.

Allerdings, war das nichts Neues.

Vor etwa einem Monat hatte er erstmals bemerkt, dass etwas schief lief. Er konnte sich nicht mehr ordentlich konzentrieren. Seine Arbeit begann darunter zu leiden.

Und es gab andere, trivialere Dinge. Beispielsweise die Krawatte, die er heute trug. Sie passte nicht.

Eine unbedeutende Kleinigkeit, die kein Mensch bemerken würde, aber ihn brachte sie aus dem Konzept. Als Annie den schwarzen Armani-Anzug kaufte, hatte sie dazu ein weißes Hemd und eine graue Seidenkrawatte mit roten und weißen Streifen ausgesucht. Es war eine perfekte Kombination, und nie trug er eins ohne das andere. Aber seit ein paar Wochen schien die Krawatte wie vom Erdboden verschwunden. Er hatte das ganze Schlafzimmer auf den Kopf gestellt – ohne Erfolg.

»Ich hoffe, du räumst den ganzen Mist auch wieder weg«, hatte Suzannah bemerkt, als sie das Chaos sah.

»Ich kann den Binder nicht finden, der zu diesem Anzug gehört.«

Sie musterte ihn über den Rand ihrer Kaffeetasse hinweg. »Ich berufe gleich eine Pressekonferenz ein.«

Sie fand es offenbar komisch, dass er seine Krawatte nicht fand, dass sie für ihn derart wichtig war. Irritiert fragte er sich, ob seine Lieblingskrawatte, seine *unverzichtbare* Krawatte, vielleicht irgendwo in der Reinigung sein konnte.

Annie würde wissen, wo sie war …

Damit hatte es angefangen.

Blake schaltete die Bose-Stereoanlage ein und verzog das Gesicht, als irgendein Countrysong aus den Lautsprechern dröhnte. Er drückte auf die Tasten, versuchte es auf anderen Kanälen, aber es schien der einzige Sender zu sein, der ohne Rauschen und Knistern zu empfangen war. Angewidert schaltete er wieder aus.

Von Bäumen beschattet und von Regen gepeitscht, lag die Fahrbahn vor ihm. Nach ein paar Meilen sah er den See zwischen den Bäumen aufblitzen. Der Asphalt ging in festgefahrenen Sand über, und die Straße endete nach ein paar Wendungen auf einer großen Lichtung mit einem großen, gelben Haus hinter einem Garten voller Blumen. Unter einem mächtigen Ahorn parkten ein roter Mustang und ein Polizeiauto.

Blake brachte den Cadillac zum Stehen und stieg aus. Er schlug den Kragen wieder hoch und lief über das Gras, eilte die Verandastufen hinauf und klopfte an die Tür. Fast sofort ging sie auf. Ein kleines Mädchen stand auf der Schwelle. Es trug eine Goretex-Jacke und ein Basecap. Im Arm hielt es eine Stoffpuppe.

Blake lächelte das Kind an. »Guten Tag. Ich bin …«

Hinter dem Kind tauchte ein Mann auf. Seine Hände legten sich auf die Schultern des Mädchens und zogen es ins Haus zurück. »Ja, bitte?«

Blake starrte den hochgewachsenen, grauhaarigen Mann an und reckte dann den Hals, um ins Innere des Hauses zu spähen. »Tut mir Leid, wenn ich störe, aber ich suche Annie Colwater. Ihr Vater sagte, ich würde sie hier finden.«

Der Mann verspannte sich sichtlich. Seine unglaublich blauen Augen wurden ganz schmal, und er musterte Blake mit einem einzigen Blick von Kopf bis Fuß. Der war sich sonderbar sicher, dass den Augen des Mannes nichts entging, weder der Preis seines Anzugs noch die unpassende Krawatte. »Sie sind Blake.«

Blake hob die Brauen. »Ja, und Sie sind …«

Im Haus polterten Schritte eine Treppe herab. »Ich bin so weit, ihr beiden.«

Blake drängte sich an dem Mann und dem Kind vorbei durch die Tür.

Als Annie ihn sah, wäre sie um ein Haar gestolpert.

Er erkannte sie kaum wieder. Sie trug gelbes Regenzeug und einen gewaltigen Hut, der nahezu ihr ganzes Gesicht verdeckte. Die Stiefel an ihren Füßen waren mindestens vier Nummern zu groß. Er bemühte sich um ein Lächeln und breitete die Arme aus. »Überraschung!«

Sie warf dem grauhaarigen Mann einen schnellen Blick zu. »Was machst du denn hier?«

Er bemerkte, dass die beiden Fremden ihn beobachteten. Langsam ließ er die Arme wieder sinken. »Darüber würde ich lieber unter vier Augen mit dir sprechen.«

Annie biss sich auf die Lippe und seufzte. »Also gut, Blake. Reden wir miteinander. Aber nicht hier.«

»Aber Annie«, jammerte das Mädchen. »Wir wollten doch Eis essen gehen.«

Annie lächelte das Kind an. »Tut mir Leid, Izzy. Ich muss kurz mit diesem Mann sprechen. Wir holen es nach, okay?«

Mit diesem Mann … Blakes Magen krampfte sich zusammen. Was ging hier eigentlich vor?

»Nun mach es Annie nicht so schwer, Sonnenscheinchen. Sie muss nur für ein paar Minuten fort«, sagte der Grauhaarige.

»Aber sie kommt doch wieder, oder Daddy?«

Niemand antwortete.

Annie lief an dem kleinen Mädchen vorbei und trat neben Blake. »In etwa zehn Minuten können wir uns in *Ted's Diner* treffen. Direkt in der Ortsmitte. Du kannst es gar nicht verfehlen.«

Blake kam es vor, als wäre die Welt aus den Fugen geraten.

Er sah Annie an und erkannte sie nicht wieder. »Also gut. In zehn Minuten.«

Unbehaglich blieb er noch einen Moment stehen, er fühlte sich total fehl am Platz. Dann zwang er sich zu einem Lächeln. Wir brauchen nur ein paar Worte miteinander zu reden, und alles ist wieder in Ordnung, sagte er sich, als er sich umdrehte und das Haus verließ. Das sagte er sich auch noch, als er zehn Minuten später vor der schäbigsten Imbissbude hielt, die er jemals gesehen hatte. Drinnen setzte er sich auf ein kunststoffgepolstertes Sofa und bestellte eine Tasse Kaffee. Als sie serviert wurde, sah er auf seine Rolex. Viertel nach elf.

Er war allen Ernstes nervös. Verstohlen wischte er sich unter dem Tisch die feuchten Hände an der Anzughose ab.

Zehn Minuten später sah er erneut auf die Uhr. Und wenn Annie nun nicht auftauchte? Unmöglich! Annie war die Verlässlichkeit in Person. Wenn sie zusagte zu kommen, dann kam sie auch. Ein kleines bisschen später vielleicht, mitunter abgehetzt. Aber sie kam.

»Hallo, Blake.«

Der Klang ihrer Stimme ließ ihn zusammenfahren. Mit verschränkten Armen und leicht vorgeschobener Hüfte stand sie neben seinem Tisch. Sie trug verwaschene Jeans, einen ärmellosen, weißen Rollkragenpullover, und ihr Haar … Mein Gott, das sah aus, als wäre sie unter einen Rasenmäher geraten.

»Was hast du denn mit deinen Haaren angestellt?«

»Ich glaube, das ist offensichtlich.«

Missvergnügt über ihr Aussehen und ihre Antwort runzelte er die Brauen. Dieser schnippische Ton passte so gar nicht zu ihr. Immer wenn er sich in den letzten Wochen ihr Wiedersehen ausgemalt hatte, dann war die alte Annie vor ihm aufgetaucht, perfekt gekleidet, höflich lächelnd, ein wenig nervös. Die Frau, die jetzt vor ihm stand, kam ihm vor wie eine Fremde. »Nun, es wächst ja wieder.« Reichlich spät stand er auf. »Es ist sehr schön, dich zu sehen, Annie.«

Ihr Lächeln war vage, distanziert. Sie setzte sich ihm gegenüber.

Er hob die Hand und winkte der Kellnerin. Blake sah Annie an. »Kaffee?«

»Nein.« Ihre Finger trommelten auf die Tischplatte, und er bemerkte, dass ihre Nägel unlackiert waren und ganz kurz. Und an ihrem Ringfinger, an den der Diamant gehörte, erblickte er nur einen Streifen heller, ungebräunter Haut. Annie lächelte die Serviererin an. »Ein Budweiser bitte.«

Schockiert starrte er sie an. »Du trinkst doch kein Bier.« Eine idiotische Bemerkung, aber etwas anderes fiel ihm nicht ein. Er konnte nur daran denken, dass sie ihren Ring nicht mehr trug.

»Ach nein?« Wieder dieses spröde Lächeln.

Die Kellnerin nickte und verschwand.

Annie wandte ihre Aufmerksamkeit wieder Blake zu. Sie musterte ihn schweigend, und er fragte sich, was diese neue Frau dachte, wenn sie den alten Blake betrachtete. Er wartete darauf, dass sie etwas sagte, aber sie saß nur da, mit ihrer neuen Frisur, ohne Make-up, mit ihrem verblüffend ringlosen Finger, und sah ihn an.

»Ich dachte, wir sollten miteinander reden ...«, begann er, ziemlich einfältig, wie er später fand.

»Gut, gut.«

Das nächste Schweigen breitete sich aus, und in dieser Stille kam die Kellnerin zurück. Sie stellte ein bereiftes Bierglas auf den Tisch, und Annie strahlte sie an. »Danke, Sophie.«

»Keine Ursache, Miss Bourne.«

Miss Bourne? Himmel, was wurde ihm denn noch alles zugemutet?

Annie trank einen Schluck Bier. »Und? Was macht Suzannah?«

Die Kälte in ihrer Stimme bereitete ihm Unbehagen. Er hatte mit Vorhaltungen gerechnet, aber doch nicht mit dieser ... kühlen Verachtung. So kannte er sie gar nicht. »Ich bin nicht mehr mit ihr zusammen.«

»Ehrlich?«

»Ja. Auch darüber wollte ich mit dir sprechen.«

Sie blickte ihn über den Rand ihres Glases an. »Tatsächlich?«

Es wäre klüger gewesen, sich besser vorzubereiten, aber er hatte nicht damit gerechnet, dass sie es so kompliziert machen würde. In seiner Vorstellung war es abgelaufen wie immer: Er würde auf sie zukommen, und sie würde sich ein wenig zieren, dann aber lächeln und ihm unter Tränen gestehen, wie sehr sie ihn vermisst hatte. Er würde die Hände ausstrecken, und sie würde sich in seine Arme werfen. Vorhang. Das Paar wäre wieder versöhnt.

Blake versuchte ihre Empfindungen zu erkunden, aber die Augen, die er so gut kannte, gaben nichts preis. Er quälte sich die absolut ungewohnten Worte über die Lippen. »Ich habe einen Fehler begangen«, murmelte er und schob seine Hände über den Tisch.

»Einen *Fehler*!« Annie zog ihre Hand zurück.

Natürlich war es das nicht. Einen Fehler beging man beispielsweise, wenn man seine Visa-Rechnung zu spät bezahlte. Die Art, wie sie ihn ansah, der ruhige, reservierte Klang ihrer Stimme höhlte sein Selbstvertrauen aus, und er hatte plötzlich das Gefühl, dass ihm etwas Lebensnotwendiges entglitt. »Ich möchte, dass du nach Hause kommst, Annie«, sagte er leise und flehend. »Ich liebe dich, Annalise. Das weiß ich jetzt. Ich war unglaublich töricht. Kannst du mir verzeihen?«

Ihre Lippen formten eine schmale, gerade Linie. Stumm sah sie ihn an.

Ihr Schweigen ließ Hoffnung in ihm aufflackern. Auf dem halbrunden Kunststoffsofa rutschte er neben sie, blickte sie beschwörend an und hoffte aus ganzem Herzen, dass sie noch etwas für ihn empfinden möge. Erinnerungen an ihr gemeinsames Leben kamen in ihm hoch, erfüllten ihn mit neuer Zuversicht. Er dachte an die unzähligen Enttäuschungen, die er ihr bereitet, die Geburtstage, die er vergessen hatte, die Nächte, in denen er nicht nach Hause gekommen war. Aber immer wieder hatte sie ihm verziehen. So war sie nun einmal. Sie konnte sich doch nicht ganz verändert haben.

Sie blickte unverwandt geradeaus. Blake starrte ihr Profil so intensiv an, als könnte er sie damit zwingen, ihn anzusehen.

Wenn sie es tat, wenn auch nur ganz flüchtig, würde er die Antwort in ihren Augen lesen können. »Annie?« Er fasste nach ihrer Hand. Sie war ganz kalt. »Ich liebe dich, Annie«, sagte er noch einmal, mit halb erstickter Stimme. »Sieh mich doch an.«

Ganz langsam, fast zögernd, wandte sie ihm ihr Gesicht zu, und er sah die Tränen in ihren Augen. »Glaubst du, du brauchst dich nur zu entschuldigen, und alles ist vergeben und vergessen, Blake? Als wäre überhaupt nichts passiert?«

Er umklammerte ihre Hand. »Ich werde es wieder gutmachen. Das verspreche ich dir.«

Annie schloss kurz die Augen, und eine Träne lief über ihre Wange. Dann schlug sie die Lider wieder auf. »Du hast mir einen Gefallen getan, Blake. Die Frau, die ich war …« Sie entzog ihm ihre Hand und wischte sich die Träne ab. »Dieses würdelose Nichts, zu dem ich mich von dir habe machen lassen, das gibt es nicht mehr.«

»Du bist immer noch meine Annie.«

»Nein. Ich bin ich.«

»Komm zurück zu mir, Annie. Bitte. Gib uns noch eine Chance. Du kannst doch nicht alles …«

»Wage es ja nicht, diesen Satz zu beenden. Nicht ich, sondern *du* hast unsere Beziehung zerstört. Mit deinem Egoismus, deinen Lügen und deinem vagabundierenden Schwanz. Und jetzt, wo du erkannt hast, dass die kleine Suzannah zwar deine Geliebte sein möchte, aber nicht deine Frau, deine Mutter und dein Fußabtreter, kommst du zu mir zurückgelaufen. Zu der Frau, die sich lächelnd gefallen lässt, dass du sie wie Dreck behandelst, und dir ein extrem bequemes Zuhause gibt, in dem alles nach deinem Willen läuft.«

Entgeistert über ihre Ausdrucksweise und ihre Vehemenz sah er sie an. »Annie …«

»Ich habe jemanden kennen gelernt.«

Er holte tief Luft. »Einen Mann?«

»Ja, Blake. Einen Mann.«

Er glitt auf seinen ursprünglichen Platz zurück, trank hastig einen Schluck Kaffee und bemühte sich, über den Schock ihrer Mitteilung hinwegzukommen. Ein anderer Mann? Annie und ein anderer Mann?

Der grauhaarige Mann mit den traurigen, blauen Augen.

Warum hatte er in den Monaten ihrer Trennung kein einziges Mal an diese Möglichkeit gedacht? Für ihn war sie die unauffällige, verlässliche Annie, die alle bemutterte, für alles Verständnis hatte, stets lächelte und sich mit irgendwelchen handwerklichen Albernheiten beschäftigte. Er hatte sich vorgestellt, dass sie nähte, bastelte, Blumengebinde arrangierte und schmachtete. Ja, vor allem, dass sie sich untröstlich nach ihm verzehrte. Blake hob den Kopf. »Hast du … mit ihm geschlafen?«

»Ich bitte dich, Blake!«

Sie hatte. Annie – seine Annie, seine *Frau* – hatte mit einem anderen Mann geschlafen. Blake spürte unbändigen Zorn in sich hochsteigen, eine geradezu weiß glühende Wut. Am liebsten hätte er den Kopf zurückgeworfen und seinen Zorn hinausgeschrien, aber stattdessen saß er fast reglos da und ballte die Hände unter dem Tisch zu Fäusten. Inzwischen hatten sich die Dinge verändert, unglaublich verändert, und er musste mit äußerster Behutsamkeit vorgehen.

»Du hast eine Affäre«, sagte er leise und kniff schnell die Augen zu, um die Bilder nicht sehen zu müssen, die sich ihm bei diesem Wort aufdrängten. Annie, die sich lustvoll räkelte, die leidenschaftlich andere Lippen küsste, den Körper eines anderen Mannes berührte. Er verdrängte diese unerfreulichen Gedanken. »Ich nehme an, du wolltest es mir heimzahlen.«

Annie lachte. »Nicht alles dreht sich um dich.«

»Nun …« Zum Teufel, was sagte man nur in einer solchen Situation? Am liebsten hätte er mit den Fäusten eine Panzerglasscheibe zertrümmert, aber stattdessen musste er sich beherrschen, den Gentleman spielen und so tun, als mache ihm das alles nichts aus, als hätte sie ihm nicht gerade das Herz aus der Brust gerissen und darauf herumgetrampelt. »Ich schätze …« Er verstummte kurz und zuckte mit den Schultern. »Ich schätze, wir können einander verzeihen.«

»Ich brauche deine Vergebung nicht.«

Er zuckte zusammen. Genau das hatte er vor wenigen Monaten zu ihr gesagt, und es tat weh. Verdammt weh.

»Verzeih mir, Annie«, sagte er leise. Zum ersten Mal begriff er, was er ihr zugemutet hatte. In seiner selbstsüchtigen Arroganz hatte er keinen Gedanken daran verschwendet, was er ihr antat, und seine Selbstgefälligkeit mit dem Vokabular der neunziger Jahre verbrämt: *Ich brauche meine Bewegungsfreiheit. Es gibt keinen Grund zusammenzubleiben, wenn du nicht glücklich bist. Ohne mich bist du besser dran. Wir haben uns auseinander gelebt …* Und war von jedem einzelnen Wort fest überzeugt gewesen. Jetzt erkannte er seinen Irrtum. Die Worte waren bedeutungslos für einen Mann, der glaubte, sich nicht an die Regeln halten zu müssen. Er hatte so getan, als wäre ihre Ehe eine unzulässige Fessel, eine Beschränkung von Möglichkeiten, die es doch zu entwickeln galt. Die Worte, auf die es wirklich ankam – »… zu lieben und zu ehren, bis dass der Tod uns scheidet« –, hatte er als überflüssigen Ballast abgetan.

Zum ersten Mal in seinem Leben verspürte Blake aufrichtige Scham. »Ich habe nicht geahnt, wie weh es tun kann. Aber ich liebe dich, Annie, das musst du mir glauben. Und ich werde dich immer lieben. Ganz gleich, was du sagst, was du tust, wie du dich entscheidest, werde ich immer für dich da sein und auf dich warten.«

Er sah den Schmerz in ihren Augen, bemerkte aber auch, wie sich ihre Lippen entspannten. Sie zeigte einen Moment der Schwäche, und wie jeder gute Anwalt wusste er die Chance zu nutzen. Er legte eine Hand an ihre Wange und zwang sie, ihn anzusehen. »Du glaubst, dass ich dich nicht wirklich liebe, dass ich so egoistisch bin wie immer, dass ich dich nur zurückhaben möchte, weil du mir das Leben leichter machst … Aber so ist es nicht, Annie. Ich brauche dich so nötig wie die Luft zum Atmen.«

»Blake …«

»Erinnerst du dich noch an die Zeit, als wir in diesem Strandhaus in Laguna Miguel wohnten? Ich konnte kaum erwarten, nach Hause zu kommen und dich wiederzusehen. Und du hast hinter der Tür auf mich gewartet und dich in meine Arme geworfen. Weißt du das noch? Und wie ich nach Natalies Geburt zu dir in das schmale Krankenhausbett gekrochen bin, bis diese verknöcherte Schwester mich rausgeworfen hat? Und wie wir spätabends am Strand Sandburgen bauten, Champagner tranken und von unserem eigenen Haus träumten? Du wolltest unbedingt ein Schlafzimmer in Weiß und Blau, und ich sagte, meinetwegen könntest du es auch purpur streichen lassen, solange du mir versprichst, für immer mein Bett zu teilen …«

»Nicht, Blake«, schluchzte sie. »Bitte.«

»Was *nicht*? Ich soll dich nicht daran erinnern, was uns verbindet? Und wie lange schon?« Er zog ein Taschentuch aus der Brusttasche und wischte ihr sanft die Tränen vom Gesicht. »Wir sind ein Ehepaar, eine *Familie*. Das hätte ich längst erkennen müssen, aber ich war blind, töricht, egoistisch und hielt zu vieles für selbstverständlich.« Seine Stimme wurde zu einem rauen Flüstern, und er sah sie durch den Schleier seiner eigenen Tränen an. »Ich liebe dich, Annie. Du musst mir glauben.«

Sie rieb sich die Augen und wandte den Blick ab. »Ich habe dir zwanzig Jahre lang geglaubt, Blake. Jetzt fällt mir das nicht mehr so leicht.«

»Ich habe nicht gedacht, dass es leicht sein würde.«

»Doch, das hast du.«

Er lächelte kläglich. »Du hast Recht. Ich habe angenommen, du würdest dich nach meiner Entschuldigung in meine Arme werfen, und wir würden gemeinsam in den Sonnenuntergang reiten.« Er seufzte. »Und wie soll es nun weitergehen?«

»Das weiß ich nicht.«

Sie schloss nichts aus, das war immerhin etwas. »Du musst mir … uns eine zweite Chance geben. Als du mich darum gebeten hast, war ich einverstanden. Inzwischen habe ich darüber nachgedacht, was zwischen uns falsch gelaufen ist – und hier bin ich. Du bist mir die gleiche Nachsicht schuldig. Unserer Ehe.«

»Oh, sehr beachtlich. Eine Lektion über eheliche Partnerschaft aus deinem Mund.« Sie zog eine Puderdose aus der Tasche und blickte in den Spiegel. »Na, prächtig. Ich sehe aus wie das Pillsbury-Männchen.«

»Du siehst wundervoll aus.«

Sie sah ihn scharf an. »Aber meine Haare müssen nachwachsen.«

»Das hätte ich nicht sagen dürfen.«

Annie ließ die Dose zuschnappen. »Nein, hättest du nicht.«

Ihr Blick war sehr direkt, und er erinnerte sich unbehaglich daran, dass er die Frau nicht kannte, die ihm da gegenübersaß. »Am dreizehnten Juni komme ich nach Los Angeles zurück. Dann können wir über … alles sprechen.« Sie stand auf, und er bemerkte ein leichtes Schwanken. Offensichtlich fiel es ihr schwer, sich zu beherrschen.

Das gab ihm Hoffnung. »Ich werde nicht aufgeben, Annie, sondern alles tun, um dich zurückzugewinnen.«

Sie seufzte. »Zu gewinnen war schon immer sehr wichtig für dich, Blake.« Mit dieser letzten, abfälligen Bemerkung drehte sie sich um und ging.

22. Kapitel

Angespannt wartete Nick auf Annies Rückkehr. In der ersten Stunde sagte er sich, dass er zu ungeduldig war, dass die Aussprache mit ihrem Mann bestimmt länger, vielleicht zwei Stunden dauern würde.

Doch aus den zwei Stunden waren drei geworden, vier, fünf.

Izzys wegen begann er mit der Vorbereitung eines aufwändigen Abendessens und probierte eines von Annies Rezepten: mit Cornflakes und Kartoffelchips panierte Hühnerbrust. Weil er vergaß, rechtzeitig Reis aufzusetzen, brachte er das Geflügel mit Bananenscheiben und Käsewürfeln auf den Tisch. Er bemühte sich sehr um eine unbeschwerte Unterhaltung, aber Izzy und er waren sich des leeren Stuhls am Tisch mehr als bewusst.

Im Grunde ging alles ganz gut, bis Izzy ihn mit großen Augen ansah und fragte: »Daddy, sie kommt doch wieder, nicht wahr, Daddy?« Ein schmaler Milchschnurrbart zierte ihre Oberlippe.

Scheppernd fiel Nicks Gabel auf den Teller. Da er nicht wusste, was er darauf antworten sollte, reagierte er mit der bei Eltern üblichen Strategie. Mit Ausweichen. »Man spricht nicht mit vollem Mund«, sagte er und senkte schnell den Kopf.

Als er Izzy gebadet und ins Bett gebracht hatte, war er mit den Nerven am Ende. Er konnte sich nicht einmal genügend konzentrieren, um ihr eine Geschichte vorzulesen, gab ihr nur einen Kuss auf die Stirn und verließ hastig den Raum.

Blake entsprach exakt seinen Vorstellungen – und seinen

schlimmsten Befürchtungen. Beim Anblick des gut aussehenden, selbstsicheren Mannes in seinem teuren Anzug war sich Nick vorgekommen wie ein Niemand. Unwillkürlich musste er an seine billigen, am Saum ausgefransten Jeans denken, das verwaschene T-Shirt, dessen ursprüngliches Blau längst zu einem faden Grau verblichen war, die aufgerissene Gürtelschlaufe. An sein Aussehen wagte er nicht einmal zu denken: die tiefen Falten um die Augen, die greisenhafte Farbe seiner Haare.

Blake war der Mann, der Nick nie sein würde.

Er wünschte, seine trostlosen Überlegungen verdrängen und endlich an etwas anderes denken zu können, *irgend*etwas. Aber je mehr er sich bemühte, desto weniger gelang es ihm. Annie hielt sein Herz, sein Leben in ihrer Hand und wusste es nicht einmal.

Noch nie hatte er sich einem Menschen so verbunden gefühlt.

Der Frau eines anderen Mannes.

Annie sah ihn am See stehen. Sie stieg aus ihrem Mustang, drückte die Tür leise zu und lief langsam zum Ufer.

Schweigend trat sie neben ihn und wartete darauf, dass er sie an sich zog, damit sie seine Wärme spüren konnte. Aber das tat er nicht. »Was hat er gesagt?«, fragte er stattdessen.

Es hatte wenig Sinn, ihn anzulügen. »Dass er einen großen Fehler gemacht hat. Dass er mich liebt.«

»Er *hat* einen großen Fehler begangen.«

Die Brüchigkeit seiner Stimme verriet, was er empfand.

»Was wirst du tun?«, fragte er leise.

»Das weiß ich nicht. Zweieinhalb Monate lang habe ich mich bemüht, meine Gefühle zu ihm zu überwinden, und jetzt, wo es mir fast gelungen ist, will er alles rückgängig machen. Das ist mir zu abrupt.«

Er schwieg, und Annie wurde erst jetzt klar, was sie da gerade gesagt hatte. Dass es ihr »fast gelungen« wäre, die Gefühle zu ihrem Mann zu überwinden. Sie wollte etwas hinzufügen, das Kränkende ihrer Worte abmildern, aber mit »fast« waren ihre

Gefühle zu Blake sehr genau umrissen. Alles andere wäre gelogen.

Leise klatschten die Wellen des Sees auf den Kieselstrand, in den Blättern eines Ahorns flüsterte der Wind.

Die Vorstellung, Mystic, diesen See, Nick und Izzy zu verlassen, erschreckte Annie. Sie dachte an ihr großes, leeres Haus in Kalifornien und die lange Zeit, in der sie dort allein wäre. »Und wenn …«

Nick sah sie an. »Wenn was?«

Annie holte tief Luft. »Wenn ich nun … zurückkäme? Nachdem …? Ich muss immer wieder über meine Idee mit einem Literaturcafé nachdenken. Du hast Recht, das Haus an der Main Street wäre perfekt. Und eine Buchhandlung könnte Mystic mit Sicherheit gebrauchen …«

Er rührte sich nicht. »Was meinst du mit ›nachdem‹?«

»Nach der Scheidung und wenn Natalie irgendwo studiert, wäre ich in Malibu ganz allein …«

»Tu mir das nicht an, Annie. Mach mir keine sinnlosen Hoffnungen. Ich kann den Rest meines Lebens nicht damit verbringen, auf dich zu warten. Das würde mir das Herz brechen. Versprich nichts, was du nicht halten kannst. Sag nichts – dann fällt es mir leichter.«

Annie war beklommen ums Herz. Er hatte Recht, natürlich hatte er Recht. Ihre Zukunft war ebenso ungewiss wie unsicher. Sie hatte keine Ahnung, was geschehen würde, wenn sie nach Hause zurückkehrte. Sie wusste ja nicht einmal, welchen Ausgang sie sich wünschte. »Es tut mir so Leid«, flüsterte sie und dachte darüber nach, ob sie ihn daran erinnern sollte, dass sie mit Blake nahezu zwei Jahrzehnte verbanden, dass Natalie ihre Tochter, dass sie noch immer verheiratet war, aber nichts davon hätte es leichter gemacht.

Stumm sah Nick sie an, so als hätte er sie bereits verloren.

Am nächsten Morgen fühlte sich Annie so niedergeschlagen, dass sie nicht einmal zu Nick fuhr, sondern im Bett blieb, nachdachte und grübelte.

Was sollte sie nur tun? Wie sich verhalten? Blake, der Mann, den sie geliebt hatte, seit sie neunzehn war, bat um eine zweite Chance für ihre Ehe. Es tat ihm Leid. Er hatte einen Fehler begangen.

Hätte vor wenigen Monaten nicht sie *ihn* um genau das angefleht?

Das Telefon auf ihrem Nachttisch klingelte. »Hallo?«

»Annie Colwater? Hier Madge aus Doktor Burtons Praxis. Ich rufe nur an, um Sie an Ihren Termin um halb elf zu erinnern.«

Das hatte sie völlig vergessen. »Oh, ich weiß nicht, ob …«

»Doc Burton meinte, er bestehe auf Ihrem Besuch.«

Annie seufzte. In der letzten Woche noch hatte sie geglaubt, ihre Depressionen seien überwunden, doch jetzt schien die düstere Hoffnungslosigkeit wieder fest im Griff zu haben. Vielleicht wäre es ganz gut, mit dem Arzt zu reden. Wahrscheinlich würde es ihr bereits besser gehen, wenn sie nur endlich das Bett verließ. »Danke, Madge«, sagte sie ergeben. »Ich werde pünktlich sein.«

Fast widerwillig stand Annie auf und lief ins Bad, um zu duschen. Sie schlüpfte in Jeans und ein bereits getragenes Sweatshirt, verzichtete aber darauf, sich die Haare zu kämmen. Warum sollte sie sich diese Mühe machen? Um Viertel nach zehn griff sie nach ihrer Handtasche und den Autoschlüsseln und verließ ihr Zimmer.

Hank saß im Schaukelstuhl auf der Veranda und las ein Buch. Als sie aus dem Haus trat, blickte er lächelnd auf. »Du bist heute aber spät dran.«

»Ich habe einen Arzttermin.«

Er wurde ernst. »Irgendwelche Beschwerden?«

»Bis auf die Tatsache, dass ich unter Depressionen leide und bei der kleinsten Gelegenheit in Tränen ausbreche, geht es mir ausgezeichnet. Den Termin hat mir Doc Burton gegeben, als ich das letzte Mal bei ihm war. Er will sich überzeugen, dass es mir wieder besser geht, bevor ich … zurück nach Hause fahre.«

Mit einem bemühten Lächeln beugte sie sich vor und küsste ihn auf die Stirn. »Bis dann, Dad.«

»Bis dann.«

Annie lief die Verandatreppe hinab und sprang in den Mustang.

Im Ortszentrum parkte sie den Wagen unter einer Buche, schlug die Tür nur zu und eilte die Betonstufen zu dem alten Backsteingebäude hinauf.

Madge strahlte sie an. »Hello, Sweetie. Doc Burton wartet schon auf Sie. Untersuchungsraum zwei bitte.«

Annie nickte und lief den weiß getünchten Flur entlang. Sie entdeckte eine Tür mit einer großen, schwarzen 2, trat ein, setzte sich und begann in einer *Fishing News* zu blättern.

Fünf Minuten später klopfte es, und Doktor Burton schob die Tür auf. »Hi, Annie. Na, wie fühlen Sie sich? Noch immer niedergeschlagen?«

Was zum Teufel sollte sie darauf nur sagen? In einer Minute ging es ihr blendend, und in der nächsten, vor allem seit dem Gespräch mit Blake, fühlte sie sich hoffnungslos und verzweifelt. Sie legte die Zeitschrift auf den neben ihr stehenden Stuhl. »Hin und wieder.«

»Madge erzählte mir, dass Sie mich während meiner Abwesenheit sprechen wollten. Was war der Grund?«

»Eine Erkältung. Die ist inzwischen überwunden, aber in den letzten beiden Tagen plagen mich wieder Übelkeit und leichte Schwindelgefühle.«

»Ich bat Sie doch, sich ein bisschen in Acht zu nehmen. Anfälle von Depression schwächen das Immunsystem. Aber wir werden eine kleine Blutprobe machen und sehen, was die ergibt.«

Drei Stunden später stand Annie wieder vor dem Haus ihres Vaters. Die Beine schienen ihr nicht gehorchen zu wollen. Sie hatte das Gefühl, gegen eine dichte, graue Nebelwand ankämpfen zu müssen, die jede ihrer Bewegungen hemmte.

Langsam ging sie die Stufen hinauf und betrat das Haus.

Hank saß mit einem Kreuzworträtsel neben dem Kamin. »Ich habe dich erst …«

Sie begann zu schluchzen. Mit einem Satz war er bei ihr, nahm sie in die Arme und strich ihr übers Haar. Annie eng an sich drückend, führte er sie zum Sofa und setzte sich neben sie.

»Was ist denn, Annie?«

Sie schluckte hart und wischte sich mit dem Ärmel über die Augen. Sie blickte ihn an, aber die Worte wollten einfach nicht über ihre Lippen.

»Annie?«

»Ich bekomme ein Kind«, flüsterte sie. Schon wieder musste sie weinen und wünschte sich, über diese Neuigkeit Freude empfinden zu können. Nach jahrelangen vergeblichen Bemühungen und peinlich genauen Temperaturmessungen war sie nun offenbar problemlos schwanger geworden.

Mit Blakes Kind.

Nichts in ihrem Leben ließ sich mit der Bestürzung vergleichen, die sie jetzt empfand, nicht einmal Blakes Forderung nach einer Scheidung. Zunächst war sie überzeugt, es müsse sich um einen Irrtum handeln, als Doc Burton ihr das Ergebnis der Blutprobe mitteilte. Dann überkam sie namenlose Angst. Sie fragte sich, wer der Vater des Kindes war.

Dann erinnerte sie sich an Nicks Worte. Er hatte eine Vasektomie vornehmen lassen, als Izzy zwei Jahre alt war. Und dann ergaben weitere Untersuchungen, dass sich Annie im vierten Monat befand.

Es war zweifellos Blakes Kind.

Hank umfasste ihr Gesicht mit beiden Händen, drehte es sanft zu sich herum. »Das ist ein Wunder«, stellte er fest, und Annie musste ihm Recht geben. Sie spürte förmlich, wie das Kind in ihr wuchs, und empfand eine Mischung aus Glück und Erschrecken. Sie legte eine Hand auf ihren Bauch.

»Das verändert alles«, sagte sie leise.

Und das war es, was sie am meisten erschreckte. Sie wollte nicht in ihr leeres, liebloses Leben in Kalifornien zurück. Sie wollte hier bleiben, in Mystic, in dieser grünen, schattigen Regenwaldwelt. Sie wollte Nick lieben wie bisher. Plötzlich verspürte sie den überwältigenden Wunsch, Izzy aufwachsen zu sehen. Sie wollte in ihrer Heimatstadt ein Buchgeschäft eröffnen und nur sich selbst verantwortlich sein.

Aber vor allem wollte sie geliebt werden, jeden Abend in Nicks Armen einschlafen und am nächsten Morgen neben ihm erwachen. Aber das war nicht möglich. Im Umkreis von hundertfünfzig Kilometern um Mystic gab es keinen Facharzt für perinatale Medizin, kein Krankenhaus mit Intensivstation. Als Annie ihre Gynäkologin in Beverly Hills angerufen hatte, sagte diese, sie solle sofort nach Hause kommen. Sie brauche jetzt vor allem eins: strikte Bettruhe. Genauso wie bei Adrian. Nur war sie diesmal fast vierzig Jahre alt, und man durfte kein Risiko eingehen. Die Ärztin erwartete Anne in drei Tagen bei sich in der Praxis, keinen Tag später.

»Hast du es Blake schon gesagt?«

Jetzt *wollte* Annie weinen, konnte es aber nicht. Sie sah ihren Vater an und fühlte, wie ihr alles, was sie sich wünschte, entglitt. »O Dad, Blake wird verlangen, dass ich ...«

»Was willst *du*?«

»Nick«, flüsterte sie.

Traurig lächelte Hank sie an. »Du glaubst also, ihn zu lieben. Du bist gerade einmal wenige Wochen mit ihm zusammen, Annie. Blake hast du schon als junges Mädchen geliebt. Noch vor zwei Monaten warst du über eure Trennung so erschüttert, dass du das Bett nicht verlassen wolltest. Und jetzt bist du bereit, all diese Gefühle wie überflüssigen Ballast über Bord zu werfen?«

Annie wusste, er hatte Recht. Was sie mit Nick verband, war wundervoll, beglückend, erfüllend, aber dennoch nicht mit ihrer Ehe zu vergleichen. »Blake und ich haben uns lange Zeit vergebens bemüht. Nach Adrian wünschte ich mir sehnlichst ein weiteres Kind, aber Jahre vergingen, und es hat ... nie geklappt. Wenn er von meiner Schwangerschaft erfährt ...«

»Du wirst zu ihm zurückgehen«, sagte Hank, und die ruhige Gewissheit in seiner Stimme zerriss ihr das Herz.

Annie blieb keine Wahl. Sie konnte Blake das Kind nicht vorenthalten und allein aufziehen. Ein Kind brauchte seinen Vater. Die Erkenntnis ließ sie erschauern und mit nichts als einer Hand voll unerfüllter Träume und gebrochener Versprechen zurück.

Annie stellte sich vor, was nun auf sie zukam, wie sie Nick von ihrer Schwangerschaft erzählte – aber das schmerzte so sehr, dass sie kaum atmen konnte. Sie wollte nicht stark sein, nicht vernünftig, nicht verantwortungsbewusst.

Sie dachte an die Zeit mit Nick, wie er sie in den Armen gehalten, sie geküsst und mit einer Zärtlichkeit geliebt hatte, die sie nie für möglich gehalten hätte. Sie dachte an Izzy und ihre Trauer um ihre Mutter. Und dann dachte sie an ihre Rückkehr nach Kalifornien, in Blakes Bett, in eine Umgebung, in der die Luft gelbgrau von Smog und die Erde ausgedörrt war. Aber am meisten dachte sie darüber nach, wie unendlich einsam ihre Welt ohne Nick sein würde …

Annie setzte sich hinter das Steuer und fuhr kreuz und quer durch die Gegend. Schließlich lenkte sie den Mustang zum See und zu Nicks Haus. Sie traf ihn zusammen mit Izzy im Garten an.

Künftig würde das Leben in diesem Haus, in dieser Familie ohne sie weitergehen. Izzy würde heranwachsen, eine Zahnspange bekommen, tanzen lernen, ihren ersten Ball besuchen, aber Annie hätte keinen Anteil daran.

Sie blickte Nick an und stellte erschrocken fest, dass Tränen in ihren Augen standen.

»Annie?«

Sie holte tief Luft und sehnte sich danach, sich in seine Arme zu werfen, endlich die unsagbar kostbaren drei Worte auszusprechen, aber sie wagte es nicht. Wenn Nick könnte, würde er ihr versprechen, dass für sie immer die Sonne schien. Aber so naiv waren sie beide nicht mehr, sie wussten, dass sich innerhalb eines Moments alles ändern konnte, dass es keine Garantie auf immerwährendes Glück gab.

Er stand auf, kam auf sie zu. Mit einem erdverkrusteten Finger berührte er ganz sanft ihr Kinn. »Was ist, mein Schatz?«

Sie zwang sich zu einem wenig überzeugenden Lächeln. »Ich muss etwas ins Auge bekommen haben. Ich ziehe mich nur schnell um, dann komme ich wieder raus und helfe euch.«

Bevor er antworten konnte, war sie ins Haus gelaufen.

Nick und Annie lagen im Bett. Über ihnen an der Decke drehte sich träge ein großer, alter Ventilator.

Nachdem sie Izzy zu Bett gebracht hatten, waren sie umeinander herumgeschlichen, ohne die Themen anzusprechen, die sich zwischen ihnen aufzutürmen schienen. Jetzt drückte er sie eng an sich, strich zärtlich über ihre Brust. Sie war den ganzen Abend über ungewöhnlich still gewesen, und wenn er sie ansah, glaubte er eine unbestimmte Traurigkeit in ihren Augen zu entdecken. Ihr plötzliches und unerwartetes Schweigen beunruhigte ihn. Dann und wann wollte er sie nach den Gründen fragen, aber immer, wenn ihm die Worte auf die Lippen kamen, verdrängte er sie schnell wieder. Einerseits wollte er wissen, was los war, andererseits fürchtete er sich vor ihrer Antwort.

»Wir müssen miteinander reden«, sagte sie schließlich und drehte sich zu ihm um.

»Ich schätze, das sind die schlimmsten vier Worte, die eine Frau sagen kann.« Er lachte und wartete darauf, dass sie auch lachte.

»Ich meine es ernst.«

»Ich weiß«, seufzte er.

Annie schmiegte sich so eng an ihn, dass sie halb auf ihm lag. Die Augen in ihrem blassen, ovalen Gesicht wirkten riesig. Riesig und unendlich traurig. »Ich war heute beim Arzt.«

Sein Herz setzte einen Schlag aus. »Ist alles in Ordnung?«

Sie lächelte flüchtig. »Ich bin gesund.«

Fast pfeifend entwich die Luft aus seinen Lungen. »Gott sei Dank.«

»Ich bin auch im vierten Monat schwanger.«

»O Gott …« Die Erde schien stillzustehen.

»Jahrelang haben wir uns vergebens bemüht, ein Kind zu bekommen.«

Blakes Kind. Das Kind des Mannes, der eingestanden hatte, einen Fehler gemacht zu haben, der wieder mit ihr zusammenleben wollte. Um Nick begann sich alles zu drehen, schnell drückte er den Kopf ins Bettzeug, das nach ihr roch, nach ihrer Leidenschaft.

»Ich habe mir immer mehr Kinder gewünscht.« Als sie das sagte, war unüberhörbar gewesen, wie tief sie das bedauerte und ihm wurde schmerzlich bewusst, dass es das Einzige war, was er ihr nicht geben konnte. Aber darauf kam es jetzt nicht mehr an.

Er kannte Annie zu gut. Sie war ein zutiefst anständiger Mensch und eine liebevolle Mutter. Das liebte er doch besonders an ihr, ihr unbedingtes Gefühl für die *richtige* Entscheidung. Sie wusste, dass Blake ein Anrecht auf sein Kind hatte.

Nun würde es keine Zukunft mehr für sie geben, keine langen, glücklichen Jahre, die sie nebeneinander in den Schaukelstühlen auf der Veranda verbrachten.

Nick hätte gern etwas gesagt, was diesen Augenblick veränderte, ihn zu einer Erinnerung machte, die nicht für den Rest seines Lebens schmerzen würde. Aber es gelang ihm nicht.

Bevor ihre Liebe richtig begonnen hatte, war sie schon wieder zu Ende.

23. Kapitel

Nick wusste, dass Annie Vorbereitungen für ihre Heimkehr traf, aber sie bemühte sich, es ihn nicht merken zu lassen. Sobald er den Raum betrat, legte sie den Telefonhörer auf.

Er versuchte, ein Netz zwischen ihnen zu knüpfen, irgendetwas, was seinen Sturz milderte, wenn sie ihn verließ, aber das schien unmöglich. Am Tag zuvor war er mit Annie zu einem Facharzt für Risiko-Schwangerschaften in Seattle gefahren. Er konnte sich nicht heraushalten. Er war für sie da, riet ihr gut zu, Wasser zu trinken, wenn sie glaubte, keinen einzigen Tropfen mehr über die Lippen zu bringen, und hielt während der Ultraschalluntersuchung ihre Hand. Als er das Kind sah, diesen winzigen grauen Fleck inmitten einer verschwommenen, schwarzen Fläche, musste er sich abwenden. Mit der Ausrede, dringend das Bad aufsuchen zu müssen, verließ er schnell den Raum.

Er versuchte, alle Gedanken an die Zukunft zu verdrängen, fühlte aber das unerbittliche Verstreichen der Stunden, die ihn dem Abschied näher brachten.

Manchmal, wenn ein Sonnenstrahl durch das geöffnete Fenster fiel und Annie beschien, empfand er grenzenlose Bewunderung für ihre Schönheit. Und dann lächelte sie ihr zärtliches, trauriges, wissendes Lächeln, dann hörte er wieder dieses Ticken in seinem Kopf.

Annie hatte das Leben für ihn verändert. Ihm eine Familie geschenkt und die Gewissheit, dass Liebe vor Glück atemlos machen könnte, ihm bewiesen, dass er mit dem Trinken aufhören und für seine kleine Tochter sorgen konnte. Sie hatte ihm alles geschenkt, was er sich jemals erträumt hatte.

Nur keine Zukunft.

Wenn sie zusammen waren, sprachen sie weder über das Kind noch über das, was sein würde.

Jetzt stand sie im Wohnzimmer und betrachtete die Fotos auf dem Kaminsims. Abwesend strich sie sich über den noch flachen Bauch.

Er lief die letzten Stufen hinunter und fragte sich, was sie dachte. Die Dielen knarrten unter seinem Gewicht. Sie drehte sich zu ihm um und lächelte ihm entgegen. »Da bist du ja, Nicky.«

Er trat hinter sie, umschlang sie mit den Armen und zog sie an sich. Sie ließ ihren Kopf an seine Schulter sinken. Behutsam legte er ihr eine Hand auf den Bauch. Einen Herzschlag lang ließ sie ihn träumen, es wäre sein Kind, sie seine Zukunft, dieser Moment ein Anfang und nicht das Ende.

»Was denkst du?«, fragte er und verabscheute die Furcht in dieser Frage, die alle Liebenden einander stellen.

»Ich habe über deinen Job nachgedacht.« Sie drehte sich in seinen Armen und sah ihn an. »Ich möchte sicher sein, dass du ihn wieder aufnimmst.«

Die selbstverständliche Bekundung ihrer Besorgnis tat ihm weh. Er wusste, dass sie sich nach einem Lächeln von ihm sehnte, nach einem Scherz, irgendeiner kleinen Geste, die ihr sagte, dass er auch ohne sie zurechtkommen würde. Aber diese Stärke brachte er nicht auf. »Ich weiß nicht, Annie ...«

»Du bist ein sehr guter Cop, Nick. Ich kenne niemanden, der so einfühlsam und fürsorglich wäre wie du.«

»Sie hätte mich fast zerbrochen – diese Fürsorge.« Die Feststellung war doppeldeutig. Er sah, dass es ihr nicht entging.

»Aber würdest du denn lieber gleichgültig sein? Auf Liebe verzichten? Nur, um nicht irgendwann leiden zu müssen?«

Zärtlich strich er ihr übers Gesicht. »Dir geht es nicht nur um meinen Job ...«

»Das macht keinen Unterschied, Nick. Wir sind nur für unsere Gefühle verantwortlich. Auf den Ausgang, die Enttäuschungen, haben wir keinen Einfluss.«

»Wirklich nicht?«

Eine Träne lief über ihre Wange. Er wollte sie fortwischen, befürchtete jedoch, sich zu verbrennen. Er wusste, dass er sich immer an diesen Augenblick erinnern würde, selbst wenn er ihn vergessen wollte. »Ich werde ewig an dich denken, Annie.«

Jetzt war ihm gleichgültig, wie weh es tat. Er träumte davon, dass sie sein Kind in sich trug.

Annie hielt neben dem Haus ihres Vaters und stieg aus dem Auto. Minutenlang blieb sie stehen und betrachtete ihr Elternhaus, als hätte sie es noch nie gesehen. In den Fenstern schimmerte ein goldenes Licht, und bunte Blüten leuchteten an den Verandapfosten. Sie würde die Astern nicht blühen sehen, und obwohl sie viele Jahre darauf hatte verzichten müssen, machte es sie jetzt unerklärlich traurig.

Ihr Vater würde ihr fehlen. Seltsam, in Kalifornien hatte sie ihn lange Zeit nicht gesehen, manchmal war ein Jahr ohne einen Besuch vergangen, aber nie hatte sie diese herzabschnürende Sehnsucht empfunden. Fast kam sie sich vor wie ein junges Mädchen, das sich davor fürchtete, sein Elternhaus zu verlassen.

Seufzend schlug sie die Wagentür zu und ging auf das Haus zu.

Sie hatte die Veranda noch nicht ganz erreicht, als Hank die Tür aufriss. »Nun, es wird aber auch langsam Zeit. Ich wollte schon …«

»Es ist so weit, Dad.«

»So schnell?«

Sie nickte. »Morgen früh fliege ich nach Los Angeles.«

»Oh.« Er ließ die Haustür zufallen, nahm auf der Verandabank Platz und winkte sie neben sich.

Sie setzte sich auf den Schaukelstuhl ihrer Mutter und lehnte sich zurück. Hier fühlte sie sich von Erinnerungen an ihre Kindheit umgeben, die in den Schaukelbewegungen des Stuhls nachhallten. Fast konnte Annie die Stimme ihrer Mutter hören, die sie ins Haus rief.

Hank blickte zum dunklen Wald hinüber. »Es tut mir weh, Annie. Alles.«

Annie spürte, dass ihr die Kehle eng wurde. »Ich weiß, Dad.«

Schließlich sah Hank sie an. »Ich habe da etwas für dich.« Er ging ins Haus und kam wenig später mit einem Geschenk wieder heraus.

Sie nahm die mit blauem Papier umhüllte Blechdose und öffnete sie. Im Innern befand sich ein ledergebundenes Fotoalbum. Annie schlug es auf. Die erste Seite enthielt ein kleines Schwarzweiß-Foto mit geknickten Ecken.

Es war eines der wenigen Bilder von Annie und ihrer Mutter. Eins, das sie noch nie gesehen hatte. Ihre Mutter trug weiße Dreiviertelhosen, eine ärmellose Bluse und hatte ihre Haare zu einem Pferdeschwanz zusammengebunden. Sie lächelte. Neben ihr stand eine spindeldürre Annie mit einem nagelneuen Fahrrad.

Annie konnte sich gut an das Rad erinnern, ein Geschenk zum Geburtstag, neben Unmengen von Luftballons und einer Torte. Sie wusste noch, wie stolz ihre Mutter gewesen war, als sie zum ersten Mal damit fuhr. »Na siehst du, Annie, mein Schatz, jetzt kannst du es allein, bist selbstständig …«

Langsam blätterte sie die Seiten um, betrachtete jedes einzelne Foto voller Freude. Endlich sah sie sich selbst von den ersten wackligen Schritten im Kindergarten bis zu den bauchfreien Blüschen ihrer Teenagerjahre.

Eingefangen in Momentaufnahmen lag ihr ganzes Leben vor ihr, und jede brachte bittersüße Erinnerungen. Da war Lady, der junge Hund, der ihr beim Einkaufen zugelaufen war … der Christbaumbehang, den sie in Mr. Quisdorffs Werkunterricht geschnitzt hatte … das weiße, ärmellose Satinkleid, in dem sie zum Schulball gegangen war.

Die Erinnerungen stürmten auf sie ein, und Annie fragte sich, warum sie so vieles vergessen hatte. Auf jedem Foto erblickte sie sich und sah, wie das kleine, sommersprossige Mädchen mit Zahnlücken zur Frau heranwuchs. Auf der letzten Seite klebte das Familienfoto von Natalie, Blake und ihr, das vor gerade einmal zwei Jahren aufgenommen war.

Das bin ich, dachte sie und betrachtete die lächelnde Frau in dem schwarzen St.-John-Sweater, und auch wieder nicht.

»Ich konnte nur wenige Fotos von deiner Mom finden«, sagte Hank leise. »Ich habe auf dem Boden in Dutzenden von Kartons und Kisten gestöbert, aber mehr war nicht da. Tut mir Leid.«

Seine Stimme überraschte Annie. Sie war so gedankenverloren gewesen, dass sie die Anwesenheit ihres Vaters ganz vergessen hatte. Sie lächelte ihn an. »So sind wir nun einmal, wir Mütter. Wir fotografieren und fotografieren, kommen aber nie selbst auf die Bilder. Das ist ein Fehler, den wir erst bemerken, wenn es zu spät ist …«

Sie blätterte zurück und betrachtete das Schulabschluss-Foto ihrer Mutter. Sie sah atemberaubend jung aus. Es war ein Schwarzweiß-Bild, aber Annie sah die haselnussbraunen Augen ihrer Mutter genau vor sich. Zärtlich strich sie mit dem Finger über die Aufnahme. Hast du jemals im Spiegel nach dir gesucht, Mom? Warst du wie wir alle? Hast du deshalb davon geträumt, eine Buchhandlung zu eröffnen?

Zum ersten Mal nach Jahren fragte sich Annie, wie ihre Mutter heute aussehen würde. Würde sie sich die Haare färben oder das prachtvolle Blond langsam grau werden lassen? Würde sie noch immer den leuchtend blauen Lidschatten aus den Siebzigern auflegen und sich den Pferdeschwanz mit diesem pinkfarbenen Band zusammenbinden? Oder inzwischen eine eher konventionelle, schulterlange Frisur bevorzugen?

»Sie war wunderschön«, sagte Hank. »Und sie hat dich sehr geliebt.« Mit seiner faltigen Altmännerhand fuhr er Annie über die Wange. »Das hätte ich dir schon längst sagen – und dir die Fotos geben müssen. Aber ich war jung, unüberlegt und wusste nicht …«

Hanks Stimme klang ein bisschen brüchig. Seine unerwartete Mitteilsamkeit erstaunte Annie. »Was hast du nicht gewusst?«

Er zuckte mit den Schultern. »Ich glaubte, du würdest ein paar Monate trauern und dann dein Leben weiterleben. Ich wusste nicht, wie ... tief und umfassend deine Liebe zu ihr war und ist. Ich glaubte, es wäre für dich besser, wenn du sie vergessen könntest. Ich hätte wissen müssen, dass das unmöglich ist.«

Annies Herz zog sich schmerzhaft zusammen. Nie zuvor hatte ihr Vater seine Liebe und seine Trauer so deutlich gezeigt. »Sie hatte das Glück, sehr geliebt zu werden, Dad. Von uns beiden.«

»Sie wird noch immer sehr geliebt – und vermisst. Niemand könnte sie mir jemals ersetzen – bis auf dich.

Du verkörperst das Beste von Sarah und mir, und manchmal, wenn du lächelst, sehe ich deine Mom vor mir.«

Annie wusste, sie würde diesen Tag nie vergessen können. Sie nahm sich vor, einen Schaukelstuhl für ihr Sonnendeck zu kaufen. In den würde sie sich mit ihrem Baby setzen und sich an alles erinnern, was sie leichtfertig vergessen hatte.

»Ich werde dich künftig häufiger besuchen«, sagte sie. »Das verspreche ich dir. Und ich möchte, dass du zu Thanksgiving oder Weihnachten zu mir kommst. Ausflüchte lasse ich nicht gelten. Ich schicke dir ein Ticket.«

»Aber Touristenklasse, wenn ich bitten darf.«

Annie lächelte. Sie hatte gewusst, dass er das sagen würde. »Himmel, Dad, um dich nach Los Angeles zu bekommen, wäre ich sogar mit einem Bus einverstanden.«

»Wirst du auch wirklich zurechtkommen, Annie Virginia?«

»Mach dir keine Sorgen um mich, Dad. Eins habe ich hier oben in Mystic gelernt. Ich bin stärker, als ich vermutet hatte. Ich werde immer zurechtkommen.«

An dem Tag, als Annie Mystic verließ, regnete es. In der Nacht davor hatten Nick und sie nicht geschlafen, sie hatten miteinander geredet, sich geliebt und alles versucht, um diese Stunden unvergesslich zu machen. Schweigend hatten sie zugesehen, wie die Sonne über dem Mount Olympus aufging und die Gletscher auf den zerklüfteten Granitgipfeln in gesponnenes, pinkfarbenes Glas verwandelte. Sie beobachteten, wie Regenwolken über dem See aufzogen, die Sonne verdunkelten. Voll sehnsüchtigen Verlangens und Furcht vor der Zukunft hatten sie einander angesehen, noch immer schweigend.

Als Annie schließlich die Wärme seines Bettes verließ, griff Nick nach ihrer Hand. Sie wartete darauf, dass er etwas sagte, aber er schwieg. Langsam, fast zögernd, streifte sie ihr T-Shirt über den Kopf, zog ein Paar Leggings und ein langes Sweatshirt an.

»Meine Sachen sind bereits im Auto«, sagte sie schließlich. »Ich werde ... mich von Izzy verabschieden und dann ... aufbrechen.«

»Ich schätze, *wir* haben uns bereits verabschiedet«, erwiderte er leise. Dann begann er zu lächeln. Es war ein zärtliches, resigniertes Lächeln, das sie fast zum Weinen brachte. »Himmel, ich glaube, wir verabschieden uns, seit wir uns wiederbegegnet sind.«

»Ich weiß ...«

Lange Zeit sahen sie einander an. Annie wollte es vorkommen, als würde ihre Liebe zu ihm noch größer, tiefer. Aber das war nicht möglich. Schließlich konnte sie es nicht mehr ertragen.

Sie entzog Nick ihre Hand und ging zum Fenster. Er kam ihr nach, und sie wünschte sich, er würde sie noch einmal in die Arme nehmen, aber er stand nur schweigend hinter ihr.

»Ich bin seit zwanzig Jahren verheiratet«, sagte sie und betrachtete ihr Spiegelbild in der Scheibe. Sie sah, wie sich ihre Lippen bewegten, hörte die Worte, aber es kam ihr vor, als spräche da eine ganz andere Frau.

Es war eine andere Frau. Annalise Colwater.

Langsam, ganz langsam drehte sie sich zu ihm um.

»Ich liebe dich, Annie.« Er sprach wie immer: mit ruhigem Ernst. »Ich habe das Gefühl, dich schon immer geliebt zu haben.« Seine Stimme wurde tiefer, heiserer. »Ich wusste nicht, dass Liebe einen auffangen kann, wenn man fällt …«

Sie fühlte sich so zerbrechlich, als wäre sie aus gesponnenem Glas und könnte beim leisesten Windstoß bersten. »Oh, Nick …«

Er trat näher, nahe genug, um sie zu küssen, aber er sah sie nur mit seinen traurigen, blauen Augen an, und sein Lächeln enthielt alles: sein Glück und seinen Schmerz, seine Hoffnungen und Ängste.

Und sein Wissen. Er wusste, dass Liebe nicht nur Glück und Seligkeit bedeutete, dass sie einem manchmal das Herz brechen konnte. »Eines musst du mir sagen, Annie … Bin ich der Einzige von uns beiden, der liebt?«

Sie schloss die Augen. »Nick. Bitte …«

»Ich werde sehr allein sein, Annie. Und mit den Monaten werde ich anfangen, dich zu vergessen. Die Art und Weise, wie sich Fältchen in deinen Augenwinkeln bilden, wenn du lächelst, wie du dir auf die Unterlippe beißt, wenn du nervös bist, wie du bei den Fernsehnachrichten am Daumennagel knabberst.«

Unendlich zart berührte er ihr Gesicht. »Ich möchte dich nicht zum Weinen bringen. Ich möchte nur wissen, dass ich nicht einem Wahn erlegen bin. Ich liebe dich. Und wenn ich dich gehen lassen muss, um dich glücklich zu machen, dann werde ich es tun, und du wirst nie wieder von mir hören. Aber ich muss wissen, was du empfindest …«

»Ich liebe dich, Nick.« Sie lächelte wehmütig. »Ich liebe dich sehr. Aber darauf kommt es nicht an. Das wissen wir beide.«

»Du irrst dich, Annie. Es kommt darauf an. Wahrscheinlich ist die Liebe das Einzige, was zählt.«

Ohne auf ihre Antwort zu warten, beugte er sich vor und küsste sie zum letzten Mal. Es war ein Kuss, der nach Tränen und Verzicht schmeckte, ein Abschiedskuss.

Als Annie durch das Haus lief, fiel ihr ein, dass sie etwas von sich hätte zurücklassen sollen, einen Pullover in einer Schublade, ein Paar Schuhe unter dem Bett. Aber nichts von ihr war geblieben, nichts, was an ihre glücklichen Tage in diesem Haus erinnerte, an die Nächte, die sie in Nicks Armen geschlafen hatte.

Sich auf die Lippe beißend, ging sie in Izzys Zimmer und traf das kleine Mädchen auf dem Bett sitzend an. Izzy trug Annies weiße Kaschmirjacke mit den Perlmuttknöpfen. Auf ihrem Schoß lag eine Lackschachtel.

»Hallo, Izzy-Bär«, sagte Annie leise. »Darf ich reinkommen?«

Izzy hob den Kopf. Sie versuchte zu lächeln, aber in ihren braunen Augen schimmerten Tränen. »Möchtest du dir meine Schätze ansehen?«

Annie setzte sich neben Izzy aufs Bett und zeigte auf einen Ring mit einem purpurroten Stein. »Der ist aber hübsch.«

»Der hat meiner Grandma Myrtle gehört ... Und das hier meiner Mommy.« Izzy nahm einen großen elfenbeinfarbenen Knopf in die Hand. »Riech mal.«

Annie hielt sich den Knopf an die Nase.

»Er riecht wie das Schlafzimmer meiner Mommy.«

Bedächtig legte Annie den Knopf in die Schachtel zurück, griff in ihre Tasche und zog ein gefaltetes Taschentuch mit den aufgestickten Initialen AVC hervor. »Wie ist es? Möchtest du das nicht in deine Sammlung aufnehmen?«

Izzy schnupperte. »Es riecht wie du.«

Fast wäre Annie in Tränen ausgebrochen. »Tatsächlich?«

Izzy zog ein ausgeblichenes rosa Band aus der Schachtel. »Hier. Das ist eine meiner Schleifen. Du kannst sie haben.«

Annie griff nach dem Satinband. »Vielen Dank, Engelchen.«

Izzy schloss die Schachtel und kletterte auf Annies Schoß. Annie drückte sie fest an sich, atmete den Duft ihrer Haare, ihrer warmen Haut tief ein.

Schließlich lehnte sich Izzy zurück und schaute sie aus riesigen, braunen Augen an. Annie sah, dass sie sich große Mühe gab, nicht zu weinen. »Heute ist es so weit, nicht? Heute verlässt du uns.«

»Ja, Izzy.«

Das kleine Mädchen schluckte. »Aber wer wird mir jetzt meine Zöpfe flechten, Annie? Wer wird mir die Zehennägel lackieren und darauf achten, dass ich hübsch aussehe?«

Annie konnte dem Kind nicht in die ernsten, verdächtig schimmernden Augen blicken. Sie zwang sich zu einem Lächeln und fasste nach Izzys Hand. »Komm mit.« Gemeinsam verließen sie das Haus und liefen über das feuchte Gras zum weiß umzäunten Garten. Annie stieß die Pforte auf, und sie gingen über den Plattenweg, setzten sich auf die Bank.

Schweigend betrachteten sie die blühenden Blumen, und Annie wusste, dass die Kleine an den Tag dachte, an dem sie sie gepflanzt hatten. Als die erste Knospe aufgeblüht war, waren Nick, Izzy und Annie an einem späten Nachmittag in den Garten gegangen und hatten Erinnerungen an Kathy ausgetauscht. Und seither sagte Izzy, jede neue Blüte würde sie an ihre Mutter erinnern.

Das kleine Mädchen rückte näher, und Annie brauchte ihre ganze Kraft, um nicht die Fassung zu verlieren. Seufzend steckte sie die Hand in die Tasche und holte die alte Münze hervor. Sie schloss die Finger um das Metall und starrte blindlings in die Blütenfülle. »Ich werde dich sehr vermissen, Izzy.«

»Aber du musst zu deiner Tochter zurück.«

Es dauerte eine Weile, bis Annie ihre Stimme wiederfand. »Ja.«

»Ich … wäre … gern deine Tochter.«

»Oh, Izzy … Deine Mommy hat dich sehr, sehr geliebt. Und dein Dad liebt dich von ganzem Herzen.«

Izzy sah sie an. »Aber warum zieht Natalie nicht zu uns? Sie könnte mein Zimmer haben. Und wenn das Baby kommt, kann es bei mir schlafen. Ich … ich würde sogar Miss Jemmie mit ihm teilen. Wirklich. Ich werde ein ganz braves Mädchen sein, das verspreche ich dir. Ich putze mir die Zähne, mache mein Bett und räume meine Spielsachen weg.«

»Du bist doch schon ein liebes, artiges Mädchen, Izzy.« Sanft strich sie Izzy über die tränenüberströmten Wangen. »Natalie und ich haben unser Zuhause in Kalifornien, und das Baby hat einen Vater, der mich vermisst.«

Izzy seufzte. »Ich weiß. In der Nähe von Disneyland.«

»Stimmt.« Annie drückte Izzys kleine Hand. »Aber das heißt nicht, dass ich dich nicht liebe, Izzy. Ich werde an dich denken und ganz oft anrufen …« Ihre Stimme begann zu schwanken, und Annie befürchtete, in Schluchzen auszubrechen. »Ich werde dich immer lieb haben, Izzy-Bär.«

»Ja.« Es klang wie ein Hauch.

Wieder drückte Annie Izzys Hand. »Du musst etwas für mich tun, wenn ich fort bin.«

»Und was?«

»Du musst für mich auf deinen Daddy aufpassen. Er ist zwar groß und stark, aber manchmal wird er dich brauchen.«

»Er wird sehr traurig sein.«

Die leisen Worte trafen tief. »Ja.« Annie hielt Izzy die Münze hin, die sie in der verlassenen Rangerhütte gefunden hatten. »Die solltest du deinem Dad geben. Bei ihm ist sie sicher, Izzy. Du kannst dich in allen Dingen auf ihn verlassen.«

Stumm blickte Izzy die Münze an, dann hob sie den Kopf. In ihren Augen schimmerten Tränen. »Ich möchte, dass du sie behältst.«

»Das geht doch nicht.«

Die Tränen rollten ihr über die Wangen. »Behalt du sie, Annie. Dann weiß ich, dass du zurückkommst.«

Jetzt musste auch Annie weinen. Sie zog Izzy auf ihren Schoß und drückte sie an sich. Es begann leicht zu regnen, Tropfen glitten lautlos an den Zaunlatten hinab ins Gras.

»Ich hab dich lieb, Izzy«, flüsterte sie und strich dem Kind über die Haare. »Auf Wiedersehen«, fügte sie noch leiser hinzu.

Nick brachte Izzy zu Lurlene und fuhr Annie in sicherem Abstand mit dem Streifenwagen hinterher. Er kam sich vor wie ein Spanner, aber er konnte nicht anders. Er folgte ihr bis zur Hood Canal Bridge.

Dort stieg er aus und sah ihrem roten Mustang nach, wie er die Brücke überquerte und immer kleiner wurde.

Und dann, so plötzlich, wie sie in sein Leben zurückgekehrt war, war sie verschwunden.

Aus dem Augenwinkel bemerkte er eine Fläche gelber Blumen am Straßenrand.

Sieh doch nur, Annie, die Gletscherlilien blühen ... Nick zuckte zusammen. Sie war nicht mehr da. Er konnte ihr nicht mehr mitteilen, was ihm gerade in den Sinn kam. Abgesehen davon fuhr sie in ein Land, in dem es das ganze Jahr hindurch blühte.

Das übermächtige Verlangen nach einem Drink stieg in ihm auf.

Er kniff die Augen zusammen. Bitte, lieber Gott, lass mich nicht schwach werden ...

Aber sein Gebet blieb unerhört. Er spürte, wie er dem Abgrund entgegentaumelte, und es war niemand da, der ihn auffangen konnte. Nick sprang in sein Auto, lenkte es wieder auf den Highway und raste nach Mystic zurück.

In Zoe's Bar wartete sein leerer Stuhl in der düsteren Ecke auf ihn. Es herrschte mittägliche Ruhe, nur das gedämpfte Klirren von Gläsern an der Theke war zu hören und leise Musik aus dem Fernseher.

Alles sah aus wie immer, und irgendwie überraschte ihn das. Derselbe wuchtige Eichentresen nahm die Stirnwand ein, dieselben alten Ventilatoren drehten sich schwerfällig an der Decke. Ein paar Unentwegte saßen auf ihren Stammplätzen, rauchten und klammerten sich mit trüben Augen an ihre Gläser.

»Meine Güte, Nick. Wo hast du denn die ganze Zeit gesteckt?«

Nick hob den Kopf und sah Zoe neben sich stehen. Sie stellte ein Glas vor ihn hin, nickte, drehte sich um und kehrte zu ihrem Platz hinter der Theke zurück.

Nick legte seine Finger um das Glas. Es fühlte sich kühl an, glatt und beruhigend. Nick ließ den Alkohol kreisen und beobachtete, wie er im Schein der Deckenlampe schimmerte.

Er hob den Drink an die Lippen, atmete tief den vertrauten, rauchigen Geruch des Scotch ein. Trink, trink, raunte eine innere Stimme. Du weißt, dass es dir dann sehr viel besser geht …

Sie war verlockend, diese Stimme, wollte ihn mit dem Duft des Whisky verführen und verhieß eine Linderung seines Schmerzes, einen dichten Nebel der Benommenheit.

Nick wollte seinen Drink hinunterstürzen und einen zweiten bestellen, einen dritten, vierten, bis er sich nicht mehr daran erinnern konnte, wie sehr er Annie liebte.

Aber dann dachte er an Izzy.

»Darf ich nach Hause kommen, Izzy?« Als er ihr diese Frage gestellt hatte, hatte er sich gewünscht, dass sie ihm vertraute. Und das wünschte er sich noch immer.

Der Alkohol würde, konnte ihm nicht helfen, sagte sein Verstand. Er würde sich betrinken, bis zur Besinnungslosigkeit betrinken – und dann? Annie kam dadurch nicht zu ihm zurück, und seine kleine Tochter hätte er wieder einmal tief enttäuscht.

Er stellte das Glas auf den Tisch, warf zehn Dollar auf den Tisch und stand auf. Als er am Tresen vorbeikam, winkte er Zoe kurz zu. »Ich verschwinde.«

Sie wischte mit einem Tuch über die Theke. »Geht es dir auch gut, Nick?«

Er wollte lächeln, aber es gelang ihm nicht recht. »So gut wie immer, Zoe.«

Nick rannte zur Tür hinaus. Seine Hände zitterten, seine Kehle fühlte sich unangenehm trocken an, aber er war froh, aus der Bar heraus zu sein.

Er rannte weiter, bis er Seitenstiche bekam und ihm das Luftholen schwer fiel, bis sein Verlangen nach einem Drink nachließ. Dann setzte er sich zwei Stunden lang auf eine Parkbank und sah zu, wie die Sonne über der Main Street unterging. Allmählich ebbte die panische Furcht ab. Der Schmerz war noch da, brannte wie eine offene Wunde, und Nick wusste, dass das noch sehr lange so bleiben würde, aber Annie hatte ihn verändert, ihm die wirklich wichtigen Dinge im Leben gezeigt. Darauf musste er sich konzentrieren. Er hatte eine Tochter, die ihn liebte und brauchte. Ein Zusammenbruch, ein Rückfall war etwas, das er sich nicht leisten konnte.

Kurz bevor Beginn des AA-Treffens war es Nick gelungen, sein Verlangen zu verdrängen. Hinter einer Reihe von Freunden betrat er den rauchgeschwängerten Raum.

Er spürte eine Hand auf der Schulter und drehte sich um. »Wie geht es dir, Nicholas?«, fragte Joe.

Nick verzog die Lippen zu einem Lächeln. »Gut, Joe. Danke.« Er setzte sich auf einen Klappstuhl, und Joe nahm neben ihm Platz.

Joe beäugte ihn durchdringend. »Wirklich?«

Vermutlich sah er blass und erschöpft aus. »Aber ja, sicher.«

Strahlend schlug ihm Joe auf die Schulter. »Ich bin stolz auf dich, Nicholas.«

Nick schloss die Augen und holte tief Luft. Zunächst bemerkte er gar nicht, dass ihn jemand leicht an der Schulter berührte. Doch dann zuckte er zusammen. Sein Herz begann wild zu klopfen. Annie hatte es sich überlegt, sie war zurückgekommen. Er fuhr herum …

Und sah Gina Piccolo hinter sich stehen. Ihr Gesicht war kalkweiß. Nick fiel auf, dass sie keinen Nasenring mehr trug und auch keinen schwarzen Lippenstift. Sie wirkte so jung und unschuldig wie vor Jahren, als sie mit ihrem Rad zum *Wonders Golf Course* gefahren war.

Langsam stand er auf. »Gina! Was machst du denn hier?«

»Drew ist vor wenigen Tagen gestorben. An einer Überdosis«, sagte sie leise mit bebender Stimme. »Sie sagten, falls ich Hilfe brauche … Ich meine … Mir ist niemand sonst eingefallen. Und auf dem Revier sagte man, Sie würden vielleicht hier sein …«

»Kein Problem, Gina.«

»Ich möchte nicht enden wie er, Mister Delacroix.«

Vor wenigen Monaten noch wäre er von Angst überwältigt worden, von der Furcht zu scheitern, zu versagen. Aber jetzt spürte er Annie neben sich. Und er hörte ihre Stimme: *Aber wärest du denn lieber gleichgültig... Um zu vermeiden, dass du leiden musst?*

Vielleicht würde er scheitern, wahrscheinlich sogar, aber das durfte ihn nicht abhalten. Er musste sich bemühen, nur das konnte ihm helfen, und möglicherweise auch diesem Mädchen.

Nick nahm Ginas Hand. »Es ist gut, dass du gekommen bist, Gina. Es ist nicht leicht, die Krücken fortzuwerfen, aber ich werde dich unterstützen. Ich gebe dich nicht auf, solange du es nicht tust.«

Ein Lächeln überzog ihr Gesicht, ließ sie jung und hoffnungsvoll aussehen. »Ich hole mir nur schnell eine Cola, dann setze ich mich zu Ihnen.«

»Okay.« Nick sah ihr nach, wie sie zum Automaten hinüberlief, und setzte sich wieder.

»Was war das eben, Nicholas?«, wollte Joe wissen.

Nick lachte leise. »Ein Cop, der versucht, eine Jugendliche vor dem Untergang zu retten, nehme ich an.«

»Willkommen, Nicholas«, schmunzelte Joe. »Du hast uns gefehlt.«

Seine Worte gaben Nick ein sehr angenehmes Gefühl, ein Gefühl der Zugehörigkeit. »Ich schätze, du kannst mich wieder auf den Dienstplan setzen. Von Montag an. Einverstanden?«

»Ach, Nicholas, ich habe dich nie heruntergenommen.«

Lächelnd lehnte sich Nick auf seinem Stuhl zurück. Zwei Sekunden später setzte sich Gina neben ihn.

Das Treffen begann. Nick hörte den anderen zu, deren Geschichten sich kaum von seiner eigenen unterschieden, und er spürte, wie er mit jeder Schilderung mutiger wurde, sicherer. Als sich die Veranstaltung dem Ende zuneigte, nickte er dem Diskussionsleiter zu. »Ich möchte etwas sagen.«

Leises, überraschtes Gemurmel. Stühle knarrten, als sich Anwesende zu ihm umdrehten.

»Mein Name ist Nick«, sagte er in die erwartungsvolle Stille hinein. Die nächsten Worte blieben ihm in der Kehle stecken, und er begann von vorn. »Mein Name ist Nick, und ich bin Alkoholiker.«

»Hi, Nick«, antworteten sie unisono und lächelten ihn an.

Er sah das Verständnis in ihren Augen, bemerkte es an der Art, wie sie nickten. Wir wissen Bescheid, gaben sie ihm wortlos zu verstehen. »Ich glaube, ich war schon Alkoholiker, bevor ich meinen ersten Schluck trank. Aber als meine Frau vor etwa einem Jahr starb, verlor ich jede Kontrolle über mich ...«

Langsam, sehr bedächtig schilderte er sein Leben, sprach von seinen Kränkungen, seinen Fehlschlägen, seinen Triumphen und Enttäuschungen. Er vertraute den nickenden, verständnisvollen Menschen in dem schäbigen, rauchgeschwängerten Raum sein Innerstes an und wusste, dass sie seinen Schmerz und seine Verzweiflung voller Mitgefühl in sich aufnehmen würden, um es in etwas anderes zu verwandeln, in ein neues Bewusstsein, das ihm helfen würde, die langen, einsamen Nächte ohne Annie zu überstehen. Nick spürte, wie mit jedem Wort die Last des vergangenen Jahres leichter wurde. Erst als er von Izzy sprach, von seiner kleinen Tochter und dem Tag, an dem sie gesagt hatte: »Ich hab dich lieb, Daddy«, brach er zusammen.

TEIL DREI

*Gott schenkte uns die Erinnerung, damit wir auch
im Dezember Rosen erblühen sehen.*

James M. Barrie

24. Kapitel

In schimmernden Wellen stieg Hitze vom Asphalt auf und verschmolz mit der smoggefüllten Luft. Seufzend lehnte sich Annie in die Taxipolster.

Schon jetzt konnte sie es kaum ertragen, nicht mehr bei Nick und Izzy zu sein. Sie hatte das Gefühl, als wäre etwas Lebenswichtiges gewaltsam von ihr abgetrennt worden.

Sie blickte aus dem Fenster, und die mit Beton überzogene Landschaft bereitete ihr Unbehagen. Sie kam ihr vor wie eine apokalyptische Zukunftsvision, in der grüne Bäume, blauer Himmel und weiße Wolken durch unzählige Schattierungen von Grau ersetzt worden waren.

Das Taxi verließ den Pacific Coast Highway und bog in ihre Straße ein. Seltsam, dass es für Annie noch immer *ihre* Straße war. Sie passierten die bewachten Tore der Colony und kamen an Strandvillen vorbei, die allesamt vom selben Architekten entworfen zu sein schienen, riesige, vielflügelige Häuser, so dicht aneinander gebaut, dass zwischen den meisten gerade einmal drei Meter freier Boden blieben. Jedes ein winziges Königreich, das sich vom Rest der Welt abschottete.

Sie bogen in ihre Einfahrt ein, und die weißen Mauern des Hauses reckten sich hoch in den Himmel. Davor ein wahres Meer von rosa und roten Hibiskusblüten inmitten dunkelgrüner, glänzender Blätter. Aber diese Schönheit war ... vorgetäuscht. Wenn nicht gewässert wurde, würde dieser Garten welken und eingehen.

Das Taxi hielt vor der Garage. Der Fahrer stieg aus und öffnete den Kofferraum.

Zögernd folgte Annie. Nachdenklich blickte sie zu Boden und erinnerte sich daran, wie sie das Verlegen der Klinkersteine beaufsichtigt hatte. *Dieser Stein da ist uneben. Das sieht hässlich aus. Könnten Sie ihn bitte austauschen, bevor der Zement hart wird …?*

»Ist das alles, Ma'am?« Der Fahrer stand mit ihren Vuitton-Koffern neben ihr.

»Ja, danke.« Annie nahm ein paar Dollarscheine aus ihrem Portemonnaie. »Hier, bitte.«

Schnell griff er nach dem Geld und steckte es ein. »Rufen Sie mich an, wenn Sie wieder zum Flughafen wollen.«

Zum Flughafen …

»Das werde ich gern tun. Nochmals vielen Dank.«

Als er sich wieder hinter das Steuer setzte, wandte sie sich dem Haus zu.

Einen Augenblick lang war ihr, als würde sie es nicht schaffen, auf die schwere Mahagonitür zuzugehen, aufzuschließen und einzutreten. Doch dann setzte sie sich in Bewegung, ging unter dem duftenden Jasminbogen hindurch und zog das Schlüsselbund aus ihrer Handtasche.

Der Schlüssel drehte sich im Schloss. Was hatte sie denn erwartet? Dass er nicht mehr passte, weil auch sie nicht mehr hierher passte? Die Tür ging auf, und ein Schwall dumpfer, stickiger Luft begrüßte sie.

Zimmer für Zimmer lief Annie durch das ganze Haus und wartete darauf, etwas zu empfinden – Wehmut, Freude, Niedergeschlagenheit, irgendetwas. Die hohen Fenster rahmten das strahlende Blau von Meer und Himmel.

Sie fühlte sich wie in einem fremden Haus. Erinnerungen an Nick und Izzy stürmten auf sie ein, wollten beachtet und vertieft werden, doch das wagte sie nicht. Stattdessen konzentrierte sie sich auf bestimmte Dinge: den Flügel, den sie bei einer Sotheby-Auktion erstanden, den Kronleuchter, den sie bei einem Ausverkauf aus einem Hotel in San Francisco gerettet, die Sammlung von Lladró-Figuren, mit der sie begonnen hatte, als Natalie auf die High-School kam.

Dinge.

Sie ging in ihr Schlafzimmer hinauf.

Dort musste sie doch *irgendetwas* empfinden. Doch wieder hatte sie nur das eigentümliche Gefühl, die Überreste einer längst vergangenen Welt zu besichtigen. Hier stand sie in Annie *Colwaters* Zimmer, mehr war von ihr nicht geblieben.

Ihre Schränke barsten nahezu vor Seidenkleidern, Wollkostümen, Kaschmirpullovern, Röcken in jeder Farbe und Länge, Schuhen in Kartons, auf denen noch die Preiszettel klebten.

Sie trat an den Nachttisch, nahm den Telefonhörer auf und lauschte eine Weile auf das Freizeichen. Sie wollte Nick und Izzy anrufen, tat es dann aber doch nicht. Stattdessen wählte sie die Nummer von Blakes Kanzlei und hinterließ die Nachricht, sie wäre wieder zu Hause.

Dann legte sie den Hörer auf und setzte sich auf ihr Bett.

Bald würde sie Blake wiedersehen. Früher hätte sie fieberhaft überlegt, was sie anziehen sollte, doch jetzt war ihr das völlig egal. In den riesigen Schränken befand sich nichts, was ihr zu entsprechen schien. Nur die unzähligen Kleidungsstücke einer anderen Frau.

Das Büro war wie der Mann: von edler Schlichtheit, aber durchdrungen von Macht und Einfluss. Immer hatte Blake von einer solchen Kanzlei inmitten der Wolkenkratzer aus Glas und Beton von Century City geträumt. Er war immer ganz sicher gewesen, dass *sein* Büro nüchtern und sachlich sein müsse, dass nichts darin die Botschaft vermitteln würde: Treten Sie ein, setzen Sie sich und erzählen Sie mir von Ihren Problemen ... Dieser Typ Anwalt hatte er nie sein wollen. Es war ein Büro, in dem sich ein Klient unwillkürlich kurz fasste, weil ihm jedes lautlose Ticken der Uhr auf dem Schreibtisch bedeutete, wie viel jede Minute kostete, die er hier verbrachte.

Dass der Traum realisiert werden konnte, hatte er Annie zu verdanken. Stunden hatte sie damit verbracht, Vorhänge und

Sessel auszusuchen. Sie hatte den Schreibtisch aus afrikanischem Mahagoni entworfen und in Auftrag gegeben und jedes einzelne Teil der Einrichtung ausgewählt.

Wohin er auch blickte, überall sah er sie.

Seufzend lehnte er sich auf seinem Stuhl zurück. Die Unterlagen auf dem Schreibtisch verschwammen vor seinen Augen. Er schob den Stapel zur Seite und sah, wie der Schriftsatz im Fall Beaman auf den Marmorfußboden flatterte.

Seit seiner Hals-über-Kopf-Reise nach Mystic fühlte er sich eigentümlich verwirrt und desorientiert.

Er hatte geglaubt, sich nur bei Annie entschuldigen zu müssen, um sein altes, bequemes Leben wieder aufnehmen zu können.

Aber Annie war nicht mehr Annie, und er wusste nicht, was er ihr sagen sollte, wie er sie zur Rückkehr zu ihm bewegen konnte.

Die Sprechanlage auf dem Schreibtisch summte. Gereizt drückte er auf die Empfangstaste. »Ja, Mildred?«

»Ihre Frau hat angerufen …«

»Verbinden Sie mich mit ihr.«

»Sie hat nur die Nachricht hinterlassen, dass sie wieder zu Hause ist, Sir.«

Blake wollte seinen Ohren nicht trauen. »Sagen Sie meine Termine ab, Mildred. Ich bin für den Rest des Tages nicht erreichbar.«

Er rannte aus der Kanzlei, fuhr mit dem Fahrstuhl in die unterirdische Garage und sprang in seinen Ferrari.

In Malibu eilte er die Stufen hinauf, stieß seinen Schlüssel ins Schloss und drückte die Tür auf. Am Fuß der Treppe standen Koffer. »Annie?«

Sie stand auf der Schwelle zum Wohnzimmer.

Sie war wieder zu Hause. Endlich würde wieder alles gut werden.

Unsicher ging er auf sie zu. »Annie?«

Sie wandte sich von ihm ab, lief ins Wohnzimmer und sah aus dem Fenster. »Ich muss dir etwas sagen, Blake.«

Dass sie ihn nicht ansah, machte ihn ganz nervös. Ihre distanzierte, abweisende Haltung erinnerte ihn schmerzlich daran, dass sie nicht mehr die Frau war, die er vor wenigen Monaten verlassen hatte. Sein Mund wurde ganz trocken. »Was?«

»Ich bin schwanger.«

Nein, dachte er. Nicht schon wieder. Noch einmal würde er das nicht ertragen. Dann erinnerte er sich an den *anderen,* den Mann, mit dem Annie geschlafen hatte, und er hielt den Atem an. »Von mir?«

Sie seufzte leise, traurig. »Ja. Ich bin im vierten Monat.«

Er schien nicht mehr klar denken zu können. Fassungslos schüttelte er den Kopf. »Ein Kind ... Großer Gott, nach all diesen Jahren.«

Sie drehte sich zu ihm um, lächelte sonderbar und war endlich wieder sie selbst. Seine Annie. Und er erkannte, was ihm bisher verborgen geblieben war. Das Kind hatte sie zu ihm zurückgebracht. »Ein Kind.« Jetzt konnte er lächeln. »*Unser* Kind.«

»Nach der langen Zeit, in der ich glaubte, Gott wolle mich nicht erhören. Aber jetzt stellt sich heraus, dass er eine Menge Humor zu haben scheint. Offenbar will er, dass ich in meiner Menopause wieder Windeln wechsle.«

»Diesmal wird alles gut«, sagte Blake leise.

Sie zuckte zusammen, und er dachte darüber nach, ob es besser gewesen wäre, seine Worte als Frage zu formulieren. »Blake ...«

Doch er wollte nicht hören, was sie zu sagen hatte. »Was in Mystic auch immer geschehen sein mag ... Es ist vorbei, Annie. Du bekommst *unser* Kind. Wir sind wieder eine Familie. Bitte, gib mir eine zweite Chance.«

Sie schwieg, betrachtete seine Hand auf ihrem Bauch. Und wandte den Kopf ab.

Bitte, gib mir eine zweite Chance ...

Annie schloss die Augen. O Gott, wie oft hatte sie wach und

allein in ihrem Bett gelegen und sich gewünscht, er würde diese Worte zu ihr sagen? Jetzt hörten sie sich hohl an, bedeutungslos.

Und was hatte sie vor Monaten zu ihm gesagt? *Ich kann nicht glauben, dass du bereit bist, alles aufzugeben. Wir sind eine Familie, Blake, eine* Familie ...

»Annie ...«

»Nicht jetzt, Blake«, sagte sie. »Nicht jetzt, bitte.«

Er holte tief Luft. Diesen resignierten, enttäuschten Seufzer kannte sie gut. Er war gereizt und frustriert. Er wusste nichts von Verlusten, von Geduld und dass es besser war, manchmal den Mund zu halten.

»Ich werde das Bett hüten müssen, wie bei ... Adrian.« Annie sah zu ihm auf. »Und damit kommt einiges auf dich zu. Ich werde nicht die gute, alte Annie sein können, die alle umsorgt und verwöhnt. Zum ersten Mal muss ich mich in erster Linie um mich selbst kümmern.«

»Kein Problem.«

Sie wünschte, sie könnte das glauben.

»Ich weiß, wie schwer es dir fällt, mir wieder zu vertrauen. Ich habe dich enttäuscht ...«

»Eine gigantische Untertreibung.«

Seine Stimme wurde zu einem flehenden Flüstern. »Ich kann nicht glauben, dass du mich nicht mehr liebst ...«

»Ich auch nicht«, sagte Annie leise und aufrichtig. Irgendwo tief in ihrem Innern mussten Reste ihrer Zuneigung bewahrt sein. Sie hatte ihn zwanzig Jahre lang geliebt. Das konnte sich doch nicht einfach in Nichts auflösen. »Ich versuche, mich an das zu erinnern, was uns verbunden hat, und ich bete darum, dass wir zur Liebe zurückfinden, aber im Moment liebe ich dich nicht. Wenn ich ehrlich sein soll, kann ich dich nicht einmal besonders leiden.«

»Du wirst mich wieder lieben«, erwiderte er mit einer Überzeugung, die sie erbitterte. Er legte ihr beide Hände auf die Schultern. »Lass uns ins Bett gehen.«

»Mein Gott, Blake! Hast du mir nicht zugehört? Ich bin

noch nicht bereit, mit dir zu schlafen. Abgesehen davon hat Doktor North nachdrücklich davor gewarnt. Es ist zu riskant.«

Er wirkte enttäuscht wie ein kleiner Junge. »Ich dachte nur, wenn wir uns versöhnen wollen, solltest du ...«

»Künftig wirst du mir nicht mehr sagen, was ich tun und lassen soll, Blake. Ich bin nicht mehr die Frau, die ich war. Ich fürchte nur, dass *du* bist wie immer.«

»Bin ich nicht. Bestimmt nicht. Auch ich habe mich weiterentwickelt und erkannt, wie wertvoll unsere Ehe ist. Ich werde meine Fehler nicht wiederholen.«

»Das hoffe ich.«

»Hast du nicht immer gesagt, auch die längste Reise beginnt mit einem einzigen Schritt?«

Das stimmte, es war einer ihrer Lieblingssprüche. Doch jetzt kam er ihr zu optimistisch vor, geradezu leichtfertig.

Offenbar wartete er auf eine Reaktion von ihr, und als sie nichts sagte, sah er sich um. »Nun, möchtest du vielleicht ein wenig fernsehen? Ich könnte uns Popcorn machen, einen warmen Kakao. So wie früher.«

Wie früher ...

Bei diesen Worten dachte Annie an ihr neues Leben, an die wahre Annie, doch Blake wollte sie wieder unter dem Schutt ihrer alten Gewohnheiten begraben. Morgen würde sie versuchen, sich wirklich bemühen müssen, zu Blake zurückzufinden, aber heute fühlte sie sich dafür zu erschöpft. »Nein, vielen Dank. Ich glaube, ich lege mich lieber hin. Es war ein langer Tag. Du kannst im grünen Gästezimmer schlafen. Das Bett ist frisch bezogen.«

»Oh, ich dachte ...«

»Ich weiß, was du dachtest. Aber das wird nicht geschehen.«

Fast hätte sie über seinen verdutzten Gesichtsausdruck lachen müssen, aber es war nicht komisch. Er war ihr Mann, der Vater ihrer Kinder, der Mann, dem sie Liebe bis zum Tod geschworen hatte, und doch fiel ihr jetzt, im Wohnzimmer des Hauses, in dem sie lange Jahre miteinander gelebt hatten, nichts ein, was sie zu ihm hätte sagen können.

Blake holte Natalie vom Flughafen ab.

Sie umarmte ihn stürmisch, blickte sich dann aber suchend um. »Wo ist Mom?«

»Zu Hause. Die Gründe dafür erzähle ich dir unterwegs.«

»Bist du mit dem Ferrari gekommen?«

»Womit sonst?«

»Darf ich fahren?«

Blake hob die Brauen. »Hat dir vielleicht jemand vorgeflunkert, ich hätte den Verstand verloren? Noch nie habe ich dir erlaubt …«

»Bitte, Dad! Ich bin seit Monaten nicht mehr gefahren.«

Er stellte sich Annies Gesichtsausdruck vor, wenn sie erfuhr, dass er Natalie ans Steuer gelassen hatte. Langsam zog er den Schlüssel aus der Tasche und warf ihn in die Luft. Geschickt fing Natalie ihn auf. »Komm, Dad!« Sie griff nach seiner Hand und zerrte ihn mit sich. Wenige Minuten später saßen sie in dem Sportwagen und fuhren den Freeway hinunter.

Wie immer fühlte sich Blake ein wenig unbehaglich in Gesellschaft seiner Tochter. Fieberhaft suchte er nach einem Gesprächsthema, irgendetwas, um das Schweigen zu brechen.

Sie fingerte am Autoradio herum. Harte Rock-'n'-Roll-Rhythmen dröhnten aus den Lautsprechern.

»Stell das leiser«, sagte er automatisch.

Natalie schaltete das Radio aus. Sie blinkte und zog auf die Überholspur, direkt hinter einem schwarzen Mercedes-Kabrio. Bevor er sie ermahnen konnte, nahm sie das Tempo zurück und hielt genügend Abstand.

»Und, Dad? Wie geht es Grandpa Hank?«

»Woher soll ich das wissen?«

Sie sah ihn von der Seite an. »Aber du warst doch in Mystic?«

Nervös rutschte er auf seinem Sitz herum und war dankbar, als sie ihren Blick wieder auf die Fahrbahn richtete. Mit derlei Dingen kannte er sich nicht aus. Es war Annies Aufgabe, die Gründe ihrer Trennung zu erläutern. »Ich … hatte zu viel zu tun. Eine Auseinandersetzung zwischen einem Rockstar und …«

»Du hattest also zu viel zu tun«, wiederholte sie leise. Ihre Finger krallten sich um das Lenkrad, ihre Augen blickten starr geradeaus.

»Ich stecke bis über beide Ohren in Arbeit.«

»Wahrscheinlich hast du mich deshalb kein einziges Mal angerufen.«

Der gekränkte Ton in ihrer Stimme war ganz neu für ihn, aber plötzlich fragte er sich, ob er früher nur nicht darauf geachtet hatte. »Ich habe dir jeden Freitag Blumen geschickt.«

»Ja. Du hast gerade lange genug an mich gedacht, um deine Sekretärin damit zu beauftragen, mir Blumen zu schicken.«

Blake seufzte. Er war ratlos. Wie sollte er seiner halbwüchsigen Tochter erklären, dass er ihre Familie aufs Spiel gesetzt hatte? Und das für ein paar leidenschaftliche Wochen mit einer Frau, die bei dem Attentat auf Kennedy noch gar nicht geboren war.

Was sollte er ihr nur sagen? Die Wahrheit, eine Lüge oder ein Mittelding?

Annie wusste immer genau, was zu tun war. Sie war seine Richtschnur in seiner Beziehung zu Natalie und gab ihm mit einem Blick, einem verstohlenen Händedruck oder einem Flüstern zu verstehen, ob er auf seine Tochter zugehen oder sich lieber zurückhalten sollte.

Aber etwas musste er endlich von sich geben. Natalie wartete ganz offensichtlich auf eine Erklärung. »Deine Mutter ist … wütend auf mich. Ich habe ein paar Fehler gemacht, und … nun ja …«

»Ihr habt euch im März getrennt«, stellte sie mit ruhiger, monotoner Stimme fest. Sie sah ihn nicht an.

Er zuckte zusammen. »Vorübergehend, nur vorübergehend. Jetzt kommt alles wieder ins Lot.«

»Tatsächlich? Hast du dich während meiner Abwesenheit einer Operation unterzogen, einer Persönlichkeitsveränderung vielleicht? Oder beschlossen, dich zur Ruhe zu setzen? Sonst wüsste ich nicht, wie ›alles ins Lot‹ kommen sollte. Du hältst es doch zu Hause nicht aus.«

Stirnrunzelnd betrachtete er ihr ernstes Profil. Warum sagte sie so etwas? Wie kam sie darauf? »Das ist nicht wahr.«

»O doch. Deshalb habe ich bis auf meine High-School-Zeit keine Erinnerungen an dich.«

Er sank tiefer in die Polster. Annie und Natalie waren Meisterinnen in der Zuweisung von Schuld. Vielleicht lag darin der Grund für seine häufige Abwesenheit. »Alles wird gut, Natalie. Du wirst schon sehen. Deine Mom … erwartet ein Kind.«

»Sie bekommt ein *Kind*? O Gott, warum hat sie mir das verschwiegen?« Sie lachte. »Ich kann es kaum glauben …«

»Es stimmt. Sie muss sich schonen, genau wie bei Adrian. Und sie wird unsere Unterstützung brauchen.«

»*Unsere* Unterstützung?« Mehr sagte sie nicht, und er war froh, dass sie das Thema Trennung fallen gelassen hatte, aber nach einer Weile machte ihn die Stille nervös. Immer wieder musste er an diesen absurden Satz denken: *Ich habe keine Erinnerungen an dich.* Er versuchte ihn zu verdrängen, aber vergeblich.

Blake blickte zum Fenster hinaus. Vor Jahren, als Natalie noch ein pausbäckiges Kind war, dessen Mund keine Sekunde stillstand, da gab es diese Distanz zwischen ihnen nicht. Bewundernd hatte sie zu ihm aufgeblickt.

Aber irgendwann war er für sie nicht mehr der strahlende Ritter gewesen, und aus Gründen, an die er sich nicht mehr erinnern konnte, hatte er es geschehen lassen. Er war immer so verdammt beschäftigt gewesen.

Nie hatte er wirklich Zeit für sie gehabt, das konnte er nicht leugnen. Diese Zuwendung hatte er stets als Annies Aufgabe angesehen, und sie bewältigte sie so mühelos, dass Blake annahm, er würde nicht gebraucht.

Sein Job war es, Geld zu verdienen. Und als er dann feststellte, dass seine Tochter mit ihren Problemen – einem blutenden

Finger, einem verschwundenen Teddy – nicht mehr zu ihm kam, war es zu spät. Zu diesem Zeitpunkt kannte er sie kaum noch. In einer Minute war sie noch ein zahnloses Krabbelkind, in der nächsten radelte sie mit ihm absolut fremden Mädchen zum Kino.

Doch wenn er es recht bedachte, hatte auch er traurigerweise kaum Erinnerungen an sie. Kurze Momente, ja, Schnappschüsse in seinem Kopf. Aber keine wirklichen Erinnerungen an gemeinsam verbrachte Zeit.

Als Erstes hörte Annie den Schrei.

»Mom!«

Sie setzte sich im Bett auf, stopfte das Kissen in den Rücken. »Ich bin hier, Nana.«

Lachend kam Natalie ins Zimmer gestürmt, warf sich auf das breite Bett und umschlang Annie mit den Armen. Wenig später betrat Blake den Raum und stellte sich neben sie.

Schließlich hob Natalie den Kopf. Tränen standen in ihren blauen Augen, und sie lächelte von einem Ohr zum anderen.

Glücklich sah Annie ihre Tochter an. »Du hast mir gefehlt, Nana«, flüsterte sie.

Natalie legte den Kopf schief und beäugte Annie kritisch. »Was hast du mit deinen Haaren angestellt?«

»Sie abschneiden lassen.«

»Es sieht echt toll aus. Wir könnten Schwestern sein.« Ein Ausdruck gespielten Entsetzens überflog ihr Gesicht. »Hoffentlich heißt das nicht, dass du zusammen mit mir aufs College gehen willst …«

Annie gab sich tief gekränkt. »Ich hätte nie gedacht, du könntest etwas dagegen haben. Ich habe mich gerade als Betreuerin deines Wohnheims beworben.«

Natalie verdrehte die Augen. »Bei jeder anderen Mutter würde ich das für einen Scherz halten.« Ihr Blick flog zu ihrem Vater. »Das lässt du doch nicht zu, oder, Dad?«

Annie sah Blake an. Er trat einen Schritt näher und legte ihr eine Hand auf die Schulter. »Ich tue alles, sie im Haus zu halten.«

»Dad hat mir erzählt, dass du schwanger bist.« So etwas wie Enttäuschung schimmerte flüchtig in ihren Augen auf. »Warum hast du das vor mir geheim gehalten?«

Zärtlich streichelte Annie die Wange ihrer Tochter. »Ich weiß es auch erst seit kurzem, mein Schatz.«

»Sechzehn Jahre lang habe ich mich nach einer Schwester gesehnt, und ausgerechnet, wenn ich aufs College gehen will, wirst du schwanger. Vielen Dank.«

»Ich fürchte, die Überraschung fällt in die Kategorie ›Unfall‹. Ich habe mir immer ein Haus voller Kinder gewünscht, das kannst du mir glauben. Aber doch nicht, dass ich kurz vor dem Greisenalter noch einmal Mutter werde.«

»So alt bist du doch gar nicht. Neulich habe ich von einer Sechzigjährigen gelesen, die ein Kind bekam.«

»Wie tröstlich. Aber du siehst sicher ein, dass sich damit einiges verändert. Unter keinen Umständen darfst du Mutter werden, bevor dein Bruder oder deine Schwester die High-School verlässt. Und du musst mich überall als deine Stiefmutter vorstellen.«

Natalie grinste. »Ich habe dich seit Jahren verleugnet, Mom. Seit du bei meiner Tanzvorführung in Schluchzen ausgebrochen bist und aus dem Saal geführt werden musstest.«

»Das war eine akute allergische Reaktion.«

»Na klar.« Sie lachte. »Soll ich dir ein Geheimnis verraten? Dad hat mich ans Steuer des Ferrari gelassen.«

»Du machst Witze.«

»Nur gut, dass du nicht dabei warst. Du hättest darauf bestanden, dass ich einen Schutzhelm aufsetze und ganz rechts fahre – möglichst mit eingeschalteten Blinkern.«

Annie musste lachen. Wie gut das doch tat, die Scherze, das Lachen, die selbstverständliche Vertrautheit.

Sie waren eine Familie.

Blake beugte sich zu Annie hinunter. »Menschen ändern sich, Annalise«, flüsterte er ihr fast lautlos ins Ohr.

Er machte ihr Angst, dieser trügerisch simple Satz, der die Sonne, den Mond und die Sterne zu verheißen schien.

Und sie erkannte die Gefahr, in der sie schwebte. Dieser Mann, *ihr* Mann wusste, wie er ans Ziel gelangte. Wenn sie sich nicht sehr vorsah, würde sie in den Fluss ihres alten Lebens zurückgleiten und ohne ein Wort des Protestes untergehen.

25. Kapitel

Auf den ersten Blick fügten sich die Scherben ihres Familienlebens überraschend problemlos zusammen. Wie bei einer Vase, die zerbrochen und sorgfältig gekittet war, wurden die feinen Sprünge nur bei genauer Betrachtung sichtbar, wenn Blake und Annie allein waren. Sie verhielten sich so wachsam wie Militärs, die einen unbequemen und wenig überzeugenden Frieden ausgehandelt hatten.

Aber Annie hatte zwanzig Jahre ihres Lebens damit verbracht, ihrem Leben eine gewisse Regelmäßigkeit zu geben, und in die fiel sie nun mühelos zurück. Sie wurde früh wach und hüllte sich in einen Seidenmorgenrock, den sie über ihrer langsam breiter werdenden Taille mit einer Schleife schloss. Sie betonte ihre Gesichtszüge mit Make-up und überschminkte die dunklen Schatten unter ihren Augen, die Überbleibsel schlafloser Nächte.

Montags stellte sie eine Liste für die wöchentlichen Einkäufe zusammen und schickte Natalie damit zum Delikatessengeschäft an der Ecke. Dienstags füllte sie Zahlungsanweisungen für Rechnungen aus. Mittwochs besprach sie sich mit der Haushälterin und dem Gärtner, und donnerstags beauftragte sie Natalie mit allerlei Besorgungen. Der Haushalt lief wieder wie am Schnürchen.

Sie half Blake bei der Auswahl seiner Anzüge und Krawatten und erinnerte ihn daran, auf dem Heimweg bei der Reinigung vorbeizufahren. Morgens verabschiedete sie ihn mit einem Kuss auf die Wange, und abends begrüßte sie ihn mit einem

Lächeln. Er setzte sich auf ihr Bett und berichtete ein wenig hölzern und ungeübt über den Verlauf seines Tages.

Im Grunde war sie ganz froh, ihre Zeit im Bett verbringen zu können, abgeschirmt von den Alltäglichkeiten ihrer Ehe. Wenn Blake in die Kanzlei gefahren war, saßen Natalie und sie lange Stunden zusammen, unterhielten sich, lachten und tauschten Erinnerungen aus.

Annie erfuhr, dass Blake nie bei Natalie in London angerufen hatte. Die schmerzliche Enttäuschung in der Stimme ihrer Tochter entging ihr nicht, aber es gab nichts, womit sie sie trösten konnte. »Das tut mir Leid«, sagte sie nur. Wieder und wieder.

Zunehmend fielen Annie Veränderungen an Natalie auf, eine ganz neue Reife. Immer wieder überraschte sie Annie mit unerwarteten Bemerkungen. Gestern zum Beispiel.

»Du denkst nur darüber nach, wie du uns glücklich machen kannst. Aber was macht dir Freude, Mom?«

Oder: »Bei unseren Telefongesprächen hast du manchmal ganz anders geklungen. Richtig glücklich.«

Und die verblüffendste Frage von allen: »Liebst du Dad eigentlich?«

Ja, selbstverständlich liebe ich deinen Vater, wollte Annie ohne Zögern antworten. Aber dann blickte sie in Natalies Augen und entdeckte ein tiefes Verständnis. Und so änderte sie ihre Absicht und redete mit ihrer Tochter wie mit einer Erwachsenen.

»Ich habe deinen Dad schon als Teenager geliebt. Wir haben zur Zeit nur eine kleine Krise, das ist alles.«

»Er liebt dich«, antwortete Natalie. »Genau wie mich, aber … seine Liebe ist … irgendwie … kühl. Ganz anders als bei dir, Mom.«

Diese Feststellung hatte Annie Tränen in die Augen getrieben. Und voller Wehmut machte sie sich bewusst, dass Natalie nie die zärtliche, umfassende Liebe eines Vaters kennen lernen würde.

Im Gegensatz zu Izzy.

Annie schloss die Augen, lehnte sich im Bett zurück und dachte daran, wie Nick und Izzy *Candy Land* gespielt oder mit Barbiepuppen auf dem Wohnzimmerboden gehockt hatten, wie Nick große Augen machte und mit Piepsstimme fragte: »Hast du vielleicht meine blauen Ballettschuhe gesehen?«

Gestern, als Natalie sie zur Ärztin begleitete, hatten sie die Erinnerungen besonders schmerzlich überfallen. Kein Ehemann war da gewesen, um ihre Hand zu halten, kein Ehemann lachte, weil sie dringend zur Toilette musste. Kein Ehemann starrte bewundernd auf die Ultraschallaufnahme.

Kein Nick …

Wie lange wird es noch so sein?, fragte sie sich. Würde sie für den Rest ihres Lebens das Gefühl haben, einen wichtigen Teil von sich selbst an einem anderen Ort, in einer anderen Zeit zurückgelassen zu haben?

Der erste Brief war klein und zerknittert. Auf dem Poststempel stand: Mystic, WA.

Versonnen betrachtete Annie den pinkfarbenen Umschlag. Behutsam öffnete sie ihn, zog eine Bleistiftzeichnung des Mount Olympus und einen Brief von Izzy heraus.

»Liebe Annie,

wie geht es dir? Die Blumen im Garten sind ser schön. Heute habe ich ein bisschen Radfahren gelernt. Es hat großen Spas gemacht. Ich vermisse dich sehr. Wann kommst du nach Hause?

Liebe Grüße, Izzy

PS. Mein Dad hat mir bei diesem Brief geholfen.«

Zärtlich strichen Annies Finger über das Papier. Alles an dem Brief, jedes falsch geschriebene Wort, rührte sie. Wie erstarrt saß sie im Bett, blickte auf den strahlend blauen Himmel hinter dem Fenster und wünschte, es würde regnen. Sie wollte Izzy antworten, aber was sollte sie ihr schreiben? Ein paar leere Versprechen? Oder belanglose Beteuerungen, dass sie gute Freunde wären. Und sich Freunde nun eben manchmal trennen mussten …

Es gab nur fünf Worte, die wirklich zählten, und sie waren die aufrichtigsten von allen. »Du fehlst mir auch, Izzy …«

Annie zog die Schublade ihres Nachttischs auf, holte Izzys Schleife hervor und strich über das Satinband. Morgen würde sie den Brief beantworten, ein Blatt Papier mit Worten füllen, banalen, nichts sagenden Worten, die Izzy nicht gaben, was sie sich sehnlich wünschte.

Sie nahm das schnurlose Telefon vom Nachttisch, lauschte eine Weile dem Freizeichen und legte wieder auf. Es wäre unfair, Nick und Izzy anzurufen, unfair, sich von ihren Stimmen über ihre Einsamkeit hinwegtrösten zu lassen. »Tu mir das nicht an«, hatte Nick gesagt. »Weck in mir keine Hoffnungen, die du nicht erfüllen kannst …«

»Mom?« Natalie steckte den Kopf zur Tür herein. »Wie geht's?«

Hastig kniff Annie die Augen zu und wandte den Kopf ab.

Natalie kam in den Raum und kroch neben Annie ins Bett. »Mom? Alles in Ordnung mit dir?«

Nein, wollte sie sagen. Nein, nichts ist in Ordnung. Ich vermisse den Mann, den ich liebe, und seine Tochter. Und ich sehne mich nach einer Gegend, in der die Regenfälle in Litern gemessen werden, in der man nie trockene Haare hat und wo Erwachsene mitten am Tag *Chutes and Ladders* mit einem sechsjährigen Mädchen spielen …

Aber so etwas sagte man nicht zu seiner halbwüchsigen Tochter, auch wenn sie noch so erwachsen wirkte. »Es geht mir gut, mein Schatz. Wirklich …«

Sosehr sich Annie bemühte, wieder die Alte zu sein, es gelang ihr nicht. Ganz gleich, wie verbissen sie sich auch in die Routine des Alltags stürzte – sie spürte, wie sie in Hoffnungslosigkeit abglitt. Mit jedem neuen Tag sah sie die Zukunft wie eine Nebelwand vertaner Chancen und verpasster Möglichkeiten auf sich zukommen.

Der Sommer tauchte den Süden Kaliforniens in glühende Hitze. Die Hügel von Malibu verdorrten und wurden braun. Nach und nach rollten sich die Blätter der Bäume und Sträucher zusammen, starben ab und taumelten wie verkohltes Papier auf den künstlich grün gehaltenen Rasen.

Blake stand auf dem Sonnendeck und trank einen Scotch mit Soda. Die Holzplanken unter seinen nackten Füßen waren warm, das Überbleibsel eines ungewöhnlich heißen Tages.

In der letzten Nacht hatte er nicht gut geschlafen. Eigentlich schlief er schon seit Wochen nicht mehr richtig. Nicht, seit er sich bei Annie entschuldigt hatte, aber feststellen musste, dass es ihr gleichgültig war.

Sie gab sich große Mühe um ihre Ehe. Das erkannte er daran, dass sie jeden Morgen Make-up auflegte und Farben trug, die ihm gefielen. Sie berührte ihn sogar hin und wieder. Diese kleinen, flüchtigen Gesten sollten ihn beruhigen, Zuversicht wecken, bewirkten aber das Gegenteil. Jedes Mal, wenn sie ihn anfasste, verspürte er ein kleines Bohren in der Brust und erinnerte sich daran, wie es früher war. Als sie ihre Hände kaum von ihm lassen konnte, über seine Witze lächelte, ihm das Haar aus dem Gesicht strich. Und wenn er daran dachte, empfand er einen dumpfen Schmerz.

Sie hatte sich verändert, das war offensichtlich. Wie ein schweigsamer, schwangerer Geist lag sie in ihrem großen Bett, und wenn sie lächelte, dann knapp und verspannt, überhaupt nicht wie die alte Annie.

Sie *schwand dahin* – eine bessere Beschreibung fiel ihm nicht ein.

Früher hatte sie ständig gelacht, fand Vergnügen an den Absurditäten des Lebens, aber es schien alles gleichgültig zu sein. Ihre Stimmungen verliefen in einer flachen, geraden Linie. Nichts an der stillen Frau, die allabendlich mit ihm vor dem Fernseher saß, wies darauf hin, dass sie Annie war, seine Frau.

In der letzten Woche saß sie aufrecht im Bett und starrte unverwandt auf das regenüberströmte Fenster. Als er ihren Namen rief, drehte sie sich zu ihm. Tränen standen in ihren Augen, und ihre Finger umklammerten ein pinkfarbenes Band, als wäre es der Heilige Gral.

Lange würde Blake das nicht mehr aushalten. Nachsicht und Geduld gehörten nicht unbedingt zu seinen Tugenden. Es reichte.

Er drehte sich um, ging wieder ins Haus und klopfte an die Tür des Schlafzimmers.

»Ja?«

Blake öffnete die Tür und trat ein.

Annie saß im Bett und las ein Buch mit dem Titel *How to Run Your Own Small Business*. Neben ihr lag ein Stapel ähnlicher Ratgeberbücher.

Allmächtiger, dachte sie etwa über einen *Job* nach?

Es würde ihn kränken, wenn sie sich eine Anstellung suchte. Sie wusste doch, was er davon hielt, dass seine Frau arbeitete. Und was wollte sie eigentlich tun? Cappuccino einschenken und Croissants servieren?

Blake hatte keine Ahnung, wer die Frau war, die da im Bett saß und Selbsthilfebücher las. Annie mit Sicherheit nicht, eine Fremde … Er musste etwas tun, um sie beide wieder zusammenzubringen.

Sie blickte auf, und er bemerkte die dunklen Schatten unter ihren Augen, die fahle Blässe ihrer Haut. Im letzten Monat hatte sie zugenommen, aber ihr Gesicht sah irgendwie dünner aus, ausgezehrter. Ihr Haar war gewachsen, und die Spitzen begannen sich zu ringeln. Wieder hatte er den Eindruck, sie überhaupt nicht zu kennen. »Hallo, Blake.« Sie klappte das Buch zu. »Fängt der Film denn schon an? Ich dachte …«

Er setzte sich zu ihr aufs Bett und blickte in ihre schönen, grünen Augen. »Ich liebe dich, Annie. Ich weiß, dass alles gut werden wird. Wenn wir nur zusammen sind.«

»Wir sind zusammen.«

»Wo ist dein Ehering?«

Sie legte den Kopf schräg, nickte zur Tallboy hinüber. »In meinem Schmuckkasten.«

Blake ging zur Kommode, holte den handbemalten Kasten heraus und öffnete ihn. Zwischen den schwarzen Samtrollen steckte der dreikarätige Diamant, den er ihr zum zehnten

Hochzeitstag geschenkt hatte, und daneben der ursprüngliche, schlichte Traureif. Er nahm die beiden Ringe heraus, kehrte mit ihnen zum Bett zurück und setzte sich wieder neben seine Frau.

Nachdenklich betrachtete er den funkelnden Diamanten. »Erinnerst du dich noch an unseren Urlaub im *Del Coronado Hotel*? Natalie war gerade einmal ein Jahr alt …«

»Sechs Monate«, korrigierte sie ruhig.

Er hob den Kopf und sah sie an. »Wir hatten die alte blaurote Decke mitgenommen, die auf meinem Bett im College lag, und breiteten sie auf dem Sand aus. Wir waren die einzigen Menschen am Strand, nur wir drei.«

Ein kaum merkliches Lächeln überzog Annies Lippen. »Wir sind geschwommen, obwohl es eiskalt war.«

»Du hast Natalie auf den Armen gehalten, und die Wellen schwappten bis zu deinen Hüften. Deine Lippen waren ganz blau, du hattest überall Gänsehaut, aber du hast gelacht, und ich weiß noch genau, wie ich dich liebte. Es gab mir jedes Mal einen Stich, wenn ich dich nur ansah.«

Sie blickte auf ihre gefalteten Hände. »Das ist lange her.«

»Ich fand einen Sanddollar, weißt du noch? Den gab ich dir, und zwischen uns schaukelte Natalie auf ihrem kleinen Po hin und her. Ich glaube, sie wollte Krabbeln lernen.«

Annie schloss die Augen, und Blake fragte sich, woran sie wohl denken mochte. Erinnerte sie sich an den weiteren Verlauf des Tages damals? Wie oft er sie zärtlich berührt hatte oder mit seinen Lippen sanft über ihren Nacken gefahren war. Hey, Godiva, hatte er geflüstert. Unten an der Straße kann man Pferde mieten …

Sie hatte gelacht. Babys können noch nicht reiten …

»Wann haben wir aufgehört, etwas gemeinsam zu unternehmen, Spaß miteinander zu haben, Annie? Wann?« Er verführte sie mit Erinnerungen und merkte, dass es funktionierte. Er sah es an der Intensität, mit der sie auf ihre Hände starrte, am feuchten Glanz in ihren Augen.

Langsam griff er nach ihrer Hand und streifte die beiden

Ringe wieder über ihren Finger. »Verzeih mir, Annie«, sagte er leise.

Sie hob den Kopf. Eine Träne lief ihr über die Wange, fiel auf ihr Nachthemd, breitete sich zu einem grauen Fleck aus. »Ich möchte es ja.«

»Lass mich mit dir schlafen …«

Sie seufzte. Es dauerte lange, bis sie antwortete, so lange, dass seine Hoffnungen wieder schwanden. »Ja«, sagte sie schließlich.

Nur das zählt, sagte er sich. Er ignorierte die Unsicherheit in ihrer Stimme, die Tränen in ihren Augen. Wenn sie miteinander geschlafen hatten, würde alles gut werden. Dann würden sich die Bruchstücke ihres Lebens wieder ganz zusammenfügen.

Blake sehnte sich danach, sie in die Arme zu ziehen, sie an sich zu drücken, zwang sich aber zur Zurückhaltung. Er stand auf, ging ins Ankleidezimmer und zog seinen Pyjama an. Dann trat er ans Bett, schlug die Decke zurück und glitt neben sie auf die weißen Laken.

Es war angenehm, sie wieder in den Armen zu halten, so als würde man nach einem langen Tag im Büro in seine Lieblingshausschuhe schlüpfen. Er küsste sie sanft, und sie lag ganz still, rührte sich nicht. Schließlich drehte er sich zu ihr um: der übliche Beginn ihres nächtlichen Rituals. Nach einer Weile kuschelte sie sich an ihn.

Ihr Körper schmiegte sich an ihn, ihr Bauch drückte gegen seinen Rücken. So waren sie immer eingeschlafen, aber diesmal schlang sie nicht ihre Arme um ihn.

Sie lagen beieinander, sich berührend und doch nicht berührend, in dem Bett, das sie zwanzig Jahre miteinander geteilt hatten. Leise sagte sie »Gute Nacht«, mehr nicht.

Er konnte lange nicht einschlafen.

Natalie setzte eine große Metallschale mit Popcorn neben Annies Bett ab, kroch zu ihrer Mutter unter die Decke und drückte sich an sie. Es war Freitagnachmittag: eine Zeit *for girls only*. Seit sie wieder zu Hause war, hatte Annie jeden Freitagnachmittag mit Natalie und Terri verbracht.

»Ich habe die Tür für Terri offen gelassen«, sagte Natalie, beugte sich über den Bettrand und hob die Popcornschüssel auf ihren Schoß.

»Du weißt, was dein Vater dazu sagen würde«, schmunzelte Annie. »Er glaubt fest, hinter den Rosenbüschen würden Verbrecher den ganzen Tag nur darauf lauern, dass wir die Tür auflassen.«

Natalie lachte. Sie begannen über Gott und die Welt zu schwatzen. Ihre Unterhaltung folgte dem Strom ihrer gemeinsamen Jahre, plätscherte von einem Thema zum nächsten. Sie lachten über Späße, die so alt waren wie Natalie und so jung wie der heutige Tag. Und Annie konnte über Natalies Reife nur staunen. Sie war als Teenager nach London geflogen und als junge Frau zurückgekehrt. Es schien Lichtjahre her zu sein, seit Natalie sich die Haare platinblond gefärbt hatte und drei Piercings im Ohrläppchen trug.

»Warum spricht Dad eigentlich nie von dem Baby?«

Die Frage traf Annie ebenso unvermutet wie hart. Sie bemühte sich stets, Blake nicht mit Nick zu vergleichen, aber in diesem Moment war das unmöglich. Nick hätte sie auf jedem Schritt bis zur Geburt begleitet, das Wunder mit ihr geteilt und beobachtet, wie ihr Bauch anschwoll. Sie könnte sich während der Fruchtwasserpunktion an seine Hand klammern, sich von seinen Scherzen von der Spritze ablenken lassen. Und später, wenn feststand, ob es ein Junge oder ein Mädchen war, würden sie Namenbücher wälzen und Träume spinnen ...

Sie seufzte. »Deinem Vater sind Schwangerschaften irgendwie unheimlich. Das geht vielen Männern so. Nach der Geburt des Babys wird sich das ändern.«

»Wach endlich auf, Mom. Dad macht doch, was er will. Ich meine, wie wollt ihr beide über eure *kleine Krise* hinwegkommen, wenn er nie hier ist? Er arbeitet noch immer siebzig Stunden in der Woche, er spielt dienstags noch immer Basketball und geht am Freitag mit den Jungs einen trinken. Wann wollt ihr eure Probleme bereinigen? Während Lettermans Show?«

Annie lächelte traurig. »Lieb gewordene Gepflogenheiten haben etwas … Beruhigendes. Das wirst du verstehen, wenn du ein bisschen älter bist.«

Natalie musterte sie einen Moment lang schweigend. »Weißt du eigentlich, dass ich fast keine Erinnerungen an Dad habe? Alles, was mir einfällt, sind ein paar hastige Küsse und das Zuschlagen der Haustür. Wenn ich einen Motor anspringen oder eine Garagentür zufallen höre, denke ich an meinen Vater.« Sie sah Annie mit großen Augen an. »Was soll eigentlich werden … wenn ich auf dem College bin?«

Obwohl es warm im Zimmer war, fröstelte Annie. Sie senkte den Kopf, um die traurige Gewissheit in den Augen ihrer Tochter nicht zu sehen. »Wenn du fort bist, werde ich Windeln wechseln und darüber nachgrübeln, ob ich die Baccarat-Vase auf dem Wohnzimmertisch stehen lasse. Ich werde gründlich über eine kosmetische Operation nachdenken, damit mir meine Brüste nicht mehr auf den Bauchnabel hängen. Ich werde mich beschäftigen, wie immer.«

»Und du wirst einsam sein.«

Annie hätte es gern bestritten. Sie wollte vernünftig sein, eine gute Mutter, die genau das Richtige sagte, um Natalies Sorgen zu zerstreuen. Aber zum ersten Mal wollte ihr keine Notlüge einfallen. »Ein bisschen vielleicht. Aber so ist das Leben nun einmal, Nana. Man bekommt nicht immer alles, was man sich wünscht.«

Natalie blickte auf ihre Hände. »Als ich klein war, hast du mir gesagt, dass man im Leben bekommt, was man sich wünscht, wenn man nur bereit ist, dafür zu kämpfen. Dass es immer einen Silberstreif am Horizont gibt.«

»Das habe ich zu einem kleinen Mädchen gesagt. Heute spreche ich mit einer fast erwachsenen Frau.«

Natalie musterte sie lange und durchdringend, dann wandte sie sich ab.

Annie spürte eine plötzliche Distanz zu ihrer Tochter und erinnerte sich an die Zeit vor vier Jahren, als Natalie über Nacht eine andere geworden zu sein schien: Was Annie gefiel, hasste Natalie. Das Weihnachtsfest damals war schwer erträglich gewesen. Mit mürrischer Miene hatte Natalie ihre sorgfältig verpackten Geschenke aufgerissen und ironisch »Oh, *vielen Dank*« gemurmelt. »Nana? Was ist?«

Natalie biss sich auf die Lippe. »Das hast du doch nicht nötig.«

»Was meinst du damit?«

Aber Natalie schüttelte nur den Kopf. »Egal.«

Es dauerte eine Weile, bis Annie begriff, aber dann war ihr alles klar: Natalies Wunsch, an der Stanford unbedingt Biochemie zu studieren, ihre plötzliche Reise nach London, ihre häufig wechselnden Freunde. Dahinter versteckte sich eine Botschaft, und deren Inhalt tat Annie weh: Ich will nicht werden wie du, Mom. Ich möchte nicht von einem Mann abhängig sein.

»Verstehe«, sagte Annie.

Natalie sah sie an, Tränen standen in ihren Augen. »Was verstehst du?«

»Das ist nicht wichtig.«

»Doch, es ist wichtig. Was denkst du?«

»Dass du nicht werden willst wie deine Mutter. Und obwohl das ein bisschen weh tut, macht es mich auch stolz. Ich wünsche mir, dass du dich im Leben ganz auf dich selbst verlassen kannst. Letzten Endes können wir uns nur auf uns selbst verlassen.«

Natalie seufzte. »So etwas hättest du nie gesagt, bevor er dir das Herz gebrochen hat.«

»Ich glaube, ich bin in der letzten Zeit ein bisschen reifer geworden. Das Leben ist nicht immer eitel Sonnenschein.«

»Aber du hast mir immer geraten, nach dem Silberstreif am Horizont Ausschau zu halten. Tust *du* das, Mom? Kämpfst du für dein Glück?«

»Aber natürlich«, antwortete sie schnell, doch sie wussten

beide, dass das nicht stimmte. Annie wich dem durchdringenden Blick ihrer Tochter aus. »Ich freue mich, dass du nicht werden willst wie ich, Nana.«

Ein trauriges Lächeln erschien auf Natalies Gesicht. »Ich möchte keine Ehe führen wie du, und ich begreife nicht, warum du bei ihm bleibst. Ich konnte es nie begreifen. Aber das heißt nicht, dass ich nicht so werden will wie du. Soweit ich weiß, gibt es nur zwei Menschen auf der Welt, die dich nicht schätzen.«

Annie schüttelte leicht den Kopf, als wollte sie Natalie daran hindern, mehr zu sagen.

»Nur zwei«, wiederholte Natalie. Eine Träne lief ihr über die Wange, und ungehalten wischte sie sie fort. »Dad … und du selbst.«

Und du selbst … Annie verspürte den dringenden Wunsch, mit dem Bettzeug zu verschmelzen, im Erdboden zu versinken. Sie wusste, dass ihre Tochter auf eine Reaktion wartete, aber nicht, was sie sagen sollte. Es kam ihr vor, als wäre sie das Kind und Natalie die Erwachsene. Ein Kind, das seine Mutter enttäuscht hatte.

Sie öffnete die Lippen, wollte etwas sagen – aber in diesem Moment kam Terri wie ein angriffslustiger Stier ins Zimmer gestürmt, den Körper in Rot und Goldlamé gehüllt.

Schwer atmend blieb sie neben dem Bett stehen. Sie stemmte die Hände in die Hüften und warf einen mürrischen Blick auf die Schale mit Popcorn. »Und wo ist *mein* Popcorn? Das da reicht vielleicht für euch magere Hänflinge, aber echte Frauen verlangt es nach Wagenladungen von dem Zeug. Und natürlich triefend vor Butter.«

»Hey, Terri«, grinste Natalie.

Terri erwiderte das Lächeln. Die schwarz getuschten Wimpern verdeckten fast gänzlich ihre zwinkernden Augen. »Hallöchen, Prinzessin.«

»Ich werde schnell neues Popcorn machen.«

»Tu das, Schätzchen«, sagte Terri und nahm den goldenen Turban vom Kopf.

Während Natalie aus dem Zimmer rannte, ließ sich Terri aufs Bett fallen und lehnte sich gegen das Fußende. »Himmel, was für ein Tag! Tut mir Leid, dass ich mich verspätet habe.«

»Was ist denn passiert?«

»Meine Rolle flüchtet vor den Gesetzeshütern, wieder einmal, aber diesmal will man sie in ein Flugzeug stecken.« Terri schüttelte den Kopf. »Das ist übel, ganz übel.«

»Warum?«

»In den Soaps ist nur etwas schlimmer, als in ein Flugzeug verfrachtet zu werden – wenn man ein Auto besteigen muss. Als Nächstes hörst du Sirenen … und Trauermusik. Wenn sie morgen tatsächlich Ernst machen, bin ich eine Leiche.«

»Du wirst wieder auferstehen.«

»Na fein, mach du nur deine Witze.« Terri rutschte auf der Bettkante entlang, zog die Beine hoch und setzte sich neben Annie. »Und was macht das ständig wachsende Reifenmännchen?«

Annie blickte auf ihren Bauch. »Uns geht es ganz prächtig.«

»Jetzt komme ich seit Wochen jeden Freitag hierher, und wir telefonieren stundenlang miteinander. Ich finde, ich war geduldig genug.«

»Was soll das heißen?«

Terri kniff die Augen zusammen. »Was das heißen soll? Ich bitte dich!«

Annie seufzte. »Nick.«

»Was sonst? Wochenlang habe ich seelenruhig darauf gewartet, dass du seinen Namen erwähnst, aber ganz offensichtlich hast du das nicht vor. Ich pfeife auf Diskretion und Intimsphäre. Also erzähl. Hast du ihn angerufen?«

»Natürlich nicht.«

»Warum nicht?«

Annie verschränkte die Hände hinter dem Kopf. »Kannst du es dir nicht denken, Terri?«

»Ah, moralische Bedenken. Irgendwo habe ich etwas darüber gelesen. Aber in Südkalifornien ist davon nicht mehr viel zu spüren. Und in den Soaps schon gar nichts. Aber du liebst ihn doch?«

»Ich möchte nicht darüber sprechen.«

»Es ist doch albern, mir etwas vormachen zu wollen. Großer Gott, Annie, ich war häufiger verliebt als Liz Taylor und habe mit genug Männern geschlafen, um mit ihnen eine Armee zur Landesverteidigung aufstellen zu können. Also was ist? Liebst du ihn?«

»Ja«, flüsterte Annie und bereute ihre Offenheit im selben Moment. »Aber ich werde darüber hinwegkommen. Ich *muss*. Blake gibt sich große Mühe um den Zusammenhalt unserer Familie. Im Moment ist es nicht … leicht, aber es wird besser werden.«

Traurig lächelte Terri sie an. »Das hoffe ich wirklich für dich, Annie. Aber leider gibt es dafür meinen Erfahrungen nach keine Garantie. Wenn die Liebe verflogen ist, ist sie verflogen, und nichts in der Welt kann sie wieder zurückbringen.«

»Was zurückbringen?« Natalie stand mit einer neuen Schale Popcorn und einer Flasche Mineralwasser in der Tür.

»Nichts, Nana«, sagte Annie leise.

Natalie zog eine Videokassette aus dem Hosenbund ihrer Jeans. »Ich habe uns ein Video mitgebracht.« Sie schob die Kassette in den Recorder und sprang neben Terri aufs Bett.

Terri stopfte sich eine Hand voll Popcorn in den Mund. »Wie heißt der Film?«

»*Nächstes Jahr, selbe Zeit*.«

»Mit Alan Alda?« Terri warf Annie einen bedeutungsvollen Blick zu. »Diese Geschichte habe ich schon immer für schwachsinnig gehalten. Ich meine, Ellen Burstyns Mann ist vermutlich ein echter Mistkerl, ein Workaholic mit nicht mehr Verantwortungsgefühl als ein streunender Kater. Wahrscheinlich betrügt er Ellen nach Strich und Faden, kommt aber immer wieder zu ihr zurückgekrochen. Und weil Ellen ein treues Seelchen ist, nimmt sie ihn immer wieder auf und tut so, als wäre überhaupt nichts passiert. Dennoch trifft sie sich einmal im Jahr für ein Wochenende mit ihrem heimlichen Geliebten an der Küste von Oregon. Na, wundervoll!«

»Still«, sagte Natalie. »Es fängt an.«

Annie versuchte, gar nichts zu empfinden, aber als die Musik einsetzte und der Vorspann ablief, sank sie tiefer und tiefer in die Kissen, als könnte sie sich auf diese Weise ihren Erinnerungen entziehen.

26. Kapitel

Schritt für Schritt, Tag für Tag mühte sich Nick durch den Sommer. Abends, bevor er ins Bett ging, schleuderte er hinunter zum See, wo die Erinnerung an Annie am intensivsten war. Manchmal vermisste er sie so heftig, dass es ihm körperlich wehtat. An diesen Abenden regte sich in ihm wieder das Verlangen nach Alkohol.

Aber er blieb standhaft. Zum ersten Mal seit Jahren übernahm er wieder die Verantwortung für sein Leben. Er ging zur Arbeit, und sein Beruf bereitete ihm große Zufriedenheit. Er war ein guter Polizist, aber wenn seine Schicht endete, grübelte er nicht mehr über die Probleme der Welt nach. Endlich hatte er zu akzeptieren gelernt, dass Fehl- und Rückschläge im Leben wie im Beruf unvermeidbar waren. Er konnte nur versuchen, das Beste zu tun.

Wie bei Gina, die noch immer gegen die Verlockungen ihres alten, selbstzerstörerischen Lebens ankämpfte. Und das ziemlich allein. Die »guten« Kids wollten mir ihr nichts zu tun haben, die »bösen« versuchten, sie in den Teufelskreis aus Drogen, Alkohol und Nichtstun zurückzuziehen. Aber wie Nick ließ sie sich nicht unterkriegen. Sie war wieder zu ihren Eltern zurückgezogen, und seit letztem Monat ging sie wieder zur Schule.

Und dann gab es Izzy, die am Ende des Tages auf ihn wartete, mit einem Lächeln, einem Bild, das sie gemalt, einem Lied, das sie gelernt hatte. Sie waren Freunde geworden, unzertrennlich. Doch nie hielt Nick irgendeinen Moment ihres Zusammenseins für selbstverständlich.

Die Woche über arbeitete er von neun bis fünf, und sobald sein Dienst beendet war, holte er Izzy aus der *Raintree*-Tagesstätte ab. Jede freie Minute verbrachten sie miteinander.

Heute war er seit drei Stunden zu Hause, und ihr Feierabend hatte begonnen: Erst das Abendessen auf der Veranda (Lasagne und grüner Salat) und dann der schnelle Abwasch des Geschirrs.

Jetzt saß Nick mit verschränkten Beinen auf dem kalten Dielenboden und starrte auf das *Candy Land*-Brett. In der Schachtel waren drei Spielsteine, ein roter, ein grüner und ein blauer.

»Aber wir sind nur zwei, Izzy«, hatte er gesagt, als sie die dritte Figur auf das Brett setzte.

»Das ist Annie, Daddy.«

Mit wachsender Beunruhigung sah Nick zu, wie Izzy hartnäckig für Annie würfelte und ihren blauen Stein von Feld zu Feld schob.

»Komm her, Izzy«, sagte er schließlich und schob das Brett zur Seite. Sie kroch über den Boden, hopste auf seinen Schoß und umschlang ihn mit ihren spindeldürren Beinen. Die Worte blieben ihm in der Kehle stecken. Durfte man von einem kleinen Menschen verlangen, dass er die Hoffnung aufgab?

»Sie kommt zurück, Daddy«, erklärte Izzy im Brustton der Überzeugung.

Er strich ihr über den Kopf. »Ich weiß, wie sehr sie dir fehlt, Sonnenschein, aber du darfst nicht allzu fest darauf vertrauen, dass sie zurückkommt. Sie hat ihr eigenes Leben. Es war ein Glück, sie so lange bei uns zu haben.«

Izzy lehnte sich gegen seine verschränkten Hände. »Du irrst dich, Daddy. Sie kommt zurück. Also sei nicht so traurig.«

Traurig. Ein so kleines Wort, zu klein, um die Verzweiflung zu beschreiben, die er über Annies Abwesenheit empfand.

»Ich habe dich lieb, Izzy-Bär«, flüsterte er.

Sie drückte ihm einen Kuss auf die Wange. »Ich habe dich auch lieb, Daddy.«

Nick sah sie an, wie sie in ihrem rosa Flanell-Schlafanzug

und in ihren Häschen-Hausschuhen auf seinem Schoß saß, die Haare noch feucht und wirr vom Baden, und ihn mit ihren großen, braunen Augen erwartungsvoll ansah.

Da wusste er, dass er Annie für das, was sie ihm gegeben hatte, immer lieben würde.

Am nächsten Morgen war es kühl, ein Hauch von Herbst lag in der Luft. Die Blumen verblichen mit dem Ende des Sommers, und herbstliche Farbtöne beherrschten die Landschaft: gelb, orange, dunkelrot. Wolken warfen ihre Schatten über den Friedhof, auf dem sich sanft gewellte Grasflächen bis zu Wänden aus immergrünen Koniferen erstreckten. Die letzte Ruhestätte für die Einwohner von Mystic machte einen gepflegten Eindruck.

Langsam ging Nick auf die östliche Ecke des Friedhofs zu. Izzy lief an seiner Hand neben ihm. Mit jedem Schritt wurde ihm enger ums Herz, und als er sein Ziel erreicht hatte, war seine Kehle staubtrocken, und er sehnte sich nach einem Drink.

Blicklos starrte er auf den Grabstein: *Kathleen Marie Delacroix. Beloved Wife and Mother.*

Er seufzte. Vier kleine Worte als Bilanz ihres Lebens. Es waren die falschen vier Worte, das hatte er damals schon gewusst, war aber so verzehrt von seiner Trauer, dass er den kleinen, rundgesichtigen Bestatter nach eigenem Gutdünken schalten und walten ließ. Und wenn er ganz ehrlich war, wusste Nick auch jetzt noch nicht, welche anderen Worte er hätte wählen sollen. Wie konnten einige wenige, in Stein gehauene Worte das ganze Leben eines Menschen beschreiben?

Er sah Izzy an. »Ich hätte schon längst mit dir hierher kommen sollen.«

Izzy ließ seine Hand los. Sie griff in ihre Tasche und zog einen zusammengefalteten Bogen Papier hervor. Als er ihr gestern Abend sagte, dass sie heute auf den Friedhof gehen würden, hatte sie ihre Buntstifte geholt und Papier und war in ihr Zimmer gegangen. Als sie wieder herunterkam, zeigte sie das

Bild, das sie gemalt hatte: die Lieblingsblume ihrer Mutter. »Das werde ich ihr bringen, Daddy. Dann weiß sie, dass ich sie besucht habe.«

Nick hatte nur stumm genickt.

Izzy lief zur gusseisernen Bank und setzte sich. Sie legte das Papier auf ihren Schoß und strich es mit der Hand glatt. »Daddy hat gesagt, dass ich mit dir sprechen kann, Mommy. Kannst du mich hören?« Sie holte tief und zitternd Luft. »Ich vermisse dich, Mommy. Ganz sehr.«

Nick senkte den Kopf und dachte an tausend Dinge auf einmal. »Heya, Kath.« Er wartete darauf, dass sie antwortete, aber natürlich hörte er nichts als das leise Rascheln der Koniferen im Wind und das Gezwitscher eines Vogels.

Dieses kleine Geviert hatte so gar nichts mit seiner Kathy zu tun. Deshalb war er nicht hier gewesen, nicht seit dem Tag, an dem man ihren glänzenden Mahagonisarg in die Erde gesenkt hatte. Er ertrug den Anblick des sorgsam gestutzten Rasens ebenso wenig wie das Wissen, dass sie darunter lag, seine Frau, die sich vor der Dunkelheit und dem Alleinsein immer gefürchtet hatte …

Er streckte die Hand aus, berührte mit einer Fingerspitze den kalten Grabstein, zeichnete die Buchstaben ihres Namens nach.

»Ich bin gekommen, um mich zu verabschieden, Kath«, flüsterte er und kniff die Augen zusammen, weil ihm die Tränen kamen. Seine Stimme versagte, und er fuhr lautlos fort: Ich habe dich geliebt und weiß, dass auch du mich geliebt hast. Was … was du getan hast, geschah aus Gründen, die ich nie ganz verstanden habe. Ich möchte, dass du weißt, dass ich uns vergebe. Wir haben unser Bestes versucht …

Wieder berührte er den Stein, spürte, wie er sich unter seinen Fingern erwärmte, und für einen Moment – gerade so lange, wie ein Herzschlag braucht, um sich zur Ewigkeit aufzuschwingen – glaubte er, sie neben sich zu sehen. Ihre goldblonden Haare schimmerten in der Sonne, ihre blauschwarzen Augen verzogen sich zu einem Lächeln. Nick erinnerte sich an den

Tag, an dem Izzy zur Welt kam. Mit zerzausten Haaren saß Kathy im Krankenhausbett, blass vor Erschöpfung, das pinkfarbene Flanellnachthemd schief zugeknöpft. Aber nie hatte sie schöner ausgesehen, und als sie das schlafende Kind in ihren Armen betrachtete, begann sie leise zu weinen. »Isabella«, wisperte sie und lauschte dem Klang nach, bevor sie zu Nick aufsah. »Wollen wir sie nicht Isabella nennen?«

Als hätte Nick ihr etwas abschlagen können. »Ein wundervoller Name.«

Unter Tränen hatte Kathy ihn unverwandt angeblickt. »Du wirst immer gut auf sie achten, nicht wahr, Nick?«

Offenbar hatte sie schon damals eine Ahnung von der Dunkelheit, die sie umfangen würde.

Aber wusste sie auch, dass er sie liebte, immer geliebt hatte und immer lieben würde? Sie war ein Teil von ihm, der wichtigste vielleicht, und selbst jetzt noch konnte er manchmal im Wind ihr Lachen hören. Letzte Woche, als er die Schwäne auf dem See entdeckte, war er wie angewurzelt stehen geblieben, hatte gestarrt und gedacht: Da sind sie wieder, Kath … Sie sind wiedergekommen …

Izzy schob ihre Hand zwischen seine Finger. »Es ist alles gut, Daddy. Sie hört, was du ihr sagen willst.«

Nick zog sie in die Arme, drückte sie an sich und blickte durch seine Tränen zum Himmel empor: Wenigstens sie ist mir geblieben, Kath, das Beste von uns beiden, und ich werde immer für sie da sein …

Sie stellten einen Korb blühender Astern vor den Stein in das Gras und verließen den Friedhof.

»Ich muss noch mal schnell in den Garten«, sagte Izzy, als sie unter dem Ahorn parkten.

»Aber bleib nicht zu lange. Es sieht nach Regen aus.«

Sie nickte, kletterte aus dem Wagen und rannte auf den weißen Lattenzaun zu. Nick schlug die Autotür zu und lief zum Haus. Er hatte die Verandastufen kaum erreicht, als es zu regnen begann.

»Daddy, Daddy, komm schnell her, Daddy!«

Er drehte sich um. Sie stand vor dem Kirschbaum, den sie im letzten Jahr gepflanzt hatten. Sie hopste von einem Fuß auf den anderen, flatterte mit den Armen wie ein Vogel mit den Schwingen.

Er rannte über den Rasen. Als er vor ihr stand, strahlte sie über das ganze regennasse Gesicht. »Sieh doch nur, Daddy.«

Nicks Blick folgte ihrem ausgestreckten Finger. Langsam sank er auf die Knie.

Der Kirschbaum hatte eine einzige, aber perfekte Blüte hervorgebracht.

Der Herbst überzog den kalifornischen Süden mit den Farben des Frühlings. Verdorrtes Gras wurde wieder grün, Septemberwinde fegten den Smog aus der Luft, gaben ihr die frühlingshafte Bläue zurück. Lokale Rundfunksender kannten kein anderes Thema als den Beginn der Footballsaison. In der Ferne dröhnten Laubstaubsauger.

Es war die Jahreszeit abrupter Veränderungen: Auf sommerwarme Tage folgten kalte, sternenklare Nächte. Ärmellose Sommerkleider wurden in Schachteln verpackt und durch Pullover und Jacken ersetzt. Die Vögel begannen ihre Nester zu verlassen und davonzufliegen. Die Kalifornier, daran gewöhnt, ihre Tage in hauchdünner Kleidung von der Größe einer Briefmarke zu verbringen, begannen zu frösteln. Sie erschauerten, wenn der Wind auffrischte und die letzten bunten Blätter von den Straßenbäumen pflückte. Manchmal vergingen Minuten, ohne dass ein Auto Richtung Strand fuhr. Die Einkaufs-Malls waren leer gefegt von Touristen, und nur die Unerschrockensten wagten sich in die Wellen des Pazifischen Ozeans. Die Massen der Surfer am State Beach waren auf eine Hand voll zusammengeschrumpft.

Es war Zeit loszulassen. Aber wie? Annie hatte siebzehn Jahre damit verbracht, ihre Tochter vor der Welt zu bewahren, und nun bestand dieser Schutz nur noch in der Liebe, die sie Natalie gegeben hatte, der Erinnerung an ihre Gespräche und ihrem Beispiel.

Ihrem Beispiel.

Seufzend dachte Annie an die Unterhaltung mit ihrer Tochter und ihre Enttäuschung über die Erkenntnis, dass sie als Mutter kein besonders gutes Vorbild abgegeben hatte. Aber jetzt konnte sie daran nichts mehr ändern. Annies Zeit war vorüber.

»Mom?« Natalie steckte ihren Kopf zur Tür des Schlafzimmers herein.

»Hey, Nana, komm doch herein.«

Natalie kletterte ins Bett und streckte sich neben Annie aus. »Ich kann kaum glauben, dass ich euch wirklich verlasse.«

Annie legte einen Arm um ihre Tochter. Diese junge Schönheit konnte doch nicht das Kind sein, das an der Stange des Sessellifts am Mammoth Mountain geleckt, das kleine Mädchen, das nach einem Alptraum Zuflucht im Bett seiner Eltern gesucht hatte.

Siebzehn Jahre waren wie im Handumdrehen vergangen. Wie ein Wimpernschlag. Zu schnell …

Versonnen strichen Annies Finger durch Natalies lange, blonde Haare. Sie hatte sich seit einer Ewigkeit auf diesen Moment vorbereitet, eigentlich seit jenem Tag, an dem sie Nana zum ersten Mal in den Kindergarten brachte, und jetzt war sie noch immer nicht bereit für den Abschied. »Habe ich dir heute eigentlich schon gesagt, wie stolz ich auf dich bin?«

»Erst tausendmal.«

»Wie wäre es mit dem tausendundersten Mal?«

Natalie schmiegte sich enger an Annie und legte eine Hand auf ihren Bauch. »Was haben die letzten Ultraschallaufnahmen ergeben?«

»Nur, dass in mir ein gesundes Mädchen heranwächst. Du brauchst dir keine Sorgen zu machen.«

»Sie hat Glück, dich zur Mutter zu haben.«

Annie legte ihre Hand auf Natalies Finger. Es gab so vieles, was sie ihrer Tochter sagen wollte, an diesem Tag, an dem Natalie in das Abenteuer ihres selbstständigen Lebens aufbrach, aber sie wusste, dass ihre Zeit vorüber war. Alles Wichtige war gesagt, und wenn sie etwas vergessen haben sollte, wäre es jetzt ohnehin zu spät. Dennoch wünschte sie, ihr würde irgendein beherzigenswerter, kluger Rat einfallen, den sie ihrem Kind mit auf den Weg geben könnte.

»Was wirst du tun, wenn ich fort bin?«, wollte Natalie wissen.

Fort. Was für ein hartes, kompromissloses Wort. Es klang fast wie Tod oder Scheidung. Annie schluckte. »Dich vermissen?«

»Weißt du noch, Mom, dass du mich als Kind immer gefragt hast, was ich später einmal werden möchte?«

»Ich erinnere mich.«

»Was hast du Grandpa Hank geantwortet, wenn er das von *dir* wissen wollte?«

Annie seufzte. Wie sollte Natalie verstehen können, dass sie erst vor kurzem auf die Antwort gekommen war, im Alter von fast vierzig Jahren? Hank hatte Annie die Frage nie gestellt. Er war ein einsamer, allein erziehender Vater gewesen, der seine einzige Tochter in der Überzeugung erzogen hatte, eine Frau sei nur so viel wert wie der Mann an ihrer Seite. Er glaubte, dass Zukunftsträume nur etwas für kleine Jungen waren, die später das Geld für ihre Familien verdienen würden.

Annie hatte viele Fehler begangen, und die meisten hatten damit zu tun, dass sie sich nie etwas zutraute. Aber inzwischen wusste sie, dass ein Leben ohne Risiken nicht möglich war und dass man eine *sichere* Existenz häufig mit dem Verlust von Träumen bezahlte, mit dem Verlust der eigenen Identität.

Endlich hatte sie etwas, was sie erreichen wollte, ein Risiko, das sie einzugehen bereit war. Sie sah ihre Tochter an. »In Mystic kam mir der Gedanke, ob ich nicht eine Buchhandlung eröffnen soll. Es gibt da an der Main Street ein wundervolles viktorianisches Haus, dessen Erdgeschoss zu vermieten ist.«

»Also deshalb liest du all diese Bücher.«

Annie nickte lächelnd. Sie kam sich vor wie ein Kind, das seiner Freundin sein größtes und wundervollstes Geheimnis anvertraut hatte. »Ja.«

Natalie strahlte. »Superidee, Mom. Ich bin fest überzeugt, dass du großen Erfolg haben wirst. Du könntest dem *Malibu Bookstore* glatt das Wasser abgraben. Vielleicht kann ich dir in den Sommerferien sogar helfen.«

Annie blickte auf ihre Hände. Natalie glaubte also, sie wolle ihren Traum hier in Malibu verwirklichen? Unter den wachsamen, kritischen Blicken ihres Mannes. Annie konnte seine spitzen Bemerkungen förmlich schon hören.

Wie anders hatte Nick reagiert …

Es klopfte an die Tür.

Annie verspannte sich. Der Moment war gekommen. »Ja, bitte.«

Mit einem breiten Lächeln betrat Blake den Raum. »Ist Natalie so weit? Mistress Peterson und Sally sind da, um sie abzuholen.«

Annie rang gespielt verzweifelt die Hände. »Und ich habe mir immer vorgestellt, dass ich deine Koffer die Treppe zu deinem Zimmer hinaufschleppe und für dich auspacke, damit mindestens am *Beginn* des Studiums deine Sachen in Ordnung sind.«

»Was hätte ich nicht alles getan, um dich loszuwerden«, lachte Natalie und brach unvermittelt in Schluchzen aus.

Annie zog ihre Tochter in die Arme. »Du wirst mir fehlen, Baby.«

Natalie klammerte sich an sie. »Vergiss bloß deine Idee mit dem Buchladen nicht«, tuschelte sie.

Annie strich über Natalies Wange, blickte in ihre blauen Augen und erinnerte sich daran, dass sie früher die Farbe von Schiefer hatten. Das war lange her, sehr lange …

»Auf Wiedersehen, Nana-Banana«, flüsterte sie.

»Ich liebe dich, Mom.« Es war nicht die zitternde Stimme eines Kindes, sondern die einer jungen Frau, die bereit war, ihr eigenes Leben zu beginnen.

Natalie grinste Blake schief an. »Okay, Dad. Wirf mich raus …«

Annie sah ihnen nach, bis sich die Tür hinter ihnen geschlossen hatte. Und war überrascht, dass sie nicht weinte.

Oh, sie wusste, dass sie später, in den dunklen Nächten und den langen Tagen, die vor ihr lagen, eine neue Art von Einsamkeit überkommen, sie mit hallenden Echos in dem leeren Haus peinigen würde. Aber sie wusste auch, dass sie das aushalten konnte. Sie fühlte sich stärker als noch im März. Sie war bereit, ihre älteste Tochter in die Welt zu entlassen.

»Auf Wiedersehn, Nana«, wisperte sie.

In der ersten Novemberwoche setzten bei Annie die Wehen ein. Der Schmerz ließ sie mitten in der Nacht aus dem Schlaf hochfahren. Der zweite Krampf war so heftig, dass sie kaum Luft bekam.

»Oh … Gott …«, ächzte sie und drückte reflexartig beide Hände auf ihren Bauch, bis der Schmerz verebbte. Sie schob die Bettdecke zurück und setzte die Füße auf den Boden. Sie wollte laut rufen, aber die nächste Wehe machte aus ihrer Stimme ein jämmerliches Zischen. »Blake …«

Hastig setzte er sich auf. »Annie?«

»Es ist zu … früh«, keuchte sie und schwankte auf die Füße. Annie musste an Adrian denken, und Panik erfasste sie. »O Gott, es ist viel zu früh …«

»Allmächtiger!« Er sprang aus dem Bett und griff nach seinen Sachen. Wenige Minuten später setzte er Annie ins Auto, und sie rasten zum Krankenhaus.

»Halte durch, Annie. Gleich sind wir da.« Er warf ihr einen nervösen Blick zu. »Nur noch ein paar Minuten.«

Sie kniff die Augen zu. Stell dir vor, du wärst an einem schneeweißen Sandstrand …

Wieder eine Wehe.

»Verdammt«, ächzte sie und konnte an nichts anderes denken als den glühenden Schmerz, der ihren Leib durchzuckte. An ihr Kind. Annie drückte die Hände auf ihren Bauch. »Gleich, Kleine, gleich wird uns geholfen.«

Und dann sah sie Adrian vor sich, den kleinen Adrian, angeschlossen an ein Dutzend Geräte … in einem Sarg von der Größe eines Brotkastens in die Erde gesenkt …

Nicht schon wieder, betete sie unhörbar. Bitte, lieber Gott, nicht schon wieder.

Die weißen Wände des Warteraums schienen Blake zu erdrücken. Nervös lief er auf und ab, blickte immer wieder auf die Uhr, blätterte abwesend in Magazinen, in denen über irgendwelche Prominente und ihre infantilen Probleme berichtet wurde.

Er bekam das Bild nicht aus dem Kopf. Wie Annie in den Kreißsaal gerollt wurde, wie sie mit vor Angst geweiteten Augen und gebrochener Stimme nur immer wieder murmelte: »Es ist zu früh …«

In dem Moment, als man Annie auf ein Rollbett gelegt und fortgebracht hatte, war seine Ehe wie im Zeitraffer vor seinem inneren Auge abgelaufen. Die guten Zeiten, die schlechten, die ganz normalen. Er hatte Annie wiedererlebt – von der frisch gebackenen Collegestudentin bis zur schwangeren Neununddreißigjährigen.

»Mister Colwater?«

Er wandte sich vom Fenster ab und sah Annies Gynäkologin Dr. North auf der Schwelle stehen. Sie trug einen weißen Kittel und lächelte erschöpft. »Das Kind …«

»Wie geht es Annie?«

Dr. North runzelte flüchtig die Stirn. »Ihre Frau schläft. Sie können jetzt zu ihr.«

Die angestaute Luft entwich Blakes Lungen. »Gott sei Dank.« Er folgte der Ärztin über einen stillen, weiß gestrichenen Flur zu einem Privatzimmer.

Die Vorhänge waren zugezogen, und der ganze Raum war in bläuliche Schatten getaucht. Auf dem Nachttisch standen ein Telefon und ein blauer Plastikwasserkrug, auf den einer die Zimmernummer gekritzelt hatte – als würde jemand so etwas stehlen. Metallene Transfusionssäulen standen neben dem schmalen Bett wie dürre, langhalsige Geier. Der Inhalt ihrer Plastikbehälter tropfte über Schläuche in Annies Venen.

Sie sah sehr jung und verletzlich aus, und Blake erinnerte sich schmerzlich an seinen Sohn.

»Wann wird sie aufwachen?«, fragte er Dr. North.

»Es sollte nicht mehr lange dauern.«

Wie erstarrt stand Blake mitten im Zimmer und sah seine Frau an. Fast hätte ich sie verloren, zuckte ihm immer wieder durch den Kopf. Fast hätte ich sie verloren.

Er zog einen Stuhl heran, setzte sich neben das Bett und betrachtete die Frau, mit der er seit fast zwanzig Jahren verheiratet war. Die Ärztin sagte etwas – was, hörte er nicht – und verließ das Zimmer.

Nach einer Ewigkeit schlug Annie die Augen auf. »Blake?«

Sein Kopf zuckte hoch. Sie richtete sich halb auf und sah ihn an. Sie wirkte verängstigt. »Annie«, flüsterte er und griff nach ihrer Hand.

»Mein Baby«, sagte sie. »Wie geht es unserem kleinen Mädchen?«

Verdammt! Danach hatte er überhaupt nicht gefragt. »Einen Moment …« Er rannte aus dem Raum, über den Flur und fand Dr. North im Schwesternzimmer. Er zerrte die Ärztin in Annies Zimmer zurück.

Bei ihrem Eintritt setzte sich Annie auf. Blake sah, dass sie sich große Mühe gab, nicht in Tränen auszubrechen. »Hi, Doktor North«, sagte sie und musste schlucken.

Die Ärztin trat an das Bett und griff nach Annies Hand. »Ihre Tochter lebt, Annie. Sie befindet sich in der Intensivabteilung für Neugeborene. Es gibt da ein paar Komplikationen. Sie wiegt knapp fünf Pfund, und da gibt es bedauerlicherweise Defizite in der Entwicklung. Wir befürchten …«

»Sie lebt?«

Dr. North nickte. »Sie hat noch ein paar Hürden zu nehmen, aber sie lebt. Möchten Sie sie sehen?«

Annie presste eine Hand auf den Mund und nickte. Sie schluchzte zu heftig, um antworten zu können.

Blake trat zur Seite, als die Ärztin den Rollstuhl aus der Zimmerecke holte und Annie hineinhalf. Dann folgte er ihnen zur

Neugeborenenstation. Er fühlte sich sonderbar ausgeschlossen.

In sich zusammengesunken saß Annie vor dem Inkubator. Hinter den klaren Acrylscheiben lag ihre reglose Tochter. Ein Dutzend Schläuche und Nadeln steckten in ihren dünnen Ärmchen.

Blake legte ihr eine Hand auf die Schulter.

Sie sah zu ihm auf. »Ich würde sie gern Kathleen Sarah nennen. Bist du einverstanden?«

»Natürlich.« Er blickte zu Boden, zur Decke, auf die Wände – nur nicht auf den Brutkasten. »Ich werde uns etwas zu essen holen.«

»Willst du dich nicht zu uns setzen?«

»Ich ... kann nicht.«

Annie wusste nicht, warum sie das überraschte oder warum sie diesen schmerzhaften Stich empfand. Blake konnte mit Ängsten oder Tragödien nicht besonders gut umgehen, hatte es noch nie gekonnt. Sobald etwas Unvorhergesehenes, etwas Unangenehmes geschah, steckte er den Kopf in den Sand. Sie würde mit der allzu frühen Geburt ihrer Tochter fertig werden müssen wie mit allem in ihrem Leben: allein. Sie nickte. »Gut. Geh nur. Aber ich will nichts, ich habe keinen Hunger. Oh, und rufe Natalie an. Sie wird wissen wollen, was passiert ist.«

»Okay.«

Nachdem er gegangen war, steckte sie die Finger in die schlauchförmige Öffnung des Inkubators und umfasste die winzige Babyhand. Obwohl sie die Haut nicht spüren konnte, erinnerte sie sie doch an die samtene Weichheit. Sie versuchte, nicht an Adrian zu denken, an die vier Tage, die sie neben ihm in einem Raum wie diesem gesessen, die gleichen Gebete gemurmelt, die gleichen Tränen vergossen hatte.

Katies Hand war unsagbar klein und zerbrechlich. Annie schloss zwei Finger um das schmale Handgelenk, öffnete die Lippen und begann leise zu sprechen. Sie hoffte, das der vertraute Klang ihrer Stimme ihre Tochter beruhigte und sie wissen ließ, dass sie selbst in dieser grell erleuchteten Welt voller Apparate, Infusionsschläuche und Fremder nicht allein war.

Später konnte sie nicht sagen, was sie ihrer Tochter alles erzählt, welche Beschwörungen und Wünsche sie vor dem Angst einflößenden Kasten gemurmelt hatte.

Irgendwann kamen die Schwestern, um sie in ihr Zimmer zurückzubringen. Sie müsse etwas essen und schlafen, um wieder zu Kräften zu kommen. Annie hatte versucht zu protestieren. Sahen sie denn nicht ein, dass sie das nicht schaffte? Nicht, solange ihr Baby um jeden Atemzug rang.

Trotz ihrer Proteste wurde sie in ihr Zimmer zurückgebracht und in ihr schmales, unbequemes Bett gelegt, wo sie zur Decke starrte. Sie telefonierte mit Natalie und erfuhr, dass sie für Freitagnachmittag einen Flug gebucht hatte, gleich nach ihrem wichtigen Test in Meereskunde. Danach rief Annie Hank und Terri an.

Als sie den Hörer wieder auflegte, verließen sie ihre Kräfte. Sie konnte an nichts anderes mehr denken als an diese winzigen roten Fäuste, die spaghettidünnen Beinchen. Sie schloss die Augen und fragte sich, ob das Gefühl von Verzweiflung irgendwann nachlassen oder ihr Herz einfach zu schlagen aufhören würde.

Irgendwo klingelte ein Telefon. Das Schrillen riss sie aus ihren Gedanken. Blinzelnd sah sie sich um und merkte, dass es der Apparat auf ihrem Nachttisch war.

Sie streckte die Hand nach dem Hörer aus. »Hello?«

»Annie? Hier Nick. Deine Freundin Terri hat mich angerufen. ...«

»Nick?« Der Klang seiner Stimme ließ alle Dämme brechen. »Hat dir Terri von dem Kind erzählt? Meine wundervolle kleine Tochter, o Nick ...« schluchzte Annie ins Telefon. »Sie wiegt nur fünf Pfund. Ihre Lungen sind noch nicht voll entwickelt. Du solltest all die Schläuche und Nadeln sehen ...« Sie schluchzte, bis sie nicht mehr weinen konnte, bis sie sich total erschöpft und unendlich alt fühlte.

»Wo bist du?«

»Im Beverly Hills Memorial, aber …«

»Ich komme sofort zu dir.«

Annie schloss die Augen. »Das brauchst du nicht. Mir geht es gut. Wirklich … Blake ist bei mir.«

Ein langes Schweigen breitete sich zwischen ihnen aus, dann sagte Nick: »Du bist stärker, als du glaubst. Ganz gleich, was auch passiert, du schaffst es, du kommst darüber hinweg. Denk an den Regen.«

Sie wischte sich über die Augen. »An was?«

»An den Regen«, wiederholte er leise. »Es sind Engelstränen. Und das Glas ist halb voll. Das darfst du nicht vergessen. Ich weiß, was mit Menschen geschehen kann, die glauben, keine Hoffnung mehr zu haben.«

Ich liebe dich, hätte sie fast gesagt, hielt die Worte aber noch rechtzeitig zurück. »Danke, Nick.«

»Ich liebe dich, Annie Bourne.«

Ihr war, als müsste sie schon wieder weinen. Colwater, wollte sie sagen. Ich bin Annie Colwater. Du liebst eine Frau, die mit jeder Minute mehr dahinschwindet. Aber sie zwang sich zu einem müden Lächeln, dankbar dafür, dass er es nicht sehen konnte. »Danke, Nick«, flüsterte sie. »Vielen, vielen Dank. Sag Izzy, dass ich sie in ein paar Tagen anrufe, wenn … wenn ich sehe, wie es weitergeht.«

»Wir werden für … euch alle beten«, sagte er.

Annie seufzte und spürte, dass ihr nun doch die Tränen kamen. »Leb wohl, Nick.«

27. Kapitel

Es war mitten in der Nacht, aber Annie konnte nicht schlafen. Obwohl sie streng genommen keiner ärztlichen Obhut mehr bedurfte, hatte das Krankenhaus ihr ein Zimmer überlassen, damit sie in der Nähe ihrer Tochter sein konnte. Sie versuchte zu lesen, zu essen, Briefe zu schreiben, um sich von Katie abzulenken, aber es gelang ihr nicht.

Viele Stunden verbrachte sie vor dem Inkubator, sie sprach mit dem Baby, sang ihm etwas vor oder betete auch nur. Sie hatte sich Milch abgepumpt, aber als sie die cremefarbene Flüssigkeit betrachtete, fragte sie sich, ob ihr Kind sie jemals trinken würde. Ob ihr Kind die Chance erhielt heranzuwachsen, in die Schule zu gehen, mit ihrer Mutter zu schmusen …

Wir schaffen es, sprach sie sich selbst Mut zu, aber jedes Mal, wenn das Gerät einen Alarmton von sich gab, dachte sie: Jetzt. Jetzt hat sie zu atmen aufgehört.

Auf seine Art hatte Blake versucht, sie zu trösten, zu beruhigen, doch ohne Erfolg. Sie kommt ganz bestimmt durch, sagte er immer wieder, aber seine Augen zeigten Unsicherheit und Angst.

Im Grunde war Annie immer froh, wenn er das Krankenhaus wieder verließ.

»Ich halte es hier nicht lange aus«, hatte er gesagt.

»Gut.« An sich ein positives Wort, aber befrachtet mit Enttäuschung und Resignation.

»Ich muss doch nicht auf einem Stuhl schlafen, um dir meine Liebe zu beweisen, oder?« Blake lachte nervös.

»Natürlich nicht.« Die Lüge kam ihr leicht über die Lippen. »Willst du nicht zum Flughafen fahren und Natalie abholen? Ihre Maschine landet um neun.«

Natürlich hatte sich Blake das nicht zweimal sagen lassen. Er hätte alles getan, um nicht in dieser sterilen, befremdlichen Umgebung bleiben zu müssen, in der seine Frau ständig weinte.

Annie stand auf, ging langsam zum Fenster und drückte die Stirn an die kalte, glatte Scheibe. Unten auf dem riesigen Parkplatz standen nur wenige Autos.

Sie lag gerade wieder im Bett, als das Telefon klingelte. »Hello?«

»Annie? Hier ist Nick.«

»Nick«, flüsterte sie.

»Ich dachte, du würdest vielleicht gern mit mir sprechen.«

Die Worte hörten sich so einfach an, so selbstverständlich, aber sie ließen Annies Kehle eng werden. Alle Krisen ihres Lebens hatte sie allein gemeistert, stets war sie die Starke gewesen, immer beherrscht, und sie hatte bisher gar nicht gewusst, wie sehr sie sich danach sehnte, auch selbst getröstet zu werden.

»Wie geht es ihr?«, wollte er wissen.

Annie fuhr sich mit der Hand durch die kurzen Haare. »Sie klammert sich an ihr Leben. Die Ärzte sagen, sie könnte es schaffen, wenn sie … noch ein paar Wochen durchhält …« Prompt begann sie wieder zu weinen. »Entschuldige, Nick. Ich habe eine so furchtbare Angst, dass ich ständig heulen muss.«

»Soll ich dir eine Geschichte erzählen?«

Annie konnte sich nichts Schöneres vorstellen, als sich durch seine Stimme von der Realität ablenken zu lassen. »Ja, bitte …«

»Sie handelt von einem Mann, dem in seiner Jugend nichts geschenkt wurde, der als Junge sein Essen aus Mülltonnen klaubte und auf dem Rücksitz eines alten Impala lebte. Nach dem Tod seiner Mutter bekam dieser Junge eine einmalige Chance. Er zog in eine kleine Provinzstadt, von der er noch nie gehört hatte, in der man seine Vergangenheit nicht kannte.

Dort ging er zur High-School und verliebte sich in zwei Mädchen. Das eine war wie die Sonne, das andere wie der Mond. Er war jung, und er griff nach dem Mond, weil er ihn für sicher und ungefährlich hielt. Er wusste, dass man verbrennen konnte, wenn man nach der Sonne greift. Als seine Frau starb, brach ihm das Herz. Er wandte seinem Kind und seinen Träumen den Rücken zu und suchte Zuflucht im Alkohol. Er wollte nur noch sterben, aber dazu fehlte ihm der Mut.«

»Nick, bitte …«

»Und so wartete dieser Säufer darauf, dass jemand anders sein Leben beendete, dass ihm jemand sein Kind fortnahm. Dann, dachte er, wäre er endlich mutig genug, sich umzubringen. Aber dazu kam es nicht, weil ihm eine Märchenprinzessin begegnete. Er erinnert sich noch heute an diesen Moment, es hatte sanft zu regnen begonnen, und der See war glatt wie Glas. Er erinnert sich an jede Einzelheit des Tages, an dem sie in sein Leben trat.«

»Nick, hör auf, bitte …« Annie wollte, dass er verstummte, bevor die Geschichte sie die Fassung verlieren ließ.

»Sie veränderte seine Welt, diese Frau, die ungebeten in sein Leben kam und ihn an seine Verantwortung erinnerte. Bevor er wusste, wie ihm geschah, hatte er mit dem Trinken aufgehört, den Versuch unternommen, seinem Kind ein besserer Vater zu sein, und sich verliebt – zum zweiten und letzten Mal in seinem Leben.«

»Du brichst mir das Herz, Nick«, wisperte sie kaum hörbar.

»Nein. Du sollst nur wissen, dass du nicht allein bist. Liebe hilft uns, Tragödien zu überwinden und wieder zu uns zu finden. Das hast du mich gelehrt, und nun ist es an mir, dich daran zu erinnern.«

Annie verbrachte den größten Teil ihrer Tage mit bangen Hoffnungen vor dem Inkubator. In ihrem neuen Zimmer war sie Katie näher, aber nachts, wenn sie allein auf ihrem schmalen Bett lag, fühlte sie sich den Menschen, die sie liebte, unendlich fern.

Kleine Dinge markierten für sie das Verstreichen der Zeit. An den Wochenenden verbrachte Natalie einige Stunden mit ihr. Hank tauchte unerwartet auf und kam täglich ins Krankenhaus. Terri und Blake besuchten sie regelmäßig nach der Arbeit. Täglich erschien Rosie O'Donnell auf dem Fernsehschirm, und mit jeder neuen Folge wusste Annie, dass wieder ein Tag vergangen war. An Thanksgiving aßen sie in der geisterhaft leeren Cafeteria Portionspute mit geschmacksneutraler Sauce aus der Mikrowelle.

Aber Annie nahm kaum etwas davon wahr. Manchmal, wenn sie neben dem Brutkasten saß, wurde Natalie zu Adrian, Adrian zu Katie, und in diesen Momenten konnte Annie, wenn sie die Augen schloss, nur den winzigen, blumengeschmückten Sarg sehen. Aber dann ertönte irgendein Alarm, eine Schwester kam herein, und sie erinnerte sich wieder. Noch bestand Hoffnung für Katie.

Unablässig redete sie mit ihrem Kind: »Ich sitze direkt neben dir. Kannst du mich spüren? Hörst du mich atmen? Kannst du fühlen, dass ich dich berühre?«

»Mom?«

Annie wischte sich über die Augen und blickte zur Tür. Auf der Schwelle standen Natalie und Hank. Ihr Vater wirkte um zehn Jahre gealtert.

»Wir haben *Yahtzee* mitgebracht«, sagte er.

Annie lächelte bemüht. Natalie war wieder da, also musste wieder eine Woche vergangen sein. »Hallo, ihr beiden. Wie ist der Psychologietest verlaufen, Nana?«

Natalie zog sich einen Stuhl heran. »Der war vor zwei Wochen, Mom, und wir haben schon darüber gesprochen. Ich habe eine Eins bekommen. Erinnerst du dich?«

Annie seufzte. »Oh, wie dumm von mir.« Sie hatte das Gespräch total vergessen.

Natalie und Hank setzten sich neben ihr Bett und packten das Spiel aus. Sie schwatzten und plauderten, aber Annie konnte sich einfach nicht konzentrieren.

Sie konnte nur neben sich auf die Stelle blicken, wo die

Korbwiege mit einem gesunden, rosigen Baby stehen würde. Natalie hatte in einer solchen Wiege gelegen, aber Adrian nie …

Hank beugte sich über sie und strich ihr über die Wange. »Es wird alles gut, Annie. Du musst nur ganz fest daran glauben.«

»Sie nimmt ständig zu, Mom. Ich habe mit Mona gesprochen, der Nachtschwester auf der Neugeborenenstation, und sie sagte, Katie wäre eine echte Kämpferin.«

Annie sah keinen von beiden an. »Sie wurde noch nie auf den Arm genommen … Denkt denn darüber niemand nach, nur ich?« Die Vorstellung quälte sie, ließ sie nachts keinen Schlaf finden. Ihre winzige Tochter wurde noch nie von ihrer Mutter in den Armen gewiegt, noch nie mit einem Lied in den Schlaf gesungen …

»Das kommt, Mom.« Natalie drückte ihre Hand. »Sie wird bald ganz gesund. Vielleicht …«

Es klopfte, und Dr. North kam herein, begleitet von Dr. Overton, dem Neonatologen.

Bei ihrem Anblick setzte Annies Herz einen Schlag aus. Blindlings griff sie nach Natalies Hand und drückte die schmalen Finger, bis sie die Gelenke leise knacken hörte. Hank sprang auf und legte eine Hand auf Annies Schulter.

»O Gott«, flüsterte sie.

Wieder öffnete sich die Tür, und Helena kam herein. In ihren Armen trug die Schwester ein rosa verpacktes Bündel.

Dr. North trat an das Fußende des Bettes. »Wollen Sie Ihre Tochter nicht in die Arme nehmen?«

»Ob ich …?« Annie konnte kaum atmen. An diesen Moment hatte sie nicht geglaubt, auf ihn gehofft, ja, aber nicht wirklich an ihn geglaubt. Sie hatte es nicht gewagt – aus Furcht, nie wieder zu sich zu finden, wenn …

Unfähig, auch nur ein Wort über die Lippen zu bringen, streckte sie die Arme aus.

Die Schwester trat ans Bett und legte das Bündel in Annies Arme.

Babyduft stieg ihr in die Nase – lange entbehrt und gleichzeitig vertraut. Sie zog die rosa Decke ein paar Zentimeter zurück, strich ihrer Tochter sanft über die Stirn, bewunderte ihre samtene Haut.

Katies Lippen begannen zu zittern, und sie gähnte. Eine winzige Faust zuckte aus der Decke hervor. Zärtliche Worte murmelnd, schlug Annie die Decke ganz zurück und betrachtete ihre Tochter. Ein Netzwerk blauer Adern bedeckte die blasse Brust, zog sich über Arme und Beine.

Katie öffnete den Mund und krähte empört.

Annies Brüste begannen zu prickeln. Schnell knöpfte sie ihr Nachthemd auf und legte Katie an. Ein kurzes Gezappel, eine kleine Nachhilfe, und das Baby begann zu saugen.

»O Katie«, flüsterte Annie und strich ihrer Tochter über das Köpfchen. »Endlich.«

Die ersten Tage zu Hause waren das reine Chaos. Hank und Terri wichen Annie nicht von den Fersen und wollten unbedingt helfen. Sie schmückten das Haus für das Weihnachtsfest, schleppten Karton um Karton vom Boden und bejubelten jede neue Entdeckung. Im Wohnzimmer stellten sie eine drei Meter hohe Tanne auf und häuften unzählige Geschenkpakete darunter. Natalie rief täglich an und erkundigte sich, wie es Katie ging. Annie wurde alles fast zu viel, sie wollte nur eins: ihre kleine Tochter bewundern. Schließlich fuhr Hank nach Mystic zurück, aber erst, nachdem er geschworen hatte, über die Festtage wiederzukommen.

Wieder allein, bemühten sich Blake und Annie um familiäre Harmonie, aber das war nicht einfach. Annie hockte stundenlang mit Katie auf der Couch, und Blake verbrachte immer mehr Zeit in der Kanzlei.

In der dritten Dezemberwoche trafen sich Hank und Natalie in San Francisco auf dem Flughafen und kamen mit derselben Maschine nach Los Angeles. Das Essen am Heiligen Abend verlief in angespannter, bedrückter Atmosphäre, die Annie daran erinnerte, wie brüchig ihr Familienleben geworden war. Selbst das Auspacken der Geschenke am Morgen des Weihnachtstages ließ keine frohe Stimmung aufkommen.

Hank ließ Blake nicht aus den Augen und stellte bohrende Fragen: »Wohin gehst du? Warum bist du heute Abend nicht zu Hause? Hast du mit Annie darüber gesprochen?«

Annie wusste, dass sich Blake im eigenen Haus wie ein Fremder vorkam. Gespannt wartete Natalie darauf, dass er seine kleine Tochter in den Arm nahm, aber er tat es nie. Annie überraschte das nicht, sie hatte es schon einmal erlebt. Blake konnte sich für Neugeborene nun einmal nicht begeistern. Sie verunsicherten und verschreckten ihn, und solche Empfindungen war er nicht gewöhnt. Aber Natalie verstand es nicht, und Annie bemerkte, wie enttäuscht ihre Tochter war, wenn sie ihrem Vater ihre kleine Schwester immer wieder hinhielt, nur um zu erleben, dass Blake kopfschüttelnd den Blick abwandte.

Jetzt lag Annie auf ihrer Seite des Bettes. Neben ihr schlief Blake, einen Arm in ihre Richtung ausgestreckt, ein Knie angezogen. Sie hörte sein Atmen, dieses ihr seit zwanzig Jahren vertraute, regelmäßige Geräusch.

Behutsam schlug sie die Decke zurück, stand auf, ging zur Terrassentür und öffnete sie. Der Nachtwind bauschte die weißen Seidengardinen, wehte sie gegen Annies nackte Beine.

Sie wurde oft nachts wach, sehnte sich nach harmonischer Partnerschaft, aber die bot ihre Ehe nicht. Oh, sie hatten sich bemüht, jeder auf seine Weise. Er mit Geschenken, Versprechen und Gesprächen über Themen, die Annie interessierten. Sie mit tapferem Lächeln, Videokassetten und schicken Abendessen für zwei. Aber es gelang ihnen nicht, wieder zueinander zu finden. Sie waren wie Schmetterlinge auf unterschiedlichen Seiten einer Fensterscheibe, die sich verzweifelt bemühten, das Glas zu durchbrechen.

Mit einem müden Seufzer schaltete Blake das Diktiergerät aus und schob den Aktenstapel beiseite. In letzter Zeit konnte er sich nur schwer konzentrieren. Katie wachte nachts alle paar Stunden auf und wollte gestillt werden, und – einmal wach – hatte Blake Probleme mit dem Einschlafen.

Er stand auf und goss sich einen Scotch ein. Er brachte die bernsteinfarbene Flüssigkeit in dem Waterford-Glas zum Kreisen, trat ans Fenster und blickte hinaus. Ein grauer Januarhimmel lag über Century City, von den Laternenpfählen hingen vergessene Silvesterdekorationen.

Er verspürte nicht das geringste Verlangen, nach Hause zu fahren, zu seiner ihm seltsam fremden Frau und seiner plärrenden, kleinen Tochter. Wie befürchtet, drehte sich jetzt alles nur noch um die Bedürfnisse des Babys. Für Blake blieb nichts übrig, und wenn das Kind endlich schlief, schwankte Annie ins Schlafzimmer, zu erschöpft für mehr als einen hastigen Kuss auf die Wange und ein leises Gute Nacht.

Er war einfach zu alt, um noch einmal Vater zu werden. Schon in jungen Jahren hatte er keine große Begeisterung aufbringen können, aber jetzt fühlte er sich schlicht überfordert.

Es klopfte.

Blake stellte das Glas ab. »Herein.«

Die Tür ging auf, und Tom Abramson und Ted Swain, zwei seiner Partner, standen auf der Schwelle. »He, alter Junge, es ist halb sieben«, schmunzelte Ted. »Was hältst du davon, wenn wir in die Bar hinuntergehen und unseren Erfolg im Fall Martinson feiern?«

Blake wusste, dass es besser wäre, dankend abzulehnen. Irgendwo in seinem Hinterkopf regte sich die vage Vermutung, dass zu Hause irgendetwas auf ihn wartete, aber er konnte sich beim besten Willen nicht erinnern, was.

»Gern«, antwortete er und griff nach seinem Mantel. »Aber nur auf einen Drink. Ich muss bald nach Hause.«

»Kein Problem«, grinste Tom. »Wir haben alle Familie.«

Was der Wahrheit entsprach. Alle drei hatten Frauen und Kinder, die zu Hause auf sie warteten. Aber aus irgendeinem Grund hockten sie noch um elf in der Bar, machten Witze, lachten schallend und ließen die Gläser klingen.

Ted und Tom brachen um halb zwölf auf. Er wolle nur noch schnell sein Glas austrinken, hatte Blake seinen Freunden gesagt. Als er das nächste Mal auf die Uhr sah, saß er schon eine geschlagene Stunde allein vor seinem Drink. Er blickte zur Tür, wollte schon aufstehen, doch dann fiel ihm sein großes Ehebett ein und der Abstand, den Annie geradezu beflissen zu ihm einhielt, und so blieb er, wo er war.

Kerzenlicht brachte die Damastdecke zum Schimmern, spiegelte sich in Silberbestecken und Gläsern wider. An einem Ende des Tisches lagen bunt verpackte Geschenke, und heliumgefüllte Ballons waren an den Stuhllehnen befestigt. In der Küche warteten Natalies Lieblingsgerichte darauf, serviert zu werden: hausgemachte Pasta mit Parmesan, Croissants mit Honig und gebutterte Maiskolben.

Heute Abend sollte Natalies achtzehnter Geburtstag gefeiert werden, und Annie war entschlossen, alles zu tun, um familiäre Harmonie vorherrschen zu lassen, zumindest für die nächsten paar Stunden.

Sie warf einen letzten prüfenden Blick auf die Tafel. Hank trat neben sie, legte ihr einen Arm um die Schultern und zog sie an sich. In der Küche konnten sie Terri und Natalie lachen hören. Annie schmiegte sich an ihren Vater. »Ich bin sehr froh, dass du die Feiertage mit uns verbracht hast, Dad. Natalie und ich wissen das sehr zu schätzen.«

»Ich hätte mir selbst keine größere Freude machen können.« Er blickte sich um. »Und wo bleibt dein Mann? Mir läuft schon das Wasser im Mund zusammen ...«

»Im Moment ist er gerade einmal eine Viertelstunde zu spät. Für Blake ist das nichts. Ich sagte ihm, dass wir um halb sieben essen wollen, also wird er gegen sieben hier sein.«

Hank ließ sie los und ging zum Fenster, von dem aus man die Auffahrt überblicken konnte.

Annie folgte ihm. »Dad?«

Es dauerte eine Weile, bis er etwas sagte, und dann klang seine Stimme sehr leise. »Als du Blake das erste Mal mit nach

Hause brachtest, hat er mich ziemlich beeindruckt. Zugegeben, er war sehr jung, aber auch intelligent und ehrgeizig. Anders als die Jungen in Mystic. Endlich jemand, der gut für mein kleines Mädchen sorgen wird, sagte ich mir …«

»Ich kenne die Geschichte, Dad.«

Er drehte sich zu ihr um. »Ich habe mich getäuscht, oder?«

»Wie meinst du das?«

»Mit ihm hast du dir lediglich eine weitere Last aufgebürdet, stimmt's?« Er runzelte die Stirn. »Ich hätte mir mehr Sorgen um *dich* als um deine finanzielle Sicherheit machen sollen. Deine Mutter wäre sicher klüger gewesen … Aber ich wollte einfach, dass du es im Leben besser hast.«

»Ich weiß, Dad.«

»Es …« Seine Stimme begann zu zittern, und er konnte sie nicht ansehen. »Es macht mich ganz krank, zu sehen, wie unglücklich du bist. Ich höre dich kaum noch lachen. Das war in Mystic anders, und ich glaube, ich habe dir einen schlechten Rat gegeben. Ich hätte dich mit deiner Buchladen-Idee unterstützen müssen. Himmel, ich habe dich dein ganzes Leben schlecht beraten, fürchte ich.« Endlich blickte er sie doch an. »Ich hätte dir schon vor vielen Jahren sagen sollen, wie klug, begabt und fähig du bist und dass ich unglaublich stolz auf dich bin. Deine Mutter hätte es dir gesagt.«

»O Daddy …« Mehr konnte Annie nicht sagen, sie hatte einen Kloß im Hals.

»Ein Vater bringt seinen Kindern Verantwortungsgefühl und Verlässlichkeit bei, aber eine Mutter … Von seiner Mutter lernt ein Kind, nach den Sternen zu greifen und an Märchen zu glauben. Sarah hätte dir das alles geben können. Aber ich? Was weiß ein ungebildeter Sägewerkarbeiter schon von Lebenschancen und Träumen?« Er seufzte, und als er sie ansah, standen Tränen in seinen Augen. »Ich wünschte, es wäre mir vergönnt, alles noch einmal und besser zu machen, Annie Virginia …«

»Ich liebe dich, Dad«, flüsterte Annie, schlang die Arme um Hank und lehnte ihren Kopf an seine Brust.

Als sie sich von ihrem Vater löste, lief ihr Wimperntusche über die Wangen. Sie lächelte. »Ich muss ja aussehen wie der *Rocky Horror Picture Show* entsprungen. Lass mich schnell ins Bad laufen ...«

Sie drehte sich um und lief an der offen stehenden Tür zur Küche vorbei, in der Terri und Natalie gerade Kerzen auf die Torte steckten.

Natalie hob den Kopf. »Alles in Ordnung?«

Annie nickte. »Sicher.«

»Ist Dad schon da?«

»Ich werde ihn über Handy anrufen. Vermutlich ist er gleich da.«

Über Natalies Schulter hinweg warf Terri Annie einen irritierten Blick zu.

Annie hob hilflos die Schultern, ging zum Telefon und wählte Blakes Handynummer, erreichte jedoch nur seine Mailbox.

Annie wandte sich den erwartungsvollen Gesichtern zu. »Er meldet sich nicht.«

Sie warteten weitere vierzig Minuten auf Blake und kamen dann stillschweigend überein, ohne ihn zu essen. Sie setzten sich an den Tisch und begannen ebenso fieberhaft wie bemüht zu reden, um Verärgerung und Enttäuschung zu kaschieren. Doch der leere Stuhl ließ sich nicht übersehen.

Annie zwang sich während des gesamten Essens zu einem strahlenden Lächeln. Terri unterhielt sie mit Possen von den Dreharbeiten für ihre Soaps, bis alle laut lachen mussten. Nach dem Essen setzten sie sich vor den Kamin, und Natalie packte ihre Geschenke aus.

Gegen zehn verabschiedete sich Terri von Natalie und Hank. Annie brachte sie zur Haustür. »Er ist ein echter Mistkerl«, zischte sie wütend.

Schweigend umarmte Annie ihre Freundin und kehrte langsam ins Wohnzimmer zurück.

Sofort stand Hank auf. »Ich denke, ich sollte zu Bett gehen. Wir alten Knaben brauchen unseren Schönheitsschlaf.« Er beugte sich vor und gab Natalie einen Kuss auf die Wange. »Nochmals alles Gute für dich, Honey«, sagte er und verließ den Raum.

Unbehagliche Stille breitete sich aus.

Natalie ging zum Fenster. Annie lief ihr nach, stellte sich neben ihre Tochter. »Tut mir Leid, Nana. Ich hatte mir alles anders vorgestellt.«

»Keine Ahnung, warum ich immer noch hoffe, er könnte sich ändern ...«

»Er liebt dich. Es ist nur so, dass ...« Annie verstummte. Diese oder ähnliche Worte hatte sie schon zu oft gesagt. Sie war die Beschwichtigungen und Entschuldigungen endgültig leid.

»Und warum merke ich dann nicht, dass er mich liebt?«, wollte Natalie wissen.

Die leise Frage versetzte Annie einen qualvollen Stich. »Er kann seine Gefühle nicht zeigen, Nana.«

Natalies Augen füllten sich langsam mit Tränen. »Weißt du eigentlich, dass ich mir als kleines Mädchen immer eingeredet habe, er wäre gar nicht mein richtiger Vater?«

»Oh, Nana ...«

»Warum bleibst du bei ihm?«

Annie seufzte. Für diese Diskussion war sie nicht bereit, nicht heute Abend. »Du bist jung und ungeduldig, mein Schatz. Irgendwann wirst du es verstehen. Es gibt Verpflichtungen und Bindungen, die man nicht auf die leichte Schulter nehmen sollte. Ich darf nicht nur an mich denken.«

Aber Natalie schnaubte nur verächtlich. »Ich mag jung und ungeduldig sein, aber du bist naiv, Mom. Das warst du schon immer. Manchmal komme ich mir sehr viel erwachsener vor als du. Du glaubst immer, alles würde gut werden.«

»Das habe ich geglaubt. In letzter Zeit jedoch weniger.«

Natalie musterte sie ernst. »Du hättest dich im Frühjahr hören sollen, Mom, wie zufrieden und glücklich du geklungen hast. Jetzt weiß ich auch, warum. Er war nicht da, um dich springen zu lassen, dich zu drangsalieren.«

Annie brauchte einen Moment, um ihre Stimme wiederzu-
finden. »Diesen Eindruck hast du von mir?«

»Ich sehe dich, wie du bist, Mom. Als einen Menschen, der
von ganzem Herzen liebt und alles tun würde, um uns glücklich zu machen. Aber im Frühjahr hat irgendetwas *dich* glücklich gemacht.«

Annie schluckte hart. Sie drehte sich um, bevor Natalie die
Tränen in ihren Augen sehen konnte.

»Erzähl mir von Izzy. Ich wette, du hast sie wieder mit der
Welt versöhnt, sie zum Lächeln gebracht.«

»Izzy …« Obwohl Annie wusste, wie gefährlich das war, gab
sie sich ihren Erinnerungen hin, dachte an den Garten hinter
dem weißen Lattenzaun, winterdürre Astern und eine kleine
Hand in einem schwarzen Handschuh. »Sie ist ein wunderba-
res, kleines Mädchen, Natalie. Du würdest sie mögen.«

»Und was ist mit ihm?«

Langsam drehte sich Annie zu Natalie um. »Wen meinst
du?«

»Izzys Vater.«

»Ich kenne ihn schon lange, seit der High-School.« Annie
merkte, dass ihre Stimme sanfter wurde, weicher. Sie lächelte.
»Er war der erste Junge, der mich geküsst hat.«

»Da ist es wieder, Mom.«

Annie runzelte die Stirn. »Was?«

»Dieser Klang in deiner Stimme. So hast du dich auch ange-
hört, als wir miteinander telefoniert haben. Hat er etwas damit zu tun, Mom?«

Annie kam sich vor wie eine Frau, die auf sehr schmalem
Grat balancierte. Sie konnte ihrer Tochter nicht die Wahrheit
sagen. Später vielleicht, wenn Natalie älter war, mehr vom Leben gesehen hatte. »In Mystic haben mich viele Dinge glücklich gemacht.«

»Vielleicht können er und Izzy bald einmal nach Malibu
kommen«, sagte Natalie nach langem Schweigen. »Oder wir
beide besuchen sie in Mystic.«

»Nein.« Annie wollte noch etwas hinzufügen. Etwas, was die

einsilbige Ablehnung erklärte, aber sie schaffte es nicht. Stattdessen zog sie Natalie in ihre Arme. »Es tut mir Leid, dass dein Dad deinen Geburtstag vergessen hat.«

»Mir tust nur du Leid«, murmelte Natalie.

»Warum?«

»Weil du in achtzehn Jahren die gleichen Worte zu Katie sagen wirst.«

28. KAPITEL

Gegen Mitternacht setzte sich eine Frau auf den Barhocker neben Blake. Sie trug einen hautengen schwarzen Hosenanzug mit breitem Silbergürtel und schwarze Pumps mit Stilettoabsätzen. Mit einem langen Fingernagel trommelte sie auf den Tresen. »Wodka-Martini, zwei Oliven«, sagte sie zu dem Barkeeper.

Im Hintergrund sang Dwight Yoakams rauchige Stimme etwas über einen Clown.

Die Frau sah Blake an. Eine Olive zwischen die Lippen schiebend, forderte sie ihn zum Tanzen auf.

Blake rutschte vom Barhocker und trat einen Schritt zurück. »Sorry«, murmelte er. »Das würde meiner Frau kaum gefallen.«

Aber er ging nicht, konnte es nicht. Wie gebannt stand er da, starrte die Frau an und fragte sich, wie sich diese Brüste in seinen Händen anfühlen würden, die jungen, festen Brüste einer Frau, die noch kein Kind geboren hatte, die kein Baby stillte.

Und plötzlich stellte er sich der Wahrheit, die er seit Monaten verdrängt hatte. Er liebte Annie, aber nicht genug. Er würde sie wieder betrügen. Vielleicht nicht heute, vielleicht nicht einmal in diesem Jahr, aber irgendwann mit Sicherheit. Es war nur eine Frage der Zeit.

Und wenn er es tat, wäre er erneut verloren. Es gab auf der Welt nichts Einsameres als einen Mann, der seine Frau regelmäßig betrog. Blake wusste, wie verlockend es war, der Versuchung nachzugeben und im Dunkel der Nacht Sex mit einer fast fremden, namenlosen Frau zu haben. Doch danach fühlte er sich immer sonderbar schuldig, voller Scham und unfähig, *seiner* Frau in die Augen zu blicken.

Betroffen wandte er sich von der Frau im schwarzen Hosenanzug ab und verließ die Bar. Er fuhr heim und parkte den Wagen in der Garage. Müde und erschöpft betrat er das Haus.

Annie wartete im Wohnzimmer auf ihn. Mit angezogenen Beinen saß sie auf der Couch. »Hallo, Blake«, sagte sie leise.

Wie angewurzelt blieb Blake stehen. Absurderweise kam es ihm vor, als ob sie wusste, was er um ein Haar getan hätte. »Hey, Annie.« Er zwang sich zu einem Lächeln.

»Du kommst spät.«

»Ich war mit ein paar Kollegen in der Bar an der Fourth. Um einen Erfolg vor Gericht zu feiern …«

»Heute Abend haben wir Natalies Geburtstag gefeiert.«

Blake zuckte zusammen. »*Verdammt*. Ich habe vergessen, es mir im Terminkalender zu notieren.«

»Diese Erklärung wird Natalie geradezu glücklich machen.«

»Du hättest mich anrufen und erinnern sollen.«

»Versuch nicht, mir die Schuld zuzuschieben, Blake. Du erinnerst dich an jedes Honorar, das ein Klient dir schuldet, aber den achtzehnten Geburtstag deiner Tochter vergisst du.« Sie seufzte. »Du solltest zu ihr gehen. Ich wette, sie schläft noch nicht.«

»Wahrscheinlich ist sie todmüde …«

»Du bist ihr zumindest eine Erklärung schuldig.«

Er drehte sich um, ging zum marmornen Konsolentisch und betrachtete sich in dem goldgerahmten Spiegel. »Natalie ist wütend auf mich«, sagte er leise. »Ich habe sie in London nicht angerufen, aber ihr jede Woche Blumen geschickt. Ein Mädchen liebt es, Blumen zu bekommen, hat Su …« Er erkannte, was er gerade sagen wollte, und hielt schnell inne.

»Da irrt Suzannah«, entgegnete Annie ruhig. »Ein siebzehnjähriges Mädchen braucht von seinem Vater sehr viel mehr als Blumen, die seine Sekretärin in Auftrag gibt.«

Er drehte sich wieder zu ihr um. In ihren Leggings und einem abgetragenen Sweatshirt sah sie einer halbwüchsigen Streunerin ähnlicher als seiner Frau. »Ich werde ihr einen Laptop kaufen.«

»Am Sonntag fährt sie zur Uni zurück. Wir werden sie erst im Frühjahr wiedersehen – und mit der Zeit immer seltener. Sie wird neue Freunde finden, sich ihr eigenes Leben aufbauen und nicht mehr so oft zu uns nach Hause kommen.«

Zu *uns* ... Blake versuchte aus diesem Wort Zuversicht zu beziehen, aber es gelang ihm nicht ganz. »Und was soll ich zu ihr sagen?«

»Das weiß ich nicht.«

»Aber natürlich. Du weißt immer ...«

»Nicht mehr. Wenn du ein besseres Verhältnis zu deiner Tochter finden willst, dann wirst du das selbst tun müssen. Von mir kannst du keine Hilfe mehr erwarten.«

»Bitte ...«

»Wie heißt ihr Freund, Blake?«

»Sie hat keinen.«

»Ach nein? Das würde Brian aber sehr überraschen. Und was studiert sie eigentlich?«

Es fiel ihm schwer, sich zu konzentrieren, wenn sie ihn so ansah. »Jura wie ich. Sie wird danach als Partnerin in die Kanzlei eintreten.«

»Wirklich? Wann habt ihr das letzte Mal darüber gesprochen?«

»Letztes Jahr?« Er blickte sie an und erkannte, dass er sich irrte. »Vor zwei Jahren?«

»Wirklich?«

Blake fühlte sich wie jemand, der verzweifelt nach einem Rettungsring greift, ihn aber nicht erreichen kann. »Ich weiß es nicht mehr«, räumte er kleinmütig ein.

Sein Geständnis schien Annie milder zu stimmen. »Du musst mit ihr reden, Blake. Aber vor allem zuhören.« Sie lächelte ihn bekümmert an. »Und wir wissen beide, wie schwer dir das fällt.«

»Okay, ich rede mit ihr.«

Er sagte es leise, überzeugt. Aber sie kannten beide die Wahrheit. Schon tausendmal hatte Annie ihn angefleht, mehr Zeit mit Natalie zu verbringen.

Sie wussten beide, dass es dazu nie kommen würde.

Am letzten Tag im Januar stand Terri strahlend vor der Tür. In den Händen eine Flasche Moët & Chandon und eine Tüte Croissants. »Wenn eine Frau vierzig wird«, verkündete sie vergnügt, »sollte sie schon am Morgen zu trinken beginnen. Und bevor du jetzt einwendest, Alkohol sei schädlich für stillende Mütter, lass dir versichern, dass der Champagner für mich ist. Du darfst die Croissants knabbern.«

Sie setzten sich auf die Terrasse, neben ihnen plätscherte der beheizte Whirlpool.

»Nimm es mir nicht übel«, bemerkte Terri nach einem Schluck Champagner, »aber du siehst einfach grauenhaft aus.«

»Vielen Dank. Ich hoffe, dass du auch meinen Fünfzigsten mit mir feierst – wenn ich Aufmunterung wirklich nötig habe.«

»Du schläfst nicht genug.«

Annie verzog das Gesicht. Es stimmte, seit Wochen kam sie nachts nicht richtig zur Ruhe. »Katie schlägt sich mit einer Erkältung herum.«

»Ah«, schmunzelte Terri. »Weiß die arme Katie eigentlich, wie schamlos du sie als Ausrede benutzt?«

»Wie klug Sie sind, Doktor Freud.« Annie blickte aufs Meer, sah die weiß gekrönten Wellen auf den Strand schwappen. Sie brauchte die Augen nicht zu schließen, um einen anderen Strand vor sich zu sehen, in einer Gegend, in der es wirklich kalt wurde. Dort befand sich der Regenwald jetzt fest im Griff des Winters. Die Touristen wären vom frühen und plötzlichen Einbruch der Dunkelheit längst vertrieben worden. Der Schnee lag bestimmt meterhoch auf den Berghängen, dennoch blühten über der weißen Pracht Sträucher – purpurfarben und gegen alle Naturgesetze. Tief in den Wäldern, wohin nur selten der Fuß eines Menschen kam, würde es aussehen, als rückten die Bäume enger zusammen. Sie schufen einen dunklen, schwarzen Vorhang, nur selten unterbrochen von einem Hauch Grün. Selbst mitten am Tag wäre es düster, und nicht einmal die hellste Wintersonne würde auf den kalten, gefrorenen Waldboden dringen. Jeder, der verrückt genug war, sich um diese Jahreszeit in diese Wildnis zu wagen, wäre für immer verloren.

Annie sehnte sich danach, jetzt dort oben im Norden zu sein, die Kälte auf den Wangen zu spüren, sich warm eingepackt auf den Boden zu werfen und mit ihren Armen Adlerabdrücke im Schnee zu hinterlassen, während sie zusah, wie ihre Atemwölkchen in die silbrige Luft aufstiegen.

»Warum bleibst du nur bei ihm?«

Annie seufzte. Auf diese Frage wartete sie seit Natalies Geburtstag. Sie stellte sie sich ja selbst, wenn sie abends im Bett lag, neben ihrem Mann, und nicht einschlafen konnte.

Sie dachte häufig an Natalie, die inzwischen auf eigenen Beinen stand, und an Katie, die sie noch lange Jahre brauchen würde. In diesen Augenblicken fühlte sie sich unendlich verloren, starrte in die Dunkelheit, suchte nach einem Bild von sich selbst als Kind. Und sah ein dünnes, braunhaariges Mädchen, das stets getan hatte, was von ihm erwartet wurde.

Sie erinnerte sich sehnsüchtig an die Frau, die sie am Ufer des Mystic Lake gewesen war, die es wagte, von einer eigenen Buchhandlung zu träumen, die sich auf das Risiko der Liebe eingelassen hatte. Annie vermisste Nick, Izzy und die harmonische Vertrautheit, die sie aus den Scherben ihrer unterschiedlichen Vergangenheit zusammengefügt hatten.

Es war die Art Familie, von der Annie immer geträumt hatte, die Familie, die Katie verdiente.

Weißt du eigentlich, dass ich fast keine Erinnerungen an Dad habe ...?

Terri legte ihr eine Hand auf die Schulter. »Annie? Du weinst ja ...«

Sie hatte schon zu lange so getan, als wäre alles in Ordnung, sich zu lange eingeredet, alle anderen seien wichtiger als sie. Jetzt schaffte sie es nicht mehr, sich etwas vorzumachen.

»Auch ich habe ein Recht auf Glück«, stellte sie leise fest.

»Na endlich. Gott sei Dank«, flüsterte Terri, zog sie in ihre Arme, und Annie ließ es zu, dass ihre Freundin sie tröstend hin- und herwiegte.

»Ich ertrage dieses Leben nicht mehr.«

»Natürlich nicht.«

Annie löste sich aus Terris Armen und strich sich die länger gewordenen Haare aus der Stirn. »Ich möchte nicht, dass auch Katie mir eines Tages sagt, sie hätte keine Erinnerungen an ihren Vater.«

»Und was wünschst du dir für *dich*, Annie?«

»Ich habe Besseres verdient als diese Ehe. Blake und mich verbindet nichts mehr. Nicht einmal unsere Kinder.«

Diese Wahrheit versuchte sie seit Monaten zu verdrängen. Ihre Liebe war erloschen wie eine Kerze, von der nur ein leichter Rußgeruch daran erinnerte, dass sie überhaupt gebrannt hatte. Annie konnte sich nicht einmal an die längst vergangenen Tage erinnern, in denen sie einander nahe gestanden hatten.

Annie betrauerte den Verlust dieser Liebe, aber sie trug daran ebenso viel Schuld wie Blake. Sie hatte ein Leben im Schatten verbracht, aus Furcht, zu scheitern oder verlassen zu werden. Ihre Ehe war das, was Blake und sie daraus gemacht hatten.

Auch Blake war nicht glücklich. Daran hegte sie nicht den geringsten Zweifel. Er war noch nicht bereit, sie aufzugeben, aber die Annie, die er wiederhaben wollte, war Annie Bourne Colwater, die Frau, die überhaupt erst in ihrer Ehe geschaffen worden war.

Er wollte etwas zurück, was es nicht mehr gab.

Leise Musik ertönte aus den Lautsprechern des Schlafzimmers. Blake stand vor dem Kinderbett und blickte auf seine kleine Tochter hinunter.

Er griff in die Tasche und zog ein schmales Etui hervor. Seine Finger strichen über den Samt, und er erinnerte sich an die Geschenke, die Annie in der Vergangenheit zu Weihnachten, zu Hochzeitstagen und Geburtstagen von ihm erhalten hatte.

Immer waren es Geschenke gewesen, die er für richtig und angebracht hielt. Wie den Ring mit dem dreikarätigen Solitär, den er ihr zum zehnten Hochzeitstag geschenkt hatte. Nicht, weil das Annies Wunsch gewesen wäre – sie war mit dem schlichten Goldreif mehr als zufrieden, den er ihr bei ihrer Trauung an den Finger gesteckt hatte –, sondern weil diese Großzügigkeit Rückschlüsse auf Blake zuließ. Jeder, der diesen Ring an Annies Hand sah, wusste gleich, dass Blake ein erfolgreicher, wohlhabender Mann war.

Niemals hatte er ihr geschenkt, was sie sich wünschte, was sie brauchte. Nie sich selbst.

»Blake?«

Beim Klang ihrer leisen, fragenden Stimme drehte er sich um. In einem blauseidenen Morgenrock stand sie in der Tür und sah unbeschreiblich schön aus.

»Wir müssen miteinander reden«, sagte sie.

Von düsteren Ahnungen ergriffen, ging er langsam auf sie zu. »Ich weiß.«

Sie sah ihn an, und einen Moment lang hätte er sie am liebsten so fest an sich gedrückt, dass sie ihn nie wieder verlassen konnte. Aber er hatte gelernt, dass zu fest zu halten noch verhängnisvoller war, als gar keine Hand auszustrecken. »Ich habe hier ein kleines Geschenk. Zu deinem Geburtstag.« Er hielt ihr das Etui hin.

Zögernd, ihn nicht aus den Augen lassend, nahm Annie das Geschenk entgegen und öffnete es. Auf eisblauem Seidenfutter lag ein goldenes Gliederarmband. »Annie« stand auf der breiten Namensplakette.

»Oh, Blake«, hauchte sie und biss sich auf die Lippe.

»Dreh es um.«

Er sah, dass ihre Finger zitterten, als sie die Gravur auf der Rückseite las: »Ich werde dich immer lieben.«

Mit schimmernden Augen blickte sie ihn an. »Es tut mir Leid, Blake. Aber es ist zu spät.«

»Ich weiß«, flüsterte er und bemerkte, wie unmännlich bebend seine Stimme klang. Es war ihm egal. Hätte er früher weniger Wert auf materielle Geschenke gelegt, brauchte er vielleicht jetzt nicht von der einzigen Frau Abschied zu nehmen, die er jemals wirklich geliebt hatte. »Ich wünschte …« Er hatte keine Ahnung, was er sich eigentlich wünschte. Dass sie anders wäre? Er? Dass sie die Gefahr rechtzeitig erkannt hätten?

»Ich auch«, antwortete sie.

»Versprich … versprich mir, die Gravur auf dem Armband nicht zu vergessen.«

»O Blake, ich brauche kein Armband, um mich daran zu erinnern, wie sehr ich dich geliebt habe. Du warst mein Leben, für mehr als zwanzig Jahre. Immer, wenn ich an die Vergangenheit denke, werde ich mich an dich erinnern.« Tränen liefen ihr über die Wangen. »Und wie stellst du dir das mit Katie vor?«

»Ich werde sie selbstverständlich unterstützen.«

Er sah, wie sehr seine Antwort sie verletzte. »Ich meinte das nicht finanziell.«

Blake trat näher, legte ihr eine Hand an die Wange. Er wusste, was sie von ihm erwartete, aber dazu war er bedauerlicherweise nicht in der Lage. Er würde für Katie nicht mehr da sein als für Natalie. Plötzlich verspürte er heftiges, fast körperlich schmerzhaftes Bedauern. Über die vertanen Gelegenheiten, über die leichtsinnige Aufgabe ihrer Gemeinsamkeiten. Traurig sah er sie an. »Willst du, dass ich lüge?«

Annie schüttelte den Kopf. »Nein.«

Vorsichtig, ganz behutsam legte er seine Arme um Annie, zog sie an sich und wusste, dass er diesen Moment nie vergessen würde. »Ich schätze, es ist wirklich vorbei«, flüsterte er ihr ins Haar. Nach einer halben Ewigkeit hörte er ihr leises, zitterndes »Ja«.

Natalies Zimmer war mit zahllosen Andenken an London geschmückt. Fotos von neuen Freunden standen auf ihrem

Schreibtisch neben Familienbildern, hinter Stapeln von Unterlagen. Das Bett war mit Laura-Ashley-Wäsche bezogen, und in der Mitte lag das rosa Kissen, auf das Annie vor langer Zeit »Auf mir träumt eine Prinzessin« gestickt hatte.

Mit übereinander geschlagenen Beinen saß Natalie auf dem Bett, die offenen Haare fielen ihr über die Schultern. Sie wirkte besorgt und nervös – die normale Reaktion eines Teenagers, wenn *beide* Eltern zu Besuch kommen.

Annie wünschte, es gäbe eine Art stummer, wortloser Kommunikationsmöglichkeit, um ihre Tochter über die bevorstehende Scheidung zu informieren.

Blake war in einer Ecke des Zimmers stehen geblieben. Er wirkte ruhig und gelassen – wie im Gerichtssaal –, aber an der Art, wie er ständig auf seine Armbanduhr blickte, bemerkte Annie seine innere Unruhe.

Ihr war klar, dass es auf sie hinauslief, die Mitteilung zu machen, und es hatte wenig Sinn, sie hinauszuschieben. Sie setzte sich zu Natalie auf das Bett. Blake machte ein paar zögernde Schritte auf sie zu, blieb dann aber mitten im Raum wieder stehen.

»Was ist denn, Mom?« Besorgt sah Natalie ihre Mutter an.

»Dein Dad und ich haben dir etwas zu sagen.« Sie nahm Natalies Hand, betrachtete die schlanken Finger, den schmalen Ring mit dem roten Stein, den sie ihrer Tochter zum sechzehnten Geburtstag geschenkt hatten. Annie brauchte ihre ganze Kraft, nicht wieder aufzuspringen. Sie holte tief Luft. »Wir lassen uns scheiden.«

Natalie saß ganz still. »Eigentlich überrascht es mich nicht.« In ihrer Stimme hörte Annie das Kind, das sie einmal war, und die Frau, zu der sie wurde.

Sie strich ihrer Tochter über den Kopf, fuhr ihr mit den Fingern durch die Haare, wie sie es früher oft getan hatte. »Es tut mir sehr Leid, mein Schatz.«

Als Natalie aufblickte, standen Tränen in ihren Augen. »Ist das auch dein Wunsch, Mom?«

Annie verspürte unbändigen Stolz auf ihre Tochter. »Ja, sicher, und ich möchte, dass du dir keine Sorgen machst. Über Einzelheiten haben wir noch nicht gesprochen. Wo jeder von uns wohnt, wie wir Feiertage und Urlaube verbringen, steht noch in den Sternen. Aber eins weiß ich ganz gewiss. Wir werden eine Familie bleiben, wenn auch eine ungewöhnliche. Ich schätze, du hast künftig zwei Zuhause.«

Natalie nickte langsam, dann sah sie zu ihrem Vater.

Blake kam zum Bett und ging vor Natalie in die Hocke. Zum ersten Mal wirkte er nicht wie ein Staranwalt, sondern sah aus wie ein verunsicherter, ratloser Mann. »Ich habe mich nicht richtig verhalten …« Er lächelte Annie an, drehte sich dann wieder zu Natalie um. »Deiner Mom und dir gegenüber. Verzeih mir, Häschen.« Er strich ihr übers Gesicht.

Tränen liefen über Natalies Wangen. »So hast du mich nicht mehr genannt, seit ich mir in der dritten Klasse das Knie aufgeschlagen habe.«

»Es gibt vieles, was ich seit Jahren nicht mehr gesagt – oder getan habe. Aber ich will mich bessern, mehr Dinge gemeinsam unternehmen. Natürlich nur, wenn du willst.«

»Im Mai führt eine Tourneebühne hier *Phantom der Oper* auf. Vielleicht könnten wir eine Vorstellung besuchen?«

Blake lächelte. »Klar.«

»Du meinst es wirklich ernst? Ich kann also zwei Karten kaufen?«

»Ich meine es ernst«, versicherte er so bestimmt, dass Annie ihm glaubte. Aber sie hatte ihm ja immer geglaubt.

Langsam stand Blake auf.

»Wir sind und bleiben eine Familie«, sagte Annie und strich Natalie eine Haarsträhne hinters Ohr. »Daran wird sich nichts ändern.« Sie lächelte Blake zu.

Sie hatte nicht mehr gesagt als die Wahrheit. Blake würde stets ein Teil von ihr bleiben, ein Teil ihrer Jugend. Sie waren zusammen erwachsen geworden, hatten sich ineinander verliebt, eine Familie gegründet. Daran konnte auch eine Scheidung nichts ändern. Eine Gerichtsverfügung konnte ihnen nur nehmen, was sie aufzugeben bereit waren, und Annie war entschlossen, alles zu bewahren – das Gute, das weniger Gute, den Alltag von zwanzig Jahren. Es gehörte zu ihnen, machte sie zu dem, was sie waren.

Sie streckte die Hand aus. Blake nahm ihre Finger, und gemeinsam drückten sie Natalie an sich. Als Nana noch klein war, hatten sie das »Familienschmusen« genannt, und Annie fragte sich unwillkürlich, wann sie damit aufgehört hatten.

Annie hörte ihre Tochter leise schluchzen, und Natalies Schmerz war das Einzige, was sie bedauerte.

Es war wie eine Reise in die Vergangenheit. Nach langen Jahren schlenderten Annie und Blake gemeinsam über den Campus von Stanford. Allerdings war Annie mittlerweile vierzig Jahre alt, ein großer Teil ihres Lebens lag bereits hinter ihr, und sie schob einen Buggy.

»Es ist ein sonderbares Gefühl, wieder hier zu sein«, bemerkte Blake.

»Ja«, stimmte sie leise zu.

Sie waren lange Stunden mit Natalie zusammen gewesen, hatten an einem Nachmittag mehr Zeit miteinander verbracht als in allen vergangenen Jahren, doch jetzt trennten sich ihre Wege. Annie war mit dem Cadillac gekommen, Blake mit dem Flugzeug. Er hatte sich am Flugplatz einen Wagen gemietet, um zum College zu fahren.

Auf dem Parkplatz blieben sie vor dem Cadillac stehen.

»Was wirst du jetzt tun?«, fragte er.

Annie zögerte. Die gleiche Frage hatte er ihr gestellt, als Natalie im letzten Frühjahr nach Stanford ging. Damals war sie erschreckt gewesen, unsicher. Aber jetzt, viele Monate später, öffneten diese Worte eine Tür, durch deren Spalt Annie eine ganze Welt neuer Möglichkeiten erblickte. »Ich weiß noch nicht. Es ist noch eine Menge im Haus zu tun. Zwanzig Jahre müssen sondiert, aussortiert und verpackt werden. Das Haus werde ich wohl verkaufen. Es ... entspricht mir nicht mehr.« Sie sah ihn an. »Oder willst du darin wohnen?«

»Ohne dich? Nein.«

Annie suchte nach Worten. Nach all diesen Jahren waren sie an einer Wegkreuzung angekommen. Er würde in eine Richtung gehen, sie in die andere. Sie hatte keine Ahnung, wann und wo sie sich wiedersehen würden. Wahrscheinlich im Büro des Anwalts, das sie als zwar getrenntes, aber durchaus noch befreundetes Ehepaar betreten würden, um die notwendigen Papiere zu unterzeichnen …

Blake blickte sie an. In seinen Augen lag eine leise Trauer, die sie anrührte. »Was wirst du Katie über mich erzählen?«, fragte er.

Annie hörte den Schmerz in seiner Stimme, sanft fuhr sie ihm über die Wange. »Das weiß ich noch nicht. Mein altes Ich würde irgendeine Geschichte erfinden, um ihr nicht wehzutun.« Sie lachte. »Dass du ein Spion im Auftrag der Regierung bist und der Kontakt mit uns dein Leben gefährden könnte, vielleicht. Aber jetzt … Ich weiß es wirklich nicht. Wahrscheinlich wird mir etwas einfallen, wenn es so weit ist. Aber ich werde sie nicht belügen.«

Er wandte den Kopf ab. Annie fragte sich, worüber er nachdachte, vielleicht über Lügen und wie viel Kraft ihn die gekostet hatten. Oder über die Tochter, die er nicht kannte, obwohl er achtzehn Jahre mit ihr zusammengelebt hatte, oder die kleine Tochter, die er nie wirklich kennen lernen würde. Oder über die Zukunft eines allein stehenden Mannes, der nie mehr Kinderlachen um sich hören würde. Annie fragte sich, ob ihm bewusst war, dass er als alter, vom Star geplagter Mann keinen Enkel auf seinen Knien schaukeln, dass keine Tochter neben seinem Rollstuhl knien würde, um sich mit ihm an die schöne Vergangenheit zu erinnern. Wenn er sich jetzt nicht besann, würde er erkennen müssen, dass sich manche Verletzungen nicht heilen ließen, dass man wahre Liebe nicht zum Nulltarif bekam … dass es in einem Leben voller Sonnenschein nie die Verheißungen eines Regenbogens gab.

»Wirst du mich vermissen?«, fragte er schließlich.

Annie lächelte wehmütig. »Ich werde das Liebespaar vermissen, das wir einmal waren – das tue ich bereits. Und manchmal werde ich daran denken, was aus uns hätte werden können.«

Seine Augen füllten sich mit Tränen. »Ich liebe dich, Annie.«

»Und ich liebe den Jungen, der du warst, Blake. Immer …«

Sie reckte sich auf die Zehenspitzen, um ihn zu küssen. Sie küssten sich wie seit Jahren nicht mehr: zärtlich, bedacht und sehr innig. Ohne jeden Anflug sexuellen Verlangens. Es war, was Küsse sein sollten, der Ausdruck tief empfundener Zuneigung. Etwas, was sie in ihrem gemeinsamen Leben leichtfertig aufgegeben hatten. Annie konnte sich nicht erinnern, wann ihre Küsse oberflächlich und bedeutungslos geworden waren. Wenn sie sich jeden Tag auf diese Weise geküsst hätten, würden sie vielleicht jetzt nicht auf dem Campus von Stanford stehen und eine Verbindung beenden, die doch ein ganzes Leben lang halten sollte.

Als Blake einen Schritt zurücktrat, sah er müde und erschöpft aus. »Ich schätze, ich habe es ziemlich vermasselt.«

»Du wirst eine neue Chance bekommen, Blake. Die bekommen Männer wie du immer. Du siehst gut aus, bist nicht gerade arm. Die Frauen werden sich um dich reißen. Es kommt ganz auf dich an, was du aus deiner zweiten Chance machst.«

Er fuhr sich mit der Hand durch die Haare. »Großer Gott, Annie. Aller Wahrscheinlich nach werde ich auch die verpatzen.«

Sie lachte. »Vermutlich.«

Sie blickten sich lange in die Augen, und in dieser Zeitspanne sah Annie Anfang und Ende ihrer Liebe, den strahlenden, hoffnungsvollen Beginn, den langsamen, fast unmerklichen Verfall, die einsamen Nächte in den letzten Jahren.

Schließlich blickte Blake auf seine Uhr. »Ich muss los. Mein Flugzeug startet um sechs.« Er beugte sich zu Katie hinab und gab ihr einen letzten, flüchtigen Kuss. Dann lächelte er Annie an. »Es ist unsagbar schwer …«

Sie umarmte ihn noch einmal. »Guten Flug.«

Blake nickte, lief zu seinem Mietwagen und fuhr davon.

Annie blickte ihm nach, bis er verschwunden war. Statt traurig und niedergeschlagen zu sein, wie sie befürchtet hatte, fühlte sie sich nahezu beschwingt. In der letzten Woche hatte sie etwas getan, was sie nie für möglich gehalten hätte: Sie war allein verreist. Nur so zum Spaß. Katie hatte sie zu Terri gebracht, nebst einer langen Liste mit Verhaltensregeln und etlichen Flaschen abgepumpter Milch, und dann hatte sie sich einfach hinters Steuer gesetzt. Ehe sie es sich versah, befand sie sich an der mexikanischen Grenze. Als der klapperige, rote Bus am Straßenrand hielt, wäre sie am liebsten wieder umgedreht, doch sie ließ sich nicht entmutigen. Zusammen mit anderen Touristen stieg sie hinein und fuhr nach Mexiko. Ganz selbstständig.

Es wurde ein herrlicher Tag. Annie ließ sich von den Menschen durch die bunten, lauten Straßen schieben und kaufte Churros an einem der Stände. Gegen Mittag ging sie in ein Restaurant, aß irgendetwas Exotisches, genoss aber jeden einzelnen Bissen. Und als mit der Dämmerung die Neonlichter aufflackerten, erkannte sie, warum sie sich früher stets vor dem Alleinreisen gefürchtet hatte. Auf gewisse Weise veränderte es den Menschen. In einem unbekannten Land, in einer fremden Sprache um den Preis für einen trivialen Gegenstand zu feilschen, und ihn dann ganz besonders zu schätzen, weil er etwas von einem selbst symbolisierte. Jeder Peso, den sie sparte, bewies ihr, wie weit sie gekommen war. Und als sie schließlich abends nach Hause zurückkehrte, ihren müden Körper die Treppe hinaufschleppte und es sich mit ihrer Tochter im breiten Doppelbett gemütlich machte, wusste sie, dass sie im Alter von vierzig Jahren endlich am Anfang stand.

»Komm, Katie Sarah. Machen wir uns auf den Weg.« Annie hob ihre schlafende Tochter aus dem Buggy, gurtete sie hinten im Cadillac auf dem Kindersitz fest, schob den Sportwagen in den Kofferraum und setzte sich hinters Steuer. Noch bevor sie den Parkplatz verließ, suchte sie im Autoradio einen Sender,

der ihr gefiel. Begleitet von Mick Jagger fuhr sie auf den Highway und beschleunigte, bis der Tacho 130 zeigte.

Was wirst du jetzt tun …?

Sie hatte in Südkalifornien noch einiges zu erledigen. Sie musste das Haus vor dem Verkauf räumen, die Dinge verpacken, die sie behalten wollte, und sich darüber klar werden, wo sie leben, was sie tun wollte. Für ihren Lebensunterhalt brauchte Annie nicht zu arbeiten, aber sie wollte sich nicht aushalten lassen. Sie sehnte sich nach einer Beschäftigung, die sie unabhängig machte.

Wieder dachte Annie an ihren Traum von einem Literaturcafé in Mystic. Einen Versuch war es mit Sicherheit wert, und das Obergeschoss des viktorianischen Hauses an der Main Street bot genügend Platz zum Leben. Sie und Katie könnten es sich dort ganz behaglich einrichten.

Mystic.

Nick, Izzy.

Ihre Sehnsucht nach den beiden war allgegenwärtig. Manchmal wachte sie mitten in der Nacht auf und streckte die Hand nach Nick aus, aber er war nicht da, und in diesem Augenblicken empfand sie seine Abwesenheit wie einen körperlichen Schmerz.

Annie wusste, sie würde ihn wiedersehen, sobald sie ihr Leben im Griff hatte.

Sie würde sich ein Cabrio kaufen und vorbei an den weiten, wilden Stränden den Highway 101 nach Norden fahren, mit dem Wind in den Haaren. Sie würde die Melodien aus dem Autoradio aus voller Kehle mitsingen – endlich frei, das zu tun, was sie wirklich wollte. Sie würde hinter dem Steuer sitzen, wenn die Sonne hoch am Himmel stand, und immer noch fahren, wenn über ihr die ersten Sterne zu funkeln begannen. Sie würde unangemeldet im Beauregard House auftauchen und hoffen, dass es nicht zu spät war.

Es wäre Frühling, wenn sie zu ihm fuhr, in dieser von Zauber erfüllten Woche, in der Veränderung in der Luft lag, in der alles frisch und neu roch.

Eines Tages würde sie die Stufen seiner Veranda hinauflaufen, in einer sonnengelben Regenjacke, deren Kapuze fast ihr ganzes Gesicht verdeckte. Überwältigt von Erinnerungen würde sie eine Minute brauchen, um auf die Klingel drücken zu können. Und auf ihren Armen wäre Katie, in einem molligen, blauen Frotteeoverall, den sie eigens für Mystic gekauft hatte.

Und wenn er die Tür öffnete, würde sie ihm sagen, dass sie in den langen Monaten ihrer Trennung das Gefühl hatte, sich selbst zu verlieren, zu fallen und zu fallen – aber niemand war da, der sie auffing …

Die Fahrbahn vor ihr verschmolz mit der Interstate. Zwei grüne Schilder hoben sich vom stahlgrauen Himmel ab. Zwei Richtungen standen zur Wahl: I–5 South, I–5 North.

Nein.

Eine absurde, verrückte Idee. Sie war noch nicht so weit. Sie hatte in Kalifornien noch unendlich viele Verpflichtungen und nicht einmal eine Zahnbürste dabei. In Mystic war es noch Winter, grau, nass, kalt, und sie trug Seide …

Im Süden lag Los Angeles und ein herrliches, weißes Haus am Meer, angefüllt mit den Überbleibseln ihres alten Lebens.

Im Norden war Mystic, und in Mystic gab es einen Mann und ein Kind, die sie liebten. Es gab eine Zeit, in der sie geglaubt hatte, Liebe sei etwas Selbstverständliches. Aber diesen Fehler würde sie nie wieder begehen. Liebe – das waren die Sonne, der Mond und die Sterne in einer ansonsten kalten und dunklen Welt.

Nick wusste das. »Du irrst, Annie«, hatte er ihr kurz vor ihrem Abschied gesagt. »Liebe ist wichtig. Vielleicht ist sie das Einzige, was zählt.«

Im Rückspiegel blickte sie auf ihre fest schlafende Tochter. »Hör zu, Kathleen Sarah. Ich vertraue dir jetzt Lektion Nummer eins aus den Lebensweisheiten von Annalise Bourne Colwater an. Ich weiß vielleicht nicht alles, aber ich bin vierzig Jahre alt und kenne mich aus, also pass gut auf. Manchmal muss man sich an die Regeln halten und alles richtig machen.

Vorsicht walten lassen.« Sie begann zu lächeln. »Aber manchmal, jetzt zum Beispiel, muss man alle Bedenken über Bord werfen und die Gelegenheit einfach beim Schopf packen.«

Lachend schaltete Annie den Blinker ein und wechselte die Fahrbahn ...

Und fuhr nach Norden.

DANKSAGUNG

Manche Bücher sind wie Schlachten. Andere wie Kriege. Dank meinen Generälen Ann Patty, Jane Berkey und Linda Grey dafür, mir stets das Beste abzuverlangen. Dank an Stephanie Tade, die immer an dieses Buch geglaubt hat. Dank an Elisa Wares und das wundervolle Team von Ballantine Books für unablässige Ermutigung und Unterstützung. Bei meinen Kampfgefährtinnen Megan Chance, Jill Marie Landis, Jill Barnett, Penelope Williamson und Susan Wigges bedanke ich mich für ihr Zuhören, ihr Lachen und vieles mehr. Und Dank auch meinem Schutzengel, meiner Superagentin, Mentorin und Freundin Andrea Cirillo – Dank für alles.

Der 32-jährige Filmstar Angel DeMarco erleidet einen schweren Herzanfall. Nur eine Transplantation kann ihm noch helfen. Er, der immer auf der Flucht war vor seiner Vergangenheit, muss nun zurück nach Hause: nach Seattle. In der Spezialklinik trifft er seine Jugendliebe wieder, Madelaine – die verantwortliche Ärztin. Was Angel nicht weiß: er ist der Vater von Madelaines Tochter Lina ...

Kristin Hannah

Wenn das Herz ruft

Roman
Deutsche Erstausgabe

ULLSTEIN TASCHENBUCH